Título original: *Stranger in the Moonlight*
Traducción: Ana Isabel Domínguez Palomo y María del Mar Rodríguez Barrena
1.ª edición: noviembre, 2014

para el sello B de Bolsillo
Consell de Cent, 425-427 - 08009 Barcelona (España)
www.edicionesb.com

Printed in Spain
ISBN: 978-84-9872-978-8
DL B 19627-2014

Impreso por NOVOPRINT
Energía, 53
08740 Sant Andreu de la Barca - Barcelona

Extraños a la luz de la luna

JUDE DEVERAUX

Prólogo

Edilean, Virginia, 1993

Kim jamás había estado tan aburrida en sus ocho años de vida como lo estaba en ese momento. Ni siquiera sabía que podía existir tal aburrimiento. Su madre le había dicho que saliera un rato al enorme jardín que rodeaba la vieja mansión, Edilean Manor, y jugara, pero ¿cómo iba a jugar sola?

Dos semanas antes, su padre se había llevado a su hermano a algún estado lejano para pescar. Su madre lo llamó «vínculo masculino» y dijo que no pensaba quedarse sola en casa durante un mes entero. Aquella noche, Kim se despertó al oír que sus padres discutían. No era algo que hicieran a menudo, al menos que ella supiera, y de repente se le pasó por la cabeza la palabra «divorcio». La idea de estar sin sus padres la aterraba.

Sin embargo, a la mañana siguiente los vio besarse y todo pareció regresar a la normalidad. Su padre insistía en afirmar que hacer las paces era lo mejor de todo, pero su madre lo mandó callar.

Aquella misma tarde, su madre le informó de que mientras su padre y su hermano estuvieran fuera, ellas se alojarían en un apartamento en Edilean Manor. A Kim no le hizo ni pizca de gracia la idea, porque odiaba la vieja mansión. Era demasiado grande y había eco por todos lados. Además, cada vez que visitaba ese lugar parecía contar con menos muebles y el vacío lo hacía aún más espeluznante.

Su padre le explicó que el señor Bertrand, el anciano que vivía en la casa, había vendido los muebles heredados de la familia para no tener que trabajar.

—Vendería la casa si la señorita Edi se lo permitiera.

La señorita Edi era la hermana del señor Bertrand. Era mayor que él y aunque no vivía en la casa, era la dueña. Kim había oído decir a la gente que le caía tan mal su hermano que se negaba a vivir en Edilean.

Kim no comprendía que alguien pudiera odiar Edilean, porque todos sus conocidos vivían en la ciudad. Su padre era un Aldredge, y pertenecía a una de las siete familias fundadoras del pueblo. Sabía que eso era un motivo de orgullo. A Kim le alegraba no pertenecer a la familia que debía vivir en la terrorífica mansión.

En esos momentos, su madre y ella llevaban dos semanas viviendo en el apartamento y estaba muerta del aburrimiento. Quería volver a su casa y a su dormitorio. Mientras hacían el equipaje para trasladarse, su madre le había dicho:

—Solo nos vamos una temporada y está aquí al lado, así que no hace falta que te lleves eso.

Con «eso» se refería a casi todas las pertenencias de Kim, como sus libros, sus muñecas y todo lo relacionado con sus manualidades. Su madre parecía pensar que eran cosas innecesarias.

Al final, sin embargo, Kim se aferró con fuerza al manillar de la bicicleta que le regalaron por su cumpleaños y miró a su madre con gesto decidido.

Su padre se echó a reír.

—Ellen —le dijo a su mujer—, es la misma cara que te he visto poner cientos de veces y te aseguro que tu hija no va a dar su brazo a torcer. Sé por experiencia que por mucho que le grites, la amenaces, la adules, le supliques, le implores o llores no dará su brazo a torcer.

Su madre miró a su marido, que se reía a mandíbula batiente, con los ojos entrecerrados.

Eso borró incluso la sonrisa de sus labios.

—Reede, ¿qué te parece si tú y yo nos vamos...?

—¿Adónde, papá? —le preguntó Reede, que a sus diecisiete años se daba mucha importancia por poder marcharse a solas con su padre. Sin mujeres. Ellos dos solos.

—A cualquier parte —murmuró su padre.

Kim consiguió llevarse la bici a Edilean Manor y durante los tres primeros días apenas se bajó del sillín. Sin embargo, a esas alturas quería hacer otra cosa. Su prima Sara fue un día, pero le interesaba explorar la vieja y cochambrosa mansión. ¡A Sara le encantaban los edificios antiguos!

El señor Bertrand había sacado una copia de *Alicia en el país de las maravillas* de una pila de libros que había en el suelo. Su madre comentó que había vendido la estantería a una tienda de muebles llamada «Colonial Williamsburg».

—Una pieza original del siglo XVIII y que llevaba más de doscientos años en la familia —había murmurado—. Qué lástima. Pobre señorita Edi.

Kim se pasó unos cuantos días leyendo sobre las aventuras de Alicia y su viaje a través de la madriguera del conejo. Le gustó tanto el libro que le dijo a su madre que deseaba ser rubia y que quería un vestido azul con un delantal blanco. Su madre le replicó que si su padre volvía a marcharse algún día durante cuatro semanas, el próximo bebé que tuviera sería rubio. El señor Bertrand añadió que a él le encantaría pasarse el día sentado en una seta, fumando con un narguile y ofreciendo sabios consejos.

Los dos adultos se echaron a reír. Al parecer, sus mutuos comentarios les parecían muy graciosos. Kim se fue, disgustada, y se sentó en la horquilla de su peral predilecto para seguir leyendo sobre Alicia. Releyó sus pasajes preferidos, y después su madre la llamó para tomar lo que el señor Bertrand denominaba «el té de la tarde». Era un anciano extraño, bastante corpulento, y su padre decía que el señor Bertrand podía incubar un huevo en el sofá.

—No se levanta en todo el día.

Kim se había percatado de que aunque los hombres del pueblo no apreciaban en absoluto al señor Bertrand, las mujeres lo adoraban. Algunos días llegaban incluso seis mujeres cargadas con botellas de vino, guisos y pasteles, y todas parecían pasárselo en grande. Cuando reparaban en ella, todas decían:

—Debería haber traído...

Y seguían con el nombre de sus respectivos hijos. Sin embargo, en ese momento alguna recalcaba lo maravilloso que resultaba disfrutar de esa paz y de esa tranquilidad durante unas horas.

Durante la siguiente visita, las mujeres se olvidaban de nuevo de llevar a sus hijos.

Kim, que estaba fuera escuchando cómo las mujeres reían a carcajadas, no veía la tranquilidad ni la paz por ningún sitio.

Su madre y ella llevaban ya dos largas semanas en la mansión cuando una mañana la vio aparecer muy emocionada. Sin embargo, Kim desconocía el motivo. Algo había sucedido durante la noche. Algo de adultos. Ella estaba más preocupada en encontrar la copia de *Alicia en el país de las maravillas* que le había prestado el señor Bertrand. Solo tenía ese libro y había desaparecido. Le preguntó a su madre por él, porque sabía que ella lo había dejado en la mesita auxiliar.

—Anoche se lo llevé a... —Y dejó la frase sin acabar porque sonó el viejo teléfono colgado en la pared, de modo que corrió a contestar. Nada más cogerlo, se echó a reír.

Asqueada, Kim se fue al jardín. Su vida parecía empeorar por momentos.

Tras darle unas cuantas patadas a las piedras y mirar las flores con el ceño fruncido, echó a andar hacia su árbol. Había planeado trepar por el tronco, sentarse en su rama preferida y pensar sobre lo que podía hacer durante las largas y aburridas semanas que faltaban hasta que su padre volviera a casa y la vida empezara de nuevo.

Cuando se acercó a su árbol, vio algo que la detuvo en seco. Había un chico. Más pequeño que su hermano, pero mayor que ella. Llevaba una camisa y unos pantalones oscuros, como si fuera a misa. Lo peor de todo era que estaba sentado en su árbol, leyendo su libro.

Tenía el pelo oscuro y un flequillo que le caía hacia delante. Estaba tan ensimismado en la lectura que ni siquiera alzó la vista cuando ella le dio una patada a un terrón de tierra.

¿Quién era?, pensó. ¿Con qué derecho se creía para sentarse en su árbol?

Ignoraba las respuestas a ambas preguntas, pero tenía una cosa clara y era que quería que ese desconocido se marchara.

Cogió un terrón de tierra y se lo lanzó con todas sus fuerzas. Aunque había apuntado a su cabeza, le dio en el hombro. El terrón se deshizo y la tierra cayó encima de su libro.

El chico la miró, sorprendido al principio, pero después su cxpresión se relajó y siguió observándola en silencio. Era un chico guapo, pensó Kim. No como su primo Tristan. Ese chico se parecía a un muñeco que había visto en un catálogo, de piel rosada y ojos muy oscuros.

—¡Ese libro es mío! —le gritó—. ¡Y ese árbol es mío! No tienes derecho a quedarte con ninguno de los dos. —Cogió otro terrón y se lo lanzó. Le habría dado en la cara, pero el chico se apartó a tiempo.

Kim tenía mucha experiencia con chicos mayores que ella y sabía que siempre se vengaban. Se enfadaban muy rápido y después pasaba lo que pasaba. La perseguían, la atrapaban y le retorcían el brazo detrás de la espalda o le tiraban del pelo hasta que suplicaba clemencia.

Al ver que el chico hacía ademán de bajarse del árbol, echó a correr tan rápido como se lo permitieron las piernas. Tal vez le diera tiempo a alcanzar el que sabía que era un gran escondite. Puesto que era delgada, se coló entre dos montones de ladrillos, se agachó y esperó a que el chico la persiguiera.

Después de lo que le pareció una hora, el chico seguía sin aparecer y las piernas empezaban a dolerle. Despacio y sin hacer ruido, Kim salió de entre los ladrillos y echó un vistazo a su alrededor. Estaba convencida de que aparecería por detrás del tronco de un árbol, gritaría un: «¡Te pillé!» y le lanzaría un buen puñado de tierra.

Pero se equivocó. El enorme jardín estaba tan silencioso y tranquilo como de costumbre, y no había ni rastro del desconocido.

Corrió para esconderse detrás del tronco de un árbol, esperó y aguzó el oído, pero tampoco escuchó ni vio nada. Corrió hacia otro árbol y esperó. Nada. Tardó un buen rato en regresar a «su» árbol y lo que vio la dejó pasmada.

Allí, bajo las ramas, en el suelo, estaba el chico. Sostenía el libro bajo un brazo y parecía estar esperándola. ¿Se trataría de alguna trampa típica de los chicos, pero que ella desconocía?, se preguntó. ¿Sería eso lo que les hacían los chicos forasteros, los que no eran de Edilean, a las chicas que les arrojaban tierra? Si se acercaba a él, le pegaría.

Tal vez hizo algún sonido mientras lo observaba, porque él se volvió para mirarla.

Kim se apresuró a esconderse tras un árbol, lista para protegerse de cualquier proyectil, pero no sucedió nada. Al cabo de un momento, decidió que no quería seguir pareciendo una gallina, así que salió de detrás del tronco.

El chico caminó despacio hasta ella, que a su vez se preparó para salir corriendo. Sabía muy bien que no debía dejar que los chicos se acercaran después de haberles tirado algo. Todos se enorgullecían muchísimo de la rapidez de sus brazos.

Contuvo el aliento cuando se acercó tanto que supo que ya no podría huir.

—Siento haber cogido tu libro —se disculpó el chico en voz baja—. Me lo prestó el señor Bertrand, así que no sabía que era de otra persona. Y tampoco sabía que este árbol era tuyo. Lo siento.

Kim se quedó tan sorprendida que ni siquiera pudo hablar. Su madre decía que los hombres desconocían el significado de la expresión «Lo siento». Pero ese sí se disculpaba. Cogió el libro que el chico le devolvía y lo observó alejarse en dirección a la mansión.

Estaba a medio camino cuando por fin logró moverse.

—¡Espera! —gritó, y se quedó pasmada al ver que se detenía.

Ninguno de sus primos la obedecía jamás.

Se acercó a él con el libro firmemente sujeto contra el pecho.

—¿Quién eres? —le preguntó.

Si contestaba que era un visitante de otro planeta, no la sorprendería en lo más mínimo.

—Travis... Merritt —contestó—. Mi madre y yo llegamos anoche, muy tarde. ¿Quién eres tú?

—Kimberly Aldredge. Mi madre y yo nos hospedamos allí —dijo, y señaló con un dedo—, mientras mi padre y mi hermano pescan en Montana.

Travis asintió con la cabeza, como si lo que Kim acababa de decir fuera muy importante.

—Mi madre y yo nos alojamos allí. —Señaló a su vez, en dirección al apartamento situado en el otro lado de la mansión—. Mi padre está en Tokio.

Kim jamás había oído hablar de ese lugar.

—¿Vives por aquí cerca?

—No, no en este estado.

Kim lo miraba y pensaba que se parecía mucho a un muñeco, porque no sonreía y tampoco se movía mucho.

—Me gusta el libro —añadió—. Jamás había leído nada parecido.

Kim desconocía que los chicos leyeran algo que no

tuvieran que leer por obligación. Salvo su primo Tris, pero él leía sobre gente enferma, así que eso no contaba.

—¿Qué sueles leer? —quiso saber.

—Libros de texto.

Kim esperó a que él añadiera algo más, pero Travis se mantuvo en silencio.

—¿Qué lees para divertirte?

Lo vio fruncir levemente el ceño.

—Me gustan mucho los libros de ciencias.

—¡Ah! —exclamó ella.

En ese momento, Travis pareció comprender que debía añadir algo más.

—Mi padre dice que mi educación es muy importante y mi tutor...

—¿Qué es un tutor?

—El hombre que me da clases.

—¡Ah! —repitió Kim, que no sabía de qué estaba hablando Travis.

—Recibo clases en casa —le explicó él—. Mi colegio es la casa de mi padre.

—No parece muy divertido —comentó Kim.

Travis sonrió un poco por primera vez.

—Doy fe de que no es muy divertido.

Kim no sabía qué significaba «dar fe», pero lo suponía.

—A mí se me da bien divertirme —le afirmó con su mejor voz de adulta—. ¿Quieres que te enseñe cómo lo hago?

—Me gustaría mucho —contestó él—. ¿Por dónde empezamos?

Kim reflexionó un instante.

—En la parte de atrás hay un montón de tierra enorme. Te enseñaré a subirlo y a bajarlo en mi bici. Puedes bajar soltándote de las manos y de los pies. ¡Vamos! —gritó al tiempo que echaba a correr.

Sin embargo, cuando miró hacia atrás al cabo de un momento, Travis no la seguía. Regresó junto al árbol y lo encontró en el sitio donde lo había dejado.

—¿Tienes miedo? —le preguntó con sorna.

—Pues no, pero nunca me he subido en una bici y creo que eres demasiado pequeña para enseñarme cómo hacerlo.

A Kim no le gustaba que le dijeran que era demasiado pequeña para hacer nada. Por fin hablaba como todos los chicos.

—Nadie te enseña a montar en bici —le respondió, a sabiendas de que estaba mintiendo. Su padre había pasado muchos días sujetándole la bici mientras ella aprendía a guardar el equilibrio.

—Vale —claudicó él con solemnidad—. Lo intentaré.

La bici era demasiado baja para él y la primera vez que se montó, acabó dándose de bruces contra el suelo. Se levantó y se quitó la tierra de la boca mientras Kim lo observaba. ¿Sería uno de esos chicos que iban corriendo a lloriquearles a sus madres?

No lo era. Se limpió la boca con la manga de la camisa y después sonrió de oreja a oreja.

—¡Hurra! —gritó al tiempo que se subía de nuevo a la bici.

A la hora de la comida, ya bajaba el montón de tierra más rápido de lo que Kim se atrevía a hacer y levantaba la rueda delantera como si tuviera que saltar un obstáculo.

—¿Qué tal lo hago? —le preguntó después de su descenso más rápido.

No parecía el mismo chico que Kim había visto por

primera vez sentado en el árbol. Tenía la camisa desgarrada en un hombro y estaba sucio de la cabeza a los pies. Le estaba saliendo un moratón en una mejilla, allí donde se había rozado con el tronco de un árbol después de evitar un choque frontal. Tenía sucios hasta los dientes.

Antes de que Kim pudiera contestar, Travis miró por encima de su hombro y se tensó, convirtiéndose en el chico de antes.

—Madre... —dijo.

Al volverse, Kim vio a una mujer bajita. Era muy guapa en términos puramente maternales. Se parecía mucho a su hijo, pero en vez de tener las mejillas sonrosadas, parecía una versión descolorida y ajada de Travis.

Sin decir una palabra, la recién llegada se colocó entre ellos y miró a su hijo de arriba abajo.

Kim contuvo el aliento. Si la mujer le decía a su madre que Travis se había ensuciado por su culpa, la castigaría.

—¿Le has enseñado a montar en bici? —le preguntó la señora Merritt.

Travis se colocó delante de Kim, como si quisiera protegerla.

—Madre, solo es una niña. He aprendido yo solo. Iré a lavarme. —Y dio un paso hacia la casa.

—¡No! —exclamó la señora Merritt, y él se volvió para mirarla. Su madre se acercó a él para abrazarlo—. Jamás te he visto mejor. —Lo besó en una mejilla y después sonrió mientras se quitaba la tierra de los labios y miraba a Kim—. Y tú, jovencita... —dijo, pero se detuvo. Acto seguido, se inclinó y abrazó a Kim—. Eres una niña maravillosa. ¡Gracias!

Kim la miró, asombrada.

—Seguid jugando. ¿Qué os parece si os preparo la

merienda y hacéis un picnic aquí fuera? ¿Te gusta la tarta de chocolate?

—Sí —contestó Kim.

La señora Merritt dio dos pasos hacia la casa, y Kim gritó:

—¡Necesita su propia bici!

La mujer miró hacia atrás y Kim tragó saliva. Jamás le había dado una orden a un adulto.

—Es que... —añadió en voz más baja—. Es que mi bici es pequeña para él. Y los pies le arrastran.

—¿Qué más necesita? —quiso saber la señora Merritt.

—Un bate de béisbol y una pelota —respondió Travis.

—Y un pogo saltarín —añadió Kim—. Y un... —Dejó la frase en el aire al ver que la señora Merritt levantaba una mano.

—Mis recursos son limitados, pero veré lo que puedo hacer. —Regresó a la casa y, al cabo de unos minutos, volvió con bocadillos y limonada. Más tarde, regresó con dos enormes trozos de tarta de chocolate recién horneada. Para entonces, Travis ya hacía el caballito, y lo observó con una mezcla de asombro y terror—. Travis, ¿quién iba a pensar que eres un atleta innato? —preguntó, maravillada, tras lo cual volvió a la casa.

A primera hora de la noche, llegó Benjamin, el tío de Kim y el padre de su primo Ramsey.

—¡Jo, jo, jo! —gritó—. ¿Quién ha pedido un día de Navidad en julio?

—¡Nosotros! —chilló Kim, y Travis la siguió mientras ella corría hacia el coche de su tío.

El tío Ben sacó una flamante bicicleta azul del maletero.

—Me han ordenado que le entregue esto al chico

más sucio de Edilean. —Miró a Travis—. Creo que ese eres tú.

Travis sonrió. Aún tenía tierra en los dientes y en el pelo, al que se le había pegado.

—¿Es para mí?

—De parte de tu madre —añadió el tío Ben, que señaló con la cabeza hacia la puerta.

La señora Merritt se encontraba en el umbral y a Kim le pareció que estaba llorando. Pero eso no tenía sentido. Una bicicleta hacía reír a la gente, no llorar.

Travis corrió hacia su madre y le arrojó los brazos a la cintura.

Kim lo contempló, pasmada. Ningún chico de doce años que ella conociera haría jamás algo semejante. No era guay abrazar a tu madre delante de otras personas.

—Un buen chico —comentó su tío Ben, y Kim se volvió para mirarlo—. No se lo digas a tu madre, pero me he pasado por vuestra casa y he limpiado un poco. ¿Reconoces algo de esto? —Tiró de una caja que también llevaba en el maletero y la inclinó para que Kim viera el contenido.

Descubrió cinco de sus libros preferidos, su segunda muñeca predilecta y un kit para hacer abalorios. En el fondo estaba su saltador.

—Lo siento, no hay pogo saltarín. Pero he traído algunos bates viejos de Ram y algunas pelotas.

—¡Gracias, tío Ben! —exclamó, tras lo cual siguió el ejemplo de Travis y lo abrazó.

—De haber sabido que iba a conseguir un abrazo, te habría comprado un poni.

Kim puso los ojos como platos.

—No le digas a tu madre que he dicho eso o me despellejará vivo.

Travis se había apartado de su madre y contemplaba su bici nueva en silencio.

—¿Crees que sabrás montarla? —le preguntó el tío Ben—. ¿O solo eres capaz de montar una bici pequeña de niña?

—¡Benjamin! —exclamó la madre de Kim mientras salía para ver qué estaba pasando.

El señor Bertrand seguía en el interior. Según decían, jamás salía de casa. El padre de Kim dijo en una ocasión que era tan perezoso que ni siquiera alcanzaba a girar el pomo de una puerta.

Travis miró al tío de Kim con gran seriedad, le quitó la bici de las manos y rodeó la casa a una velocidad suicida. Cuando escucharon el inconfundible sonido de un choque, el tío Ben agarró a la señora Merritt de un brazo para evitar que corriera en busca de su hijo.

Escucharon lo que les pareció otro choque al otro lado de la casa antes de que Travis volviera a aparecer. Estaba más sucio que antes, su camisa lucía nuevos desgarrones y llevaba una mancha de sangre en el labio superior.

—¿Algún problema? —le preguntó el tío Ben.

—Ninguno —contestó él, mirándolo directamente a los ojos.

—¡Buen chico! —exclamó el tío Ben mientras le daba una fuerte palmada en un hombro. Después cerró el maletero de su coche—. Tengo que volver al trabajo.

—¿En qué trabaja? —quiso saber Travis, que habló con una voz muy similar a la de un adulto.

—Soy abogado.

—¿Es un buen trabajo?

Los ojos del tío Ben adquirieron un brillo socarrón, pero no se rio.

—Sirve para pagar las facturas y tiene sus cosas buenas y sus cosas malas. ¿Estás pensando en probar suerte con la abogacía?

—Admiro mucho a Thomas Jefferson.

—Has venido al lugar indicado —replicó el tío Ben, que sonrió mientras abría la puerta del coche—. Vamos a hacer una cosa, Travis. Cuando salgas de la facultad de Derecho, ven a verme.

—Lo haré, señor. Y gracias —contestó Travis. Aunque su voz parecía la de un adulto, la suciedad que llevaba encima y los moratones le otorgaban a sus comentarios un toque cómico.

Sin embargo, el tío Ben no se rio. En cambio, miró a la señora Merritt.

—Buen chico. Felicidades.

La señora Merritt le pasó a su hijo un brazo por los hombros, pero él se apartó. Al parecer, no quería que el tío Ben lo viera tan apegado a una mujer.

Todos observaron al tío Ben alejarse y después la madre de Kim dijo:

—Niños, a jugar. Os llamaremos cuando la cena esté lista y después podréis salir en busca de luciérnagas.

—Sí —añadió la señora Merritt—. Id a jugar. —Parecía que llevara años esperando para decirle eso a su hijo—. El señor Bertrand va a enseñarme a coser.

—Lucy —dijo la madre de Kim—, creo que debería advertirte de que Bertrand te está utilizando como criada sin sueldo. Quiere arreglar las cortinas y...

—Lo sé —la interrumpió la señora Merritt—, pero no pasa nada. Quiero aprender a hacer algo creativo y bien puede ser la costura. ¿Crees que me vendería su máquina de coser?

—Creo que podría venderte hasta sus pies, por aquello de que los usa tan poco.

Lucy se echó a reír.

—Vamos —dijo la madre de Kim—. Te enseñaré a enhebrar la máquina.

Durante dos semanas, Kim vivió en lo que le parecía un paraíso. Travis y ella pasaban el día juntos, desde la mañana hasta la noche.

Travis se entregó a la diversión en cuerpo y alma, como si hubiera nacido para ello. Algo que la madre de Kim afirmaba que tal vez fuera cierto.

Mientras ellos jugaban en el jardín, las dos mujeres y el señor Bertrand charlaban y cosían en el interior. Lucy Merritt usó la antigua máquina de coser Bernina para reparar todas las cortinas de la casa.

—Así podrá venderlas por un precio mayor... —rezongaba la madre de Kim.

Lucy compró tela e hizo cortinas nuevas para los cuartos de baño y para la cocina.

—Ya le estás pagando un alquiler —le recordó la madre de Kim—. No deberías pagar la tela de tu bolsillo.

—No pasa nada. De todas formas, no puedo guardar el dinero. Randall me quitará lo que no haya gastado.

La señora Aldredge sabía que Randall era el marido de Lucy, pero desconocía todo lo demás.

—Me gustaría saber qué significa eso —dijo.

Sin embargo, Lucy replicó que ya le había contado demasiado.

Por las noches, los niños entraban a regañadientes en sus respectivos apartamentos. Sus madres los obligaban a lavarse, a cenar y a acostarse. A la mañana siguiente, volvían a salir al jardín. Por muy temprano que Kim se levantara, Travis ya la estaba esperando en la parte trasera de la mansión.

Una noche, Travis le dijo:

—Volveré.

Kim no entendió lo que eso significaba.

—Cuando me vaya, volveré.

Kim no replicó, porque no quería imaginarse que se fuera. Trepaban juntos a los árboles, cavaban en el barro, montaban en bici. Ella le lanzaba la pelota y Travis bateaba en el otro extremo. El día que Kim sacó su segunda mejor muñeca, lo hizo nerviosa. A los chicos no les gustaban las muñecas. Sin embargo, Travis había dicho que le construiría una casita y lo hizo. Con ramas y hojas. En el interior, había una cama que Kim cubrió con musgo. Mientras Travis construía el tejado, ella usó el kit de abalorios e hizo dos collares con cuentas de plástico. Travis sonrió mientras se pasaba uno por la cabeza y todavía lo llevaba a la mañana siguiente.

Cuando la temperatura subía hasta el punto de que no les apetecía moverse, se tendían en el suelo a la sombra, y se turnaban para leer en voz alta a Alicia y el resto de los libros. Kim no era tan buena lectora como lo era Travis, pero él nunca se quejaba. Si se atascaba en una palabra, él la ayudaba. Travis le había dicho que se le daba bien escuchar y tenía razón.

Kim sabía que a sus doce años era mucho mayor que ella, pero no lo parecía. Sin embargo, en materia escolar, parecía un adulto. Le describió el ciclo completo de vida de un renacuajo y también le habló sobre los capullos de las mariposas. Le explicó por qué la luna adoptaba distintas formas y por qué había verano e invierno.

No obstante y pese a todos sus conocimientos, jamás

había lanzado un guijarro a la superficie de un lago. Nunca había trepado a un árbol antes de llegar a Edilean. Jamás se había raspado el codo.

De ahí que, en definitiva, aprendieran mucho el uno del otro. Aunque Travis tuviera doce años y ella solo ocho, a veces ella era su maestra. Y eso le gustaba.

Todo acabó exactamente dos semanas después de que hubiera empezado. Como siempre, en cuanto salió al jardín con los ojos aún hinchados por el sueño, Kim corrió hasta la parte posterior de la enorme mansión, donde se emplazaba el ala en la que se alojaban Travis y su madre.

No obstante, esa mañana supo de inmediato que había pasado algo al ver que Travis no la estaba esperando. Empezó a aporrear la puerta, llamándolo a gritos. Le daba igual despertar a la casa entera.

Su madre apareció a la carrera, en bata y pantuflas.

—¡Kimberley! ¿Por qué estás gritando?

—¿Dónde está Travis? —exigió saber, esforzándose para no llorar.

—¿Y si te tranquilizas un poco? Seguramente se les han pegado las sábanas.

—¡No! Ha pasado algo.

Su madre titubeó, pero acabó girando el pomo. La puerta se abrió. El interior estaba vacío y no había ni rastro de que hubiera estado habitado.

—Quédate aquí —le ordenó a Kim—. Voy a ver qué está pasando. —Regresó a toda prisa a la fachada delantera de la casa, pero el coche de la señora Merritt no estaba.

Era demasiado temprano para molestar al señor Bertrand, pero estaba muy preocupada por Lucy y su hijo, de modo que entró de todas formas.

Bertrand estaba dormido en el sofá, lo que demostró

lo que todo el mundo sospechaba: que no subía las escaleras para dormir en su cama. Se despertó al instante, siempre ansioso por escuchar un buen cotilleo.

—Cielo —dijo—, salieron disparados a las dos de la mañana. Yo estaba dormido como un tronco cuando Lucy me despertó. Quería saber si le vendía la vieja máquina de coser.

—Espero que se la regalaras.

—Casi. Solo le he cobrado cincuenta dólares.

La señora Aldredge hizo una mueca.

—¿Adónde han ido? ¿Por qué se han marchado en plena noche?

—Lo único que me ha dicho Lucy es que alguien la llamó para avisarla de que su marido regresaba y para decirle que debía volver. Me dijo que tenía que llegar antes que él.

—Pero ¿adónde? Quiero llamarla para saber si está bien.

—Me pidió que por favor no intentáramos ponernos en contacto con ella. —Bajó la voz—. Me dijo que nadie debía saber que Travis y ella han estado aquí.

—Eso me suena muy mal. —La señora Aldredge se sentó en el sofá, pero se puso de pie de un brinco—. ¡Por Dios! Kim va a pasarlo fatal. No quiero ni decírselo. Esto va a destrozarla. Adora a ese muchacho.

—Es un crío estupendo —convino Bertrand—. Con piel de porcelana. Espero que no se le estropee y que no permita que el sol se la arruine. Creo que mi buen cutis es producto de toda una vida alejado del sol.

La señora Aldredge volvió ceñuda junto a Kim para decirle que su amigo se había ido y que posiblemente nunca más volvería a verlo.

Kim se lo tomó mejor de lo que su madre esperaba. No hubo berrinches, ni lágrimas. Al menos delante de ella. No obstante, tardó semanas en volver a ser ella misma.

Su madre la llevó a Williamsburg para comprar un carísimo marco en el que colocar la única foto que Kim tenía de Travis. Ambos estaban junto a sus bicis, sucios y muy sonrientes. Justo antes de que la señora Aldredge hiciera la foto, Travis le pasó a Kim un brazo por los hombros y ella hizo lo propio por la cintura. Era una foto muy tierna de dos niños, y quedaba estupenda en el marco que Kim eligió. Lo colocó en la mesita de noche, junto a su cama, para poder mirarla antes de dormirse y antes de levantarse por las mañanas.

Ya había pasado un mes de la marcha de Travis y de su madre cuando Kim explotó. La familia acababa de sentarse a cenar y Reede, su hermano mayor, le preguntó qué iba a hacer con la bici que Travis había dejado abandonada.

—Nada —contestó ella—. No haré nada por culpa del cabrón de su padre.

Todo el mundo se quedó pasmado.

—¿Qué has dicho? —susurró la señora Aldredge con incredulidad.

—El cabr...

—Te he oído —la interrumpió—. No pienso permitir que una niña de ocho años utilice ese vocabulario en mi casa. ¡A tu cuarto ahora mismo!

—Pero, mamá —protestó Kim, sorprendida y al borde de las lágrimas—, así lo llamas tú siempre.

Su madre no dijo ni pío. Se limitó a señalar con un dedo y Kim abandonó la mesa. Apenas había cerrado la puerta de su dormitorio cuando escuchó que sus padres estallaban en carcajadas.

Kim cogió la foto de Travis y la miró.

—Si estuvieras aquí, te enseñaría una palabrota.

Suspiró y se tendió en la cama a la espera de que su padre subiera para «hablar» con ella... y llevarle a escondidas algo de comer. Él hacía de bueno y su madre era la que impartía disciplina. Kim pensaba que era muy injusto que la castigaran por repetir algo que había escuchado decir a su madre varias veces.

—¡Qué cabrones son los padres! —murmuró al tiempo que estrechaba la foto de Travis contra su pecho.

Nunca lo olvidaría, y jamás dejaría de buscarlo.

1

Nueva York, 2011

El enorme despacho se emplazaba en un extremo de la planta sesenta y uno. Las cristaleras de dos de los lados ofrecían unas vistas arrebatadoras de los rascacielos de Nueva York. Las otras dos paredes estaban decoradas con elegantes cuadros escogidos por una diseñadora, pero no daban pistas acerca de su ocupante. En el centro de la estancia se encontraba un escritorio de madera de palisandro, y sentado en el sillón de acero y cuero se hallaba Travis Maxwell. Alto, de hombros anchos y guapísimo con su pelo oscuro, estaba inclinado sobre unos documentos con el ceño fruncido.

«Otra dichosa fusión», pensó Travis. Otra empresa que su padre iba a comprar. ¿Acaso su deseo por poseer y controlar no tenía límites? Travis escuchó que se abría la puerta del despacho, pero no alzó la vista.

—¿Sí? ¿Qué pasa?

Barbara Pendergast (Penny para él y señora Pendergast para el resto del mundo) lo miró y esperó. La mujer no toleraba los malos modos de nadie.

Travis levantó la vista cuando el silencio se alargó y la vio. Penny le doblaba la edad y era la mitad de su persona, pero intimidaba a todo Dios menos a él.

—Lo siento, Penny, ¿qué querías?

La mujer había trabajado para su padre hasta hacía unos años. Ambos habían pasado de no tener nada a trabajar juntos mientras Randall Maxwell se convertía en uno de los hombres más ricos del mundo. Cuando Travis se unió a la empresa, Penny decidió echarle una mano. Se rumoreaba que las protestas de Randall Maxwell se escucharon en seis manzanas a la redonda.

Penny esperó un momento antes de soltar la bomba.

—Tu madre me ha llamado.

—¿Qué? —Travis se olvidó de la fusión mientras se acomodaba en el sillón e inspiraba hondo un par de veces—. ¿Está bien?

—Diría que está mejor que bien. Quiere divorciarse de tu padre porque desea casarse con otro hombre.

Travis solo atinó a mirarla con los ojos como platos. Penny llevaba su habitual y aburrido traje, aunque era muy caro. Tenía el pelo recogido y lo miraba por encima de las gafas.

—Se supone que mi madre se está ocultando, que tiene que pasar desapercibida. ¿Cómo voy a protegerla si sale a la palestra? ¿Y ha estado saliendo con alguien?

—Creo que deberías ver esto —dijo Penny al tiempo que le daba la fotocopia de un artículo de prensa.

Era de un periódico de Richmond y describía un desfile de moda para niños que había tenido lugar en Edilean, Virginia, donde su madre se encontraba o, para ser más exactos, donde su madre se escondía. Travis ojeó el artículo. Alguna ricachona había organizado una fastuosa fiesta de cumpleaños para su hija y había ropa diseñada por Jecca Layton y... Miró a Penny.

—Confeccionadas por la señorita Lucy Cooper. —Soltó el papel—. Eso no es tan malo. Cooper es un apellido falso y no hay foto.

—No es malo a menos que tu padre decida echar otra ojeada —replicó Penny—. Su pasión por la costura la delata siempre.

—¿Qué más te ha dicho mi madre?

—Nada —contestó Penny—. Solo eso. —Miró su cuaderno de notas—. La cito textualmente: «Dile a Travis que necesito divorciarme porque quiero casarme de nuevo.» Y después colgó. Ya sabes que te cree, a ti, su maravilloso hijo, capaz de lograr que el mundo gire al revés.

—Mi único amor fiel —replicó Travis con una sonrisilla—. ¿Te ha dicho con quién quiere casarse?

Penny le dirigió una mirada elocuente. Travis sabía que su madre siempre había sentido una gran animadversión por la señora Pendergast. Durante muchos años, Randall dejó a su esposa y a su hijo en casa, pero nunca dejaba a Penny atrás.

—Por supuesto que no me lo ha dicho —respondió Penny—. Pero antes de que me lo preguntes, no creo que haya sido tan imbé... no creo que haya cometido la imprudencia de decirle a este desconocido con quién está casada actualmente. Así que no, no creo que este hombre vaya detrás de su dinero.

—¿Te refieres al dinero que le robó a mi padre o al dinero que podría conseguir mediante el acuerdo de divorcio?

—Como no creo en los cuentos de hadas, diría que a los tres millones y medio que le robó.

—Controlo sus cuentas con mucho cuidado y no he visto cargos extraños. De hecho, lleva años manteniéndose con su propio dinero —añadió con orgullo.

—¿Te refieres al modo de ganarse la vida que se ha buscado gracias a los cien mil en equipamiento y suministros que compró con el dinero robado?

Travis la miró, dejándole muy claro que ya tenía bastante.

—Me encargaré del asunto.

Sin embargo, mientras lo decía era consciente del temor que le producía el posible futuro que vislumbraba. Su padre convertiría el divorcio en una guerra. Daría igual que su esposa renunciara a cualquier compensación y que devolviera el dinero que se había llevado (una minucia para él, y sin tener en cuenta que la mitad de su fortuna le pertenecía por derecho), porque utilizaría todos los recursos a su alcance para convertir la vida de su mujer en un infierno. El trato al que Travis llegó con su padre cuatro años antes lo obligaba a trabajar para él si quería que dejase en paz a Lucy. Su padre había acordado no remover cielo y tierra para encontrarla y en el caso de que lo hiciera, a no atormentarla. Fue un trato sencillo. Travis solo tuvo que venderle su alma al diablo, o lo que era lo mismo, a su padre, para sellarlo.

—¿Algo más? —le preguntó a Penny.

—El señor Shepard ha pedido cenar contigo esta noche.

Travis gruñó. Estaba redactando los documentos legales necesarios para comprar la empresa del señor Shepard, que se encontraba en bancarrota. Dado que el hombre había fundado la empresa hacía treinta años, no iba a ser una cena agradable.

—Ayudar a mi padre a destruir una empresa será pan comido después del día de hoy.

—¿Qué quieres que haga? —preguntó Penny, con un deje compasivo en la voz.

—Nada. ¡No! Espera. ¿No tenía una cita esta noche?

—Con Leslie. Será la tercera vez seguida que la cancelas.

—Llama a...

—Lo sé. A Tiffany's.

Pese a las quejas, cuando Travis volvió a mirar el artículo que descansaba sobre su escritorio, fue incapaz de contener la sonrisa. Edilean, Virginia, era el lugar del que guardaba los recuerdos más felices de su vida... razón por la que, cuando su madre se fugó, se refugió allí.

«Kimberly...», pensó, y fue incapaz de mantener a raya la sensación de paz que lo embargó. Él tenía doce años y ella ocho, pero aquella niña se lo había enseñado todo. En aquel momento no lo sabía, pero era un niño que vivía encerrado. No le permitían relacionarse con otros niños, nunca había visto la tele ni había leído un libro de ficción. Bien podría haber estado viviendo en una cueva... o en otro siglo. Hasta que conoció a Kim, pensó. Kim, con su amor por la vida. Sobre el escritorio tenía una plaquita de latón, el único elemento personal de todo el despacho. La placa rezaba: «A mí se me da bien divertirme. ¿Quieres que te enseñe cómo lo hago?» Eran las palabras que Kim le había dicho. Las palabras que lo habían cambiado todo.

Penny lo estaba observando. Era la única persona a la que le había confiado la verdad acerca de su vida.

—¿Te reservo un billete de avión o irás conduciendo? —le preguntó ella en voz baja.

—¿Adónde? —Al ver que Penny no contestaba, la miró—. Yo... —No sabía muy bien qué decir.

—¿Qué te parece si mientras tú estás en la cena de esta noche yo te compro un coche normal, algo que se pueda conducir sin problemas, y después tú preparas una bolsa con ropa normal? Así podrás ir a ver a tu madre mañana.

Travis seguía sin saber qué decir.

—Leslie...

—No te preocupes. Le mandaré tantos diamantes que no hará preguntas. —A Penny no le caía bien Leslie, pero en realidad no le caía bien ninguna de las chicas con las que Travis salía.

«Si puedes comprarla, no es amor», decía a menudo. Penny quería que hiciera lo que su padre había hecho, que encontrara una mujer que quisiera más a su familia que al contenido de cualquier tienda.

—De acuerdo —dijo Travis—. Que Forester se encargue de esta fusión.

—Pero él no puede...

—¿Hacerlo? —terminó por ella—. Lo sé, pero él no lo sabe. A lo mejor se va al traste y mi padre despide a ese capullo ambicioso.

—O tal vez la saque adelante y tu padre le dé tu puesto.

—Y acabas de decir que no crees en cuentos de hadas... —replicó Travis con una sonrisa—. De acuerdo, ¿dónde es la reunión?

Penny le dio la hora y el lugar.

Se puso en pie y miró el escritorio, pero solo podía pensar en volver a ver a su madre. Había pasado mucho tiempo. Siguiendo un impulso, cogió la plaquita con las palabras de Kim y se la metió en el bolsillo. Miró a Penny de nuevo.

—Esto... ¿a qué le llamas un «coche normal»?

Mientras ella se marchaba, le regaló una de sus escasas sonrisas.

—Ya lo verás.

Esa noche una limusina con chófer esperaba a Travis en la calle. Se detuvo en el edificio donde se encontraba su apartamento, el portero le abrió la puerta y retuvieron el ascensor para que él subiera. No habló con nadie.

Su apartamento estaba en el ático, y contaba con vistas panorámicas en todas direcciones. La misma decoradora que se había encargado de su despacho amuebló el apartamento con su idea del buen gusto. Había una enorme estatua de Buda en una hornacina, y los sofás eran de cuero negro. Dado que Travis pisaba el apartamento lo menos posible, nunca le interesó la decoración.

Solo había una habitación que contenía pertenencias personales, y allí fue donde entró. En un primer momento, se ideó como un vestidor, pero Travis ordenó que la llenaran de estantes de cristal. Era en esa pequeña estancia, que siempre cerraba con llave, donde guardaba sus trofeos, sus premios, sus títulos y los símbolos de lo que Kim le había enseñado acerca de la «diversión».

Fueron esas dos semanas en Edilean, pasadas en compañía de la alegre Kim, las que le dieron el valor para enfrentarse a su padre. Su madre lo había intentado, pero su dulce carácter no era rival para un hombre como su marido.

Sin embargo, Travis descubrió que era capaz de mantenerse en sus trece. La primera vez que vio a su padre después de conocer a Kim, le dijo que quería instrucción física además de académica. Randall Maxwell miró a su joven hijo con expresión pensativa y se dio cuenta de que el niño no iba a ceder. Contrató a un instructor.

Tal como Lucy predijo, su hijo era un atleta innato. En cuanto a Travis, la extenuante actividad le resultaba una liberación de los agotadores deberes que tenía que hacer, y en cuanto aprendió todo lo que los profesores tenían que enseñarle, estos se marcharon y llegó uno nuevo. Cuando Travis cumplió la edad de ir a la universidad, ya había recibido instrucción en varias artes marciales. Se había roto la nariz dos veces, una de ellas durante un combate de boxeo y otra cuando el pie de un instructor le impactó en la cara.

Su padre quería que continuara recibiendo clases de ámbito universitario, pero Travis dijo que en cuanto fuera mayor de edad, se marcharía para no volver. En esa época, su madre seguía viviendo en casa. Su vida era tan solitaria como la de Travis, pero tampoco era una mujer muy sociable.

Travis fue a Stanford y después a la facultad de Derecho de Harvard, y mientras estuvo alejado de la prisión que era el único hogar que había conocido, descubrió la vida. Los deportes, sobre todo los extremos, lo atraían. Saltar en paracaídas, que un helicóptero lo dejara en mitad de una montaña helada, saltos desde acantilados... Lo hizo todo.

Aunque aprobó el examen que le permitía ejercer como abogado, no tenía el menor interés en pasarse la vida metido en un despacho. Aunque su padre exigía que su hijo trabajara para él, Travis se negaba. En un arranque de ira, su padre le bloqueó el fondo fiduciario, de modo que Travis se buscó un trabajo como doble de Hollywood. Era el tío al que le prendían fuego.

Cuando su padre se dio cuenta de que su plan no funcionaba, de que no había conseguido que su hijo se doblegara ante él, se concentró en su mujer y le hizo la vida imposible. Una tarde, Lucy descubrió sin pretenderlo el modo de interceptar una transacción financiera de su marido. Sin apenas dudarlo, transfirió tres millones quinientos mil dólares a su propia cuenta. Después, pasó unos diez minutos haciendo una maleta, cogió uno de los coches de su marido y huyó.

Randall le dijo a su hijo que no perseguiría a Lucy si él dejaba de intentar matarse y se incorporaba a su empresa.

Travis habría hecho cualquier cosa por su madre, de modo que se marchó de Los Ángeles, regresó a Nueva York y comenzó a trabajar para su padre. Siempre que le era posible, Travis aliviaba el estrés participando en cualquier deporte violento que encontrara a mano.

En ese momento, echó un vistazo a los trofeos, a las medallas y a los recuerdos. En la pared situada detrás de los estantes había muchas fotos enmarcadas. Las carreras de Montecarlo. Tenía la cara sucia y el champán que derramó al ganar había hecho surcos en la suciedad, pero era feliz.

Había fotos de algunas de las escenas más salvajes que había rodado en Hollywood con fuego, explosivos y saltos desde edificios. Mezcladas con las fotos deportivas se encontraban las fotos con las mujeres. Actrices, chicas de la alta sociedad o camareras. Travis no había discriminado. Le gustaban las mujeres guapas con independencia de su posición social o de su trabajo.

Cerró la puerta a su espalda y se apoyó en ella un momento antes de mirar a su alrededor. Cumpliría los treinta ese año y ya estaba cansado de todo. Harto de estar bajo el control de su padre, aburrido de hacer dinero para un hombre que tenía demasiado.

Su madre había hecho lo correcto al huir y esconderse, pero sabía lo culpable que se sentía por el hecho de que él la estuviera encubriendo. Sin embargo, tal como veía las cosas, ella se había pasado la vida protegiéndolo a él, de modo que se lo debía.

En ese preciso instante, la preocupación de Travis era que su madre quisiera casarse con alguien para liberarlo de su padre. Su miedo era que el sentimiento de culpa la estuviera abrumando y que fuera a iniciar el proceso de divorcio para que su hijo fuera libre.

Sin embargo, Travis sabía que su madre no tenía la menor idea de lo que iba a buscarse si le pedía el divorcio a Randall Maxwell. «Despiadado» era una definición muy suave para ese hombre.

Claro que tampoco había calificativos para describir lo mucho que a Travis le gustaría recuperar su vida. Aunque los últimos cuatro años lo habían agotado, antes de liberarse, quería asegurarse de que su madre no acabara metida en algo tan malo como había sido su primer matrimonio.

Travis salió de la habitación de los trofeos y la cerró con llave. Solo él conocía la combinación de la cerradura y ninguna de sus novias la había pisado jamás.

Fue al dormitorio, una estancia estéril sin personalidad, y se acercó al armario. A un lado estaba la ropa de deporte y, al otro, los trajes. Al fondo del armario se encontraba lo que Penny denominaría «ropa normal»: vaqueros, camisetas y una chupa de cuero. Apenas tardó nada en meterlo todo en un macuto.

Se quedó en calzoncillos y se miró en el espejo. En su cuerpo no había ni un gramo de grasa y trabajaba para mantener los músculos en forma. Pero estaba lleno de cicatrices de quemaduras, pinchazos y suturas. Se había roto las costillas tantas veces que había perdido la cuenta y en el cuero cabelludo tenía una cicatriz muy profunda, resultado de un trozo de acero que había estado a punto de matarlo.

Unos minutos después, Travis estaba vestido y preparado para cenar con un hombre que necesitaba que le asegurasen que el negocio que había montado de la nada tendría continuidad. Travis sabía que lo que en realidad necesitaba era un hombro sobre el que llorar. Suspiró y salió del apartamento.

Eran las ocho de la tarde y Travis llevaba horas conduciendo en dirección a Edilean. El coche que Penny le había comprado era un viejo BMW. El motor sonaba bien, pero apenas podía pasar de ciento veinte por hora. Sin duda alguna, Penny lo había planeado así para que no pudiera sobrepasar el límite de velocidad. Al ver que le había dejado unos cuantos billetes de cien en la guantera, sonrió. Si utilizaba la tarjeta de crédito, su padre podría localizarlo. Sabía muy bien que su padre lo vigilaba de cerca. Una cosa era encontrar cargos de tarjeta en París y otra muy distinta que dichos cargos fueran en Edilean, un pueblecito de Virginia.

—Solo hasta que mamá esté a salvo —dijo en voz alta mientras reducía una marcha. Al menos Penny no lo había insultado al comprarle un coche automático. ¡Le había permitido divertirse un poco!

Al pensar en esa palabra, Travis se acordó de la noche anterior. Intentar consolar a un hombre que rondaba los setenta años no fue fácil. Sin embargo, sabía que si no lo intentaba él, nadie más lo haría. Su padre solía decir con desdén que Travis carecía del corazón de un tiburón. Lo decía como un insulto, pero él se lo tomaba como un halago.

Había conseguido escaparse de la cena a las once. Quería dormir un poco porque había planeado ponerse en marcha muy temprano.

Sin embargo, a la mañana siguiente, justo cuando estaba a punto de marcharse, lo llamaron al móvil. Era su padre. A las siete de la mañana de un sábado su padre ya estaba trabajando.

—¿Dónde estás? —preguntó Randall Maxwell.

—A punto de salir de la ciudad —contestó Travis con la misma frialdad de su padre.

—Forester no puede encargarse de este trato.

—Tú lo contrataste.

—Es un contable buenísimo y les lame el culo a los clientes. Les cae bien.

—Pues en ese caso, que los coja de la manita mientras les dice que se han quedado sin trabajo —replicó Travis—. Tengo que irme.

—¿Adónde esta vez? —masculló Randall.

—Estate atento a la sección de deportes.

—Como te mates, te... —comenzó Randall.

—¿Qué harás, papá? ¿Te negarás a asistir a mi funeral?

—Iré a saludar a tu madre.

Durante un segundo, Travis se quedó paralizado. ¿Por qué la mencionaba en ese preciso momento? ¿Se había enterado de algo? ¿Acaso la mención de Lucy Cooper en un periódico de Richmond había bastado para alertarlo?

Travis decidió echarle cara.

—Veo que recurres a la artillería pesada esta mañana. Supongo que estás empeñado en conseguir algo.

—Necesito que seas tú quien se encargue de este trato. Hay algo que me huele mal con el contrato, pero no termino de verlo.

Si algo sabía Travis acerca de su padre, era que tenía un instinto infalible. Si creía que algo olía mal, así era. A lo largo de los últimos cuatro años, Travis había querido decir en un sinfín de ocasiones que no había nada raro, que nadie intentaba jugársela. Porque no podía quitarse de la cabeza la idea de que si metía la pata, su padre lo liberaría de ese trato infernal. Pero en el fondo sabía que no iba a pasar.

Randall sabía hasta qué punto debía presionar a su hijo.

—Si vienes esta mañana, podrás tomarte un par de semanas libres.

Travis guardó silencio, consciente de que su padre lo conocía demasiado bien. Claro que Randall Maxwell tenía una capacidad excelente para juzgar a los demás. Hacía muchos años había llegado a la conclusión de que la señorita Lucy Jane Travis le tendría demasiado miedo como para no esforzarse por complacerlo.

—Tómate tres semanas —insistió Randall—. Este trato llevará al menos ese tiempo. Si consigues averiguar cómo intentan jugármela con este contrato, eres libre.

Lo último que quería Travis era dejar a su padre furioso o suspicaz. La rabia llegaría más tarde, cuando Travis ayudara a su madre a conseguir el divorcio.

—Mándame el contrato.

—Ahora mismo hay un hombre al otro lado de tu puerta —dijo Randall.

Travis no pudo ver la sonrisa triunfal de su padre, pero la intuyó. Lo único que le importaba a ese hombre era ganar.

Eran más de las dos de la tarde cuando Travis consiguió escapar. Quiso llamar a su madre para avisarle de su llegada, pero no tenía un teléfono desechable y no se atrevía a usar su móvil.

Se marchó en cuanto terminó con el contrato y llamó a su padre desde el coche.

—Ese viejo es tan ladino como tú —dijo—. En la página 212, en el último párrafo, dice que si no accedes a sus condiciones, estarás incumpliendo el contrato y la empresa volverá a él.

—¿Condiciones? —preguntó Randall—. ¿Qué condiciones? ¿De qué está hablando?

—No tengo la menor idea. Vas a tener que preguntárselo al viejo Hardranger.

—Tienes que...

—No, no tengo que hacer nada —lo interrumpió Travis—. Que Forester averigüe lo que quiere el viejo. O mándale a Penny. A cualquiera menos a mí. Nos vemos dentro de tres semanas —dijo, tras lo cual cortó la llamada—. O no —añadió.

A Travis le costaba imaginarse la posibilidad de que, tal vez, estaba a punto de escapar de las garras de su padre. Si su madre había logrado a lo largo de ese tiempo reunir el valor suficiente para soportar el divorcio, Travis sería libre.

La idea hizo que sonriera durante casi todo el trayecto hasta Edilean.

Eran las ocho de la tarde de un sábado por la noche y, por lo que veía, el pueblo estaba desierto. Todas las tiendas estaban cerradas, no había una farmacia de guardia ni nadie que paseara al perro. De modo que pensó que el pueblecito, con sus edificios antiguos, era un poco raro, como sacado de una película de ciencia ficción de serie B en la que todos los habitantes habían sido secuestrados por alienígenas.

Le costó encontrar Aldredge Road, pero al ver el letrero indicador esbozó una sonrisa más ancha. Sabía que Kim no vivía en esa calle, pero sus familiares sí, y la antigua mansión, Aldredge House, seguía allí.

Sin embargo, no se dirigía a Aldredge House. Su madre había alquilado un apartamento en casa de la señora Olivia Wingate, que se encontraba justo detrás de donde vivía el primo de Kim. Dado que no quería que nadie averiguara ni la identidad de su madre ni la suya, decidió aparcar en la calle principal y llamarla desde el teléfono que Penny le había mandado esa misma mañana. Una vez que la viera y se asegurara de que se encontraba bien, buscaría un hotel.

No había cambiado de planes, pero estaba anocheciendo y no le gustaba la idea de que anduviera sola por la calle. Así que se reuniría con ella más cerca de la casa.

Travis le estaba dando vueltas a esa posibilidad mientras conducía por la calle flanqueada de árboles cuando salió de los arbustos un enorme adolescente con un chaleco reflectante y una linterna en la mano, y se plantó delante del coche. Al pisar el freno a fondo, agradeció los años que había pasado conduciendo coches de carreras y sus buenos reflejos.

Alguien le dio unos toquecitos en la ventanilla y vio que otro chaval le hacía señas para que bajara el cristal.

—Señor, debería ir más despacio —dijo el muchacho—. Hay niños por aquí y, además, la gente ya se marcha. Aparque allí, junto a la camioneta Ford.

—¿Aparcar? —preguntó Travis—. No pensaba ir a... —Dejó la frase en el aire, ya que no iba a contarle a nadie lo que pensaba hacer.

Escuchaba música y entre los árboles que tenía a la izquierda se atisbaban luces. Parecía que se celebraba una fiesta. Pensó en dar media vuelta, pero tenía un coche detrás. Si lo hacía, llamaría demasiado la atención.

—Si tarda mucho, señor, encontrará la carpa vacía. Ya se ha perdido la tarta nupcial —dijo el chaval.

—Sí, claro —dijo Travis antes de aparcar junto a la camioneta.

¿Una boda?, se preguntó, y fue incapaz de reprimir una mueca. ¿Se habría casado Kim? Al fin y al cabo, se celebraba en Aldredge House, así que era posible.

Al bajar del coche, levantó una mano para protegerse los ojos de las luces del otro coche, y también para cubrirse la cara.

Un hombre muy corpulento se encontraba de pie junto a una camioneta que, a menos que estuviera muy desencaminado, habían modificado hasta tal punto que sería ilegal conducirla en ciudad. El hombre lo miraba como si intentara averiguar quién era.

—¿Conoce a la novia? —le preguntó al abrir la puerta para ayudar a bajar de la camioneta a su mujer, que estaba embarazada.

—¡Colin! —exclamó ella—. Estás fuera de servicio, así que deja de interrogar a la gente. —Miró a Travis—. Bienvenido a Edilean —dijo—, por favor, pase. Ojalá que quede un poco de champán. Aunque yo no puedo beberlo, claro.

—Gracias —replicó Travis.

Mientras la pareja echaba a andar hacia la casa, el hombretón miró a Travis de arriba abajo.

—Genial —mascullló.

Tal parecía que había levantado las sospechas de un policía fuera de servicio. Más personas pasaron junto a él, casi todas en dirección contraria, y lo miraron. En ese momento se dio cuenta de que todas esas personas iban con sus mejores galas. Él llevaba una camiseta gris y unos vaqueros.

Meditó un instante qué hacer. ¿Debía marcharse? ¿Y volver al día siguiente para ver a su madre?

Claro que, pensó, era posible que su madre se encontrara en la boda. No lo creía, ya que siempre había sido una mujer muy tímida y reservada, pero cabía la posibilidad. Incluso era posible que el hombre con quien quería casarse también se encontrara allí.

Se los imaginó en un rincón, cogidos de la mano mientras se susurraban tonterías. Sería una imagen muy bonita.

Y tal vez Kim estuviera allí... siempre que no fuera la novia, claro. Aunque tampoco podía decirle quién era él. Por supuesto que la había visto de adulta, pero había pasado ya bastante tiempo. Fue una niña muy guapa que se había convertido en una mujer más guapa todavía. Su imagen mientras descendía en bici el empinado montón de tierra, con el cabello cobrizo ondeando al viento, lo acompañaría siempre.

Tal vez pudiera ponerse algo más apropiado y pasarse por la boda. Aunque no se quedara para el banquete. Echaría un vistazo y se marcharía.

Abrió el maletero.

2

—En fin, ¿cómo te va con tu nuevo novio? Se llama Dave, ¿no? —preguntó Sara Newland mientras tomaba asiento frente a Kim.

Cada mesa tenía un mantel de un color distinto, un diseño que la novia llamaba «colores de Pascua». La orquesta se había tomado un descanso, de modo que la enorme pista de baile estaba vacía. Sobre sus cabezas, colgaban hileras de lucecillas plateadas que lanzaban bonitas sombras en torno a la carpa.

Los gemelos de Sara tenían un año y estaban en casa con una canguro. La boda suponía una salida inusual para ella y su marido, Mike.

—Nos va genial —contestó Kim, que llevaba su vestido malva de dama de honor. Tenía un escote cuadrado y bajo, y falda de vuelo. Jecca, la novia y la mejor amiga de Kim, lo había diseñado, y Lucy Cooper lo había confeccionado.

—¿Crees que la cosa va en serio? —le preguntó Sara.

—Todavía es pronto para saberlo, pero tengo esperanzas. ¿Cómo lo lleváis Mike y tú?

—Perfectamente. Pero todavía no he conseguido que se acostumbre a la vida doméstica. Quiero que me ayude con el jardín. ¿Sabes lo que ha hecho?

—Tratándose de Mike, cualquier cosa.

—Ha espantado al chico que maneja la retroexcavadora, ha aprendido él solo a manejar ese trasto tan grande y ha despejado casi una hectárea de terreno para colocar la valla nueva. Deberías haber escuchado la discusión a grito pelado que tuvo con el dueño de la retroexcavadora.

Kim sonrió.

—Me habría encantado estar allí. Me paso la mayor parte de mi vida con vendedores. Cada vez que me hablan, acabo comprando lo que me ofrecen.

Sara se inclinó hacia delante y le preguntó en voz baja:

—Dime, ¿qué tal lo de Lucy Cooper y tu vestido?

—No la he visto —contestó Kim—. Fue Jecca la que se encargó de la única prueba que me han hecho.

—Pero la has visto bailar con el padre de Jecca hace unos minutos, ¿verdad?

Sara y Kim eran primas, tenían la misma edad y habían jugado juntas desde que eran bebés. Durante los últimos cuatro años, habían comentado lo raro que resultaba que Lucy Cooper, una señora que se alojaba en la casa de la señora Wingate, se escabullera cada vez que Kim aparecía. Otras personas la veían en el supermercado, en la farmacia o incluso en la tienda de la señora Wingate, situada en el centro de la ciudad, pero en cuanto Kim asomaba, Lucy se escondía. Uno de sus primos había logrado hacerle una foto para que Kim la viera, pero su cara no le pareció conocida. No imaginaba por qué la mujer se empeñaba en evitarla.

—No podía perderme un acontecimiento semejante,

¿no crees? —replicó Kim—. Los he visto muy desinhibidos. Bastante calentitos, vamos. A su edad me resulta un poco vergonzoso.

—Pero ¿has visto la cara de Lucy?

—Sí y no. Es que la tenía enterrada en el padre de Jecca, así que solo he visto un ojo y una oreja. Tendría que ponerme en contacto con uno de esos dibujantes que hacen retratos robots para la policía a ver si así consigo completar la cara entera.

Sara se echó a reír.

—A mí me ha parecido la mujer más feliz del mundo.

—No. Esa es Jecca.

—Ha sido una boda preciosa. ¡Y el vestido es divino! Tris y ella hacen una pareja estupenda, ¿verdad?

—Sí —contestó, orgullosa.

Jecca y ella habían sido compañeras de habitación durante su etapa universitaria y su amistad perduraba desde entonces, aunque Jecca se había trasladado a Nueva York y Kim seguía viviendo en Edilean. Unos cuantos meses antes, Jecca había ido al pueblo para pasar una temporada pintando y había conocido al médico de la localidad, que era Tristan, un primo de Kim, con el que se acababa de casar.

—¿Cómo está Reede? —le preguntó Sara, refiriéndose al hermano de Kim.

Reede se había prestado a ayudar a Tris mientras este se recuperaba de una fractura en un brazo, pero parecía que pensaba quedarse como responsable de la clínica de Tristan durante los próximos tres años.

—Mi hermano no es precisamente la alegría de la huerta —contestó—. No conozco a otra persona que se queje tanto como él. Está amenazando con llamar a un transportista y largarse del pueblo.

—¡Pero no puede hacer eso! Necesitamos un médico en Edilean.

—No creo que lo haga —la tranquilizó Kim—. Reede es demasiado responsable como para cumplir su amenaza. Pero sería todo un detalle que se lo tomara de otra manera, y no como si fueran tres años de cárcel.

—Creo que todo el mundo se alegrará cuando Tris vuelva y se haga cargo de la consulta otra vez.

—Sobre todo las mujeres —añadió Kim, y ambas se echaron a reír.

El doctor Tristan Aldredge era un hombre guapísimo, de carácter afable y que se preocupaba de verdad por las personas.

—¿Quién es ese hombre que no te quita la vista de encima? —preguntó Sara, refiriéndose a alguien que se encontraba detrás de Kim.

Ella se volvió, pero solo vio a conocidos.

—Se ha ido antes de que te volvieras —le explicó Sara.

—¿Cómo era?

—El típico tío moreno, alto y guapo —contestó su prima, sonriendo—. Tiene pinta de que le han roto varias veces la nariz. O tal vez desde que conocí a Mike pienso lo mismo de todos los hombres. —Su marido era un experto en varias artes marciales.

—Supongo que será un admirador secreto —dijo Kim mientras se ponía en pie.

—¿Ha venido Dave?

—No. Han contratado su servicio de catering para una boda en Williamsburg.

—Debe de ser difícil para ti —comentó Sara—. Pasa fuera todos los fines de semana.

—Pero está en casa el resto de la semana —señaló Kim—. En su casa, no en la mía.

—Por cierto, ¿cómo va tu casa nueva? —le preguntó su prima, que también se puso en pie. Aunque no le había resultado fácil, había perdido todo el peso que ganó con el embarazo y volvía a estar tan delgada como siempre.

—Preciosa —dijo con un brillo emocionado en los ojos—. He convertido el antiguo garaje en un taller de trabajo. Jecca me ha ayudado con la decoración. Todo muy colorido.

—¿A Dave le gusta?

—Le gusta mi cocina —respondió—. Cuando acabe de instalarme, os invitaré a ti y a tus tres niños. Pero dile a Mike que no podrá traer su nuevo juguete, la retroexcavadora.

—Lo haré. —Sara se despidió y se marchó. La orquesta había vuelto al estrado y prefería estar en una zona donde pudiera hablar.

Kim se demoró un instante en el sitio, observando a los amigos y familiares que la rodeaban. También había forasteros entre los invitados. Es decir, personas que no descendían de las siete familias fundadoras del pueblo y que habían asistido a la boda para ver cómo se casaba el doctor Tris. Todo el mundo lo adoraba, y Kim se preguntó cuántos de los presentes habían aparecido sin invitación, solo porque querían ver de nuevo a Tristan. Había salvado muchas vidas en el pequeño pueblo.

La esperanza de Kim era que Jecca se casara con su hermano, Reede. Pero se había enamorado de Tris prácticamente en cuanto lo vio. Por culpa de los traslados laborales, el sueño de Kim de tener a su mejor amiga viviendo en Edilean debía retrasarse unos cuantos años más.

No pudo evitar pensar que para entonces ya habría cumplido los treinta. Formaría parte de las estadísticas, había pensado en más de una ocasión, si bien no se lo había dicho a nadie. Era una mujer con un negocio próspero, pero con una vida privada que no parecía llegar a buen puerto.

Los novios se habían marchado hacía rato (Kim no había cogido el ramo de la novia), pero algunos invitados seguían en la carpa para bailar mientras la orquesta siguiera tocando.

Mientras caminaba hacia un lateral, pensó de nuevo en lo mucho que le habría gustado contar con una pareja esa noche. Había conocido a Dave seis meses antes, cuando fue a Williamsburg para hablar con una novia nerviosa sobre los anillos que querían ella y su prometido. La indecisión de la chica le resultó desquiciante, y el novio demostró ser todavía peor. En un momento dado, Kim deseó empezar a darles órdenes, pero como mucho solo podía enfatizar algunas sugerencias.

Una hora después, y sin que hubieran llegado a una decisión, apareció el padre de la novia, se percató de la situación y le dijo a la chica qué anillos elegir. Kim lo miró, agradecida.

Cuando volvió a su coche, descubrió que tenía la salida bloqueada por una furgoneta blanca que rezaba: «Catering Borman.» Un chico bastante atractivo se acercó corriendo a ella.

—Lo siento —se disculpó mientras sacaba las llaves. Sin embargo, en ese momento se dio cuenta de que el padre de la novia lo había dejado encerrado.

Tras descubrir que el padre de la novia se encontraba en su despacho, ocupado con una llamada de negocios,

Kim y el chico intercambiaron los saludos de rigor. Los primeros minutos los dedicaron a compartir su frustración por la incapacidad de la novia para tomar decisiones.

—Y la madre es igual —añadió Dave. Se llamaba David Borman y era el dueño de una elegante, pero modesta, empresa de catering.

Cuando el padre de la novia por fin colgó el teléfono y movió su coche, Dave y ella habían quedado para verse. Desde entonces, se veían dos veces por semana y las cosas iban bien. No había fuegos artificiales, pero era agradable. El sexo era bueno, nada del otro mundo, pero sí muy tierno. Dave siempre se mostraba respetuoso con ella, siempre era muy educado.

—¿Dónde están los chicos malos cuando se los necesita? —musitó Kim mientras cogía una copa de champán de una bandeja, tras lo cual abandonó la carpa.

Conocía la casa de Tristan y el jardín como si fueran suyos. De modo que se dirigió al sendero que conducía a la casa de la señora Wingate. A su izquierda se encontraba la antigua casa de juegos. Había pasado mucho tiempo en ella cuando era pequeña. Su madre y la de Tris eran buenas amigas, y cada vez que se encontraban, Kim jugaba en esa casa. A esas alturas, se encontraba en muy mal estado, pero Jecca pensaba restaurarla.

Kim se sentó en un banco situado en el otro extremo del sendero. La luna brillaba en el cielo, las luces de la carpa titilaban en la distancia y el aire era húmedo y cálido. Cerró los ojos para sentirlo al máximo. ¿Habría alguna forma de diseñar una joya que se sintiera y pareciera el reflejo de la luz de la luna en la piel?, se preguntó.

—¿Todavía enseñas a la gente a divertirse? —preguntó una voz masculina.

Kim abrió los ojos al instante. Frente a ella había un hombre alto. No le veía la cara, porque la luna quedaba justo detrás de su cabeza. La pregunta había sido formulada con una voz tan provocativa y sugerente que no pudo evitar incomodarse. No había gente en los alrededores, solo ese desconocido y su extraña pregunta.

—Creo que debo irme —replicó ella mientras se ponía en pie para marcharse hacia la carpa, con sus luces y su gente.

—¿Cuánto duró la casita que construí para tu muñeca?

Kim se detuvo y se volvió despacio para mirarlo.

Había crecido y por lo poco que apreciaba de su cara, ya no parecía un querubín, como a los doce años. Tenía arruguitas en torno a los ojos y tal como Sara había comentado, parecía haberse roto la nariz en varias ocasiones. Sin embargo, era muy guapo. Sus ojos eran tan oscuros e intensos como la noche que los rodeaba.

—Travis —susurró.

—Te dije que volvería y eso he hecho.

Su voz era grave, y a Kim le gustó su sonido. Mientras daba un par de pasos hacia él, se sintió como si estuviera viendo a un fantasma.

—Se me ocurrió que tal vez no me recordarías —lo escuchó decir en voz baja—. Eras muy pequeña.

Kim se negó a decirle la verdad. No quería contarle la terrible desesperación que sintió después de que se marchara. Se pasó muchas noches llorando sobre la almohada. La foto donde aparecían los dos aún era su posesión más preciada, lo único que salvaría si su casa se incendiara de repente.

No, decidió. Era mejor mantener un tono ligero.

—Por supuesto que te recuerdo —le aseguró—. Fuiste un gran amigo. Apareciste cuando creía que me moría del aburrimiento, así que me salvaste.

—Te salvé porque era un niño que lo ignoraba todo. Fuiste una gran maestra.

—¡Cómo montabas en bici! —exclamó—. En la vida he visto a otra persona que aprenda tan rápido.

Travis pensó en todas las cosas que había hecho con una bici desde entonces. Saltos, cabriolas y giros en el aire. Se preguntó si Kim era consciente de lo guapa que estaba. La luz de la luna en su pelo, que aún tenía un tono rojizo, y el color de su vestido envuelto por el resplandor plateado de la noche conformaban una imagen preciosa. De haber sido cualquier otra mujer, le tiraría los tejos en ese mismo momento. Nunca le había importado que las mujeres estuvieran casadas o que fueran simples camareras. Si le gustaban, se lo hacía saber.

Sin embargo, Kim llevaba toda la vida en ese pueblo, un lugar donde todos la conocían. No era el tipo de mujer a la que pudiera tirarle los tejos cinco minutos después de saludarla.

Durante el extraño silencio que se produjo, Kim pensó que Travis no había cambiado. A los doce años no era muy hablador, se limitaba a observar y a aprender.

—¿Quieres volver a la carpa? —le preguntó. Ella todavía llevaba la copa de champán en la mano—. ¿Te apetece beber algo?

—Yo... —contestó él, y después se escuchó decir—: Necesito ayuda. —No creía haber pronunciado esas palabras jamás. Su vida lo había convertido en una persona ferozmente independiente.

Kim se acercó a él de inmediato.

—¿Estás herido? ¿Quieres que llame a un médico? Mi hermano Reede está aquí y...

—No —la interrumpió Travis con una sonrisa. De cerca, Kim era todavía más guapa—. No estoy herido. He venido a Edilean por un motivo, para hacer algo. Pero ahora que estoy aquí, no sé cómo hacerlo.

Kim extendió un brazo y lo cogió de una mano. Era una mano grande y áspera por los callos. Parecía que trabajaba en algo que requería un esfuerzo físico. Lo guio hasta el banco y lo instó a que se sentara a su lado. La luz de la carpa nupcial se encontraba tras ellos, de modo que pudo verlo bien. Llevaba un traje oscuro que parecía haber sido confeccionado a medida. La luz de la luna se reflejaba en sus pómulos, y se percató de que tenía el ceño fruncido. Parecía preocupado. Se inclinó hacia él, solícita.

Al inclinarse, le ofreció de forma accidental una maravillosa vista de su escote. Kim le había dicho a Jecca que era demasiado bajo, pero su amiga se había echado a reír.

«Esa delantera tuya merece que la luzcas bien.»

Con semejante cumplido, no se atrevió a decirle que le pusiera un poco más de tela en el escote.

Travis estaba tan distraído por la vista que fue incapaz de hablar por un instante.

—Puedes contarme cualquier cosa —dijo Kim—. Sé que hace mucho que no nos vemos, pero la amistad es eterna, y nosotros somos amigos. ¿Te acuerdas?

—Sí —contestó él, y tragó saliva.

Debía zafarse de su mano, pensó Travis, o acabaría tirando de ella para acercarla a su cuerpo. ¿Por qué no había aprovechado el viaje para pensar en lo que le diría a Kim si la veía de nuevo? No, había pasado el viaje hablando por teléfono, planeando la escalada en la que se embarcaría al cabo de mes y medio. Tenía que comprar todo el equipo y necesitaba prepararse físicamente. ¿Habría alguna montaña en Edilean que pudiera escalar? ¿Habría algún gimnasio en ese pueblo tan alejado de todo? No quería que se le ablandaran los músculos mientras trataba de resolver los problemas de su madre.

Se percató de que Kim aún esperaba una respuesta por su parte. No había planeado pedirle ayuda. Ni siquiera había proyectado volver a verla, pero después de atisbarla en la carpa, con ese vestido ceñido, la tentación fue insoportable. Al ver que salía y se internaba en la espesura, la siguió.

De modo que no podía quedarse allí sentado, en silencio. Kim iba a tomarlo por un imbécil.

—Se trata de mi madre —dijo—. Está viviendo en Edilean. —Guardó silencio de nuevo, sin saber muy bien lo que decirle y lo que no. Nada más lejos de su intención que ahuyentarla.

—¿Y qué le pasa? —preguntó Kim mientras trataba de recordar lo que sabía de su madre. Cuando todo sucedió, ella era demasiado pequeña para entender lo que estaba pasando, pero a lo largo de los años había comprendido ciertas cosas. Lucy Merritt se estaba escondiendo de un marido maltratador. Al recordar el nombre, exclamó—: ¡Lucy! Tu madre se llamaba Lucy. ¿Es Lucy Cooper, la mujer que sale corriendo cada vez que me acerco a ella? Lleva cuatro años viviendo en Edilean, pero acabo de verla por primera vez esta noche, y apenas si he podido fijarme en su perfil.

Travis estaba sorprendido de verdad. Le había preguntado a su madre varias veces por Kim, pero ella le había dicho que se movían en círculos distintos, tras lo cual cambiaba invariablemente el tema de conversación.

—No sabía que se escondía de ti, pero estoy seguro de que si lo ha hecho, es porque lo ha creído conveniente. Cuando estuvimos aquí hace tantos años, no nos relacionamos con nadie del pueblo, solo con tu madre y con aquel anciano. Y contigo.

—El señor Bertrand murió el año pasado y mi madre jamás le diría a alguien que la tuya estuvo aquí.

—¿Y tú? —le preguntó Travis—. Si la hubieras reconocido, ¿se lo habrías dicho a alguien?

—Pues... —Kim dejó la frase en el aire. Si hubiera visto a la madre de Travis en Edilean, habría llamado de inmediato por teléfono a Jecca. Y también se lo habría contado a su prima Sara y tal vez a su nueva prima política, Jocelyn, y quizá también a la mujer de su primo Colin, Gemma, que le caía muy bien. Y también se habría visto obligada a contárselo a Tris, ya que era amigo de la señora Wingate—. Es posible —dijo por fin, con un tono de voz que le arrancó una sonrisa a Travis.

—Si esta es la casa de tu primo y mi madre vive aquí al lado, le habrá resultado complicado esconderse de ti.

—Pues lo ha conseguido —reconoció Kim, que no ahondó en todas las ocasiones que Lucy Cooper se había retirado de su vista. Jecca había vivido una temporada en la casa de la señora Wingate y cada vez que ella la visitaba, Lucy desaparecía como por arte de magia. En ese momento, Kim se preguntó si la pobre mujer se habría visto obligada a esconderse en algún armario escobero. De todas formas, había una cosa clara: su madre le había dicho a Lucy que se escondiera de ella. Kim no quería seguir siendo el tema de conversación—. ¿Y tu madre está aquí por culpa de tu padre?

—Sí —contestó Travis mientras apoyaba la espalda en

el respaldo del banco. Guardó silencio un instante, y después la miró con una sonrisa—. Por mi culpa no estás con tus amigos... ni con tu familia. Mi madre dice que en Edilean todos sois familia.

—No todo el mundo, pero casi —reconoció ella.

—¿Ese vestido es porque formabas parte de la ceremonia? —le preguntó, agitando la mano.

—Sí, he sido la dama de honor.

—Ah —exclamó Travis—. ¿Eso significa que no estás casada?

—No lo estoy. ¿Y tú?

—Tampoco me he casado. Trabajo para mi padre —añadió—. El trato es el siguiente: si trabajo para él, dejará tranquila a mi madre. —Le estaba contando cosas de las que jamás hablaba a menos que fuera necesario, pero su lengua parecía ir por libre.

—No parece muy agradable —comentó Kim, que estuvo a punto de cogerlo de nuevo de la mano, pero se contuvo. No imaginaba lo que sería encontrarse en una situación semejante, y el gesto de Travis le pareció muy noble, muy heroico, porque se había sacrificado para salvar a su madre. ¿Quién hacía eso en la actualidad?

—Y ahora parece que mi madre quiere casarse, pero todavía sigue legalmente casada con mi padre.

Kim no entendía cuál era el problema.

—Pero puede divorciarse, ¿no?

—Sí, pero si solicita el divorcio, mi padre descubrirá dónde está y hará todo lo posible por amargarle la vida.

—Pero la ley...

—Lo sé —la interrumpió Travis—. El divorcio no me preocupa. Lo que temo es lo que puede pasar después.

—No te entiendo —admitió Kim. La orquesta estaba

tocando la última canción y escuchaba a la gente reír. Se preguntó si Travis sabría bailar.

Él se volvió hacia ella para mirarla de frente.

—¿Puedo confiar en ti? Lo digo en serio. No estoy acostumbrado a confiar en los demás. —Se lo preguntó de corazón. Porque se trataba de Kim, la versión adulta de la niña que había cambiado su vida.

—Sí —contestó ella con sinceridad.

—Mi padre es...

—Un maltratador —musitó Kim, con los dientes apretados.

—Lo es con todo aquel que sea más débil que él, y mi madre es una mujer delicada.

—Jecca la adora.

—Mi madre me ha hablado de ella. Es la chica que vivía en el apartamento contiguo al suyo.

—Sí, acaba de casarse esta noche. Supongo que sabes que Jecca y tu madre se han hecho grandes amigas. Trabajaban juntas y cosían juntas. En un momento dado, me sentí muy celosa.

Travis la miraba, pasmado. Solía hablar con su madre una vez a la semana, incluso cuando estaba en el extranjero, pero jamás le había dicho nada al respecto. Había leído el artículo donde se afirmaba que había cosido para una diseñadora, pero había supuesto que su madre se limitaba a coser tranquilamente en su apartamento.

—Jecca es la hija de Joe Layton —dijo Kim al ver que Travis guardaba silencio.

—¿Quién es Joe Layton?

—Supongo que el hombre con el que tu madre quiere casarse, ¿no te parece? Esta noche los he visto bailar juntos como si estuvieran deseando arrancarse la ropa. Jecca siempre ha dicho que Lucy es muy flexible, pero en la vida he visto a otra persona doblar la espalda como la ha doblado ella esta noche. Espero poder hacer lo mismo cuando tenga su edad y... —Se interrumpió al percatarse de la mirada de Travis—. Ah. Vale. Que es tu madre. Estoy segura de que el hombre con el que se quiere casar es Joe Layton.

—¿Qué tipo de persona es? ¿A qué se dedica?

—Es el dueño de una tienda de bricolaje en Nueva Jersey. Un negocio familiar que lleva varias generaciones funcionando. Pero se lo va a dejar a su hijo y él va a abrir una tienda en Edilean.

—¿Hay gente suficiente en el pueblo como para que ese negocio resulte rentable?

—Estamos muy cerca de algunas ciudades grandes —respondió Kim con frialdad.

—No pretendía insultar. Estaba pensando en términos económicos. Mi madre conseguirá una buena tajada del divorcio.

—Hace muchos años que conozco a Jecca —afirmó Kim con sequedad— y te puedo asegurar que su padre no va detrás del dinero de tu madre. —No le gustaba en absoluto lo que Travis insinuaba. Se puso en pie—. Creo que voy a volver a la carpa.

Travis no replicó. Tal como sabía que iba a suceder, la había fastidiado con Kim. Pero, en fin, siempre la fastidiaba cuando se trataba de mujeres decentes. No las llamaba cuando se suponía que debía hacerlo, se le olvidaban los cumpleaños o no les regalaba lo que ellas esperaban. Hiciera lo que hiciese, parecía que siempre se equivocaba. De ahí que hubiera acabado buscando mujeres como Leslie. Cualquier cosa brillante la hacía feliz.

Kim había llegado al otro extremo del sendero cuando la asaltó una increíble sensación de *déjà vu*. Otra vez tenía ocho años y había dejado que su genio la llevara a arrojarle un terrón de tierra a un chico. Después, huyó a la carrera para esconderse y esperó a que él la persiguiera. Sin embargo, el chico no la siguió. Y se vio obligada a ir en su busca. Durante las semanas que siguieron a aquel momento, descubrió que el chico apenas sabía hacer nada. No sabía lanzar piedras, ni montar en bici. Sabía muchas cosas sobre ciencia, pero era incapaz de hacer un silbato con unas briznas de hierba. Desconocía todas las cosas importantes de la vida.

Volvió junto a Travis. Tal como sucedió diez años antes, estaba sentado donde ella lo había dejado, sin moverse. No sabía lo que estaba pasando por su cabeza, posiblemente algo que hubiera aprendido en un libro, pero era obvio que seguía teniendo problemas para relacionarse con los demás.

Una vez que llegó junto al banco, se sentó a su lado y clavó la vista al frente.

—Lo siento —se disculpó—. A veces me dejo llevar por el genio.

—Entonces es que no has cambiado mucho.

—Y tú sigues aquí sentado, así que lo mismo digo.

—Tal vez la niñez sea el reflejo de nuestra personalidad en estado puro.

—En nuestro caso, creo que es cierto. —Respiró hondo—. Joe Layton no busca el dinero de tu madre. Que yo sepa, nadie está al tanto de que Lucy tiene dinero o que vaya a recibir dinero. No me hace gracia revelar un secreto, pero Jecca me dijo que su padre apenas sabe nada sobre Lucy. Ni siquiera sabe si tiene hijos o no. Cada vez que le pregunta por su vida personal, Lucy empieza a besarlo y... En fin, supongo que no te apetece saber el resto.

—Preferiría que tus descripciones fueran menos gráficas.

Kim sonrió al escucharlo. Su extensa educación era evidente cada vez que abría la boca.

—Lo entiendo. Creo que puedes estar tranquilo porque están juntos por amor, no por dinero.

Al ver que no replicaba, Kim le puso una mano en el brazo. Y él la cubrió con la suya. Casi se le había olvidado lo cariñosa que era. Cuando eran pequeños, Kim se horrorizaba por todas las cosas que él desconocía. Parecía tener una lista con todo aquello que cualquier niño debería saber y se empeñó en enseñárselo.

En ese momento, a él le encantaría mostrarle algunas cosas de su propia cosecha. Estaba tan guapa con ese vestido a la luz de la luna que le resultaba difícil mantener las manos apartadas de ella. Sin embargo, Kim lo miraba como si fuera un perrito perdido que necesitara rescatar. Tuvo que esforzarse para mantener el deseo alejado de su mirada, porque ella parecía más interesada en ponerle un apósito.

Sabía que debería soltarle la mano, pero esos dedos tan largos resultaban... Le alzó la mano.

—¿Esto es una cicatriz?

Ella se zafó de su mano.

—Muy poco femenina, ya lo sé. Pero son los riesgos de mi trabajo.

—¿De tu trabajo? —Gracias a Internet, estaba al tanto de la existencia de su taller de joyería.

Había seguido su trayectoria durante su etapa universitaria, y después, cuando regresó a Edilean para abrir su negocio. Kim jamás se había enterado, pero él había asistido a todas las exposiciones que había realizado mientras estaba en la universidad. En una ocasión, evitó que lo viera por los pelos cuando llegó con dos amigas, una morena, delgada y alta, y una rubia bajita con un tipazo que dejó boquiabiertos a todos los hombres presentes.

Sin embargo, él solo tenía ojos para Kim. De adulta era tan guapa como lo era de niña. Le gustó mucho su risa y que pareciera tan feliz. Travis no recordaba haber sentido semejante felicidad. Al menos, no desde que se alejó de Kim al marcharse de Edilean hacía ya tantos años.

—Soy diseñadora de joyas —contestó.

Travis se volvió para mirarla.

—¡El kit de abalorios!

Ella sonrió.

—¿Te acuerdas de aquello?

—Me pediste que lo abriera. ¿Quién te lo regaló?

—Mis tíos me lo regalaron por Navidad, pero como no me gustaba mucho ni siquiera lo abrí. ¡Qué desagradecida era de pequeña! Estaba en la caja de juguetes que nos llevó el tío Ben.

—Con mi bicicleta —añadió Travis, cuya voz se suavizó con el recuerdo—. Eras muy creativa con todos los accesorios del kit. Tus diseños me sorprendían.

—Y tú eras un modelo estupendo —replicó ella—. Ningún chico de los que conocía me habría dejado ponerle un collar de cuentas. —No le dijo que la felicidad de aquellas semanas y la del kit de abalorios iban de la mano. Travis, el diseño de joyas y la felicidad eran sinónimos para ella.

—Todavía guardo aquel collar —confesó él.

—¿De verdad? —le preguntó.

—Sí. Kim, fueron las dos mejores semanas de mi infancia.

Ella estuvo a punto de decir lo mismo, pero se contuvo.

—¿Qué planes tienes para tu madre?

—En realidad, no tengo plan alguno. Me enteré de todo esto ayer. Llamó a mi... —Se interrumpió, ya que no creía oportuno decir «mi secretaria»—. Llamó a mi despacho y me dejó un mensaje diciendo que quería casarse y que necesitaba el divorcio. Nada más. Me dejó alucinado. Creía que estaba viviendo en un apartamento, en la casa de una viuda respetable, y que cosían ropa para niños. Y acabo de descubrir que se dedica a hacer torsiones de espalda delante de todo el pueblo. —Miró a Kim—. Así que no. No he venido con un plan trazado. Básicamente, lo que quiero es...

—¿Qué?

—Quiero saber si este hombre, si Joe Layton, es bueno para mi madre. Sin tener en cuenta el amor. Ya pensó que estaba enamorada de mi padre. Quiero saber si es una buena persona y quiero asegurarme de que no va a intimidar a mi madre.

Kim contuvo el aliento. La madre de Jecca había muerto cuando ella era pequeña, y la había criado su padre. Joe Layton era un hombre testarudo a quien le gustaba que las cosas se hicieran a su modo. Durante sus años en la universidad, Jecca se había desahogado muchas veces con ella, por la frustración que le provocaban ciertos comentarios o acciones de su padre. Aunque podía ser un hombre muy dulce, también podía resultar un pelín insoportable. ¡Y era muy posesivo! Cuando Jecca se enamoró de un hombre en Edilean, Virginia, Joe Layton se mudó al pueblo para estar con ella. Y semejante ardid estuvo a punto de acabar con la relación entre Jecca y Tris.

—¿Qué pasa? —quiso saber Travis.

—Es que... —Kim no sabía qué contestar exactamente. La salvaron de hacerlo las voces que se escucharon y que parecían aproximarse a ellos.

La expresión de Travis le dejó claro que no quería que lo vieran. Al menos, no todavía, antes de saludar a su madre.

—Sígueme —le dijo mientras se ponía en pie y se levantaba las largas faldas del vestido para echar a correr por un sendero estrecho que se adentraba en la espesura.

—Con mucho gusto —murmuró él al tiempo que la seguía.

En la arboleda reinaba la oscuridad, pero la luz de la luna bastaba para ver la pálida piel de Kim y el malva plateado de su vestido. Le encantaba verla correr. Estaba tan concentrado en ella que estuvo a punto de darse de bruces con lo que parecía una vieja casa de juegos. Un torreón bastante alto que quedaba oculto a la luz de la luna y que parecía la morada de la bruja mala de un cuento.

—Aquí —señaló Kim, que abrió la puerta de la casita y la cerró una vez que estuvieron dentro.

Travis comenzó a buscar un interruptor, pero Kim le aferró la muñeca y le colocó un dedo en los labios para indicarle que guardara silencio mientras lo instaba a alejarse de la ventana.

Se apoyó en la puerta, cerca de Kim.

En el exterior, se escuchaban las voces de lo que parecían un par de adolescentes.

—Vamos, estoy aquí —decía un chico.

—Nos van a pillar —replicó una chica.

—¿Quién? ¿El doctor Tris? Está de luna de miel. —El silenció indicó que se estaban besando—. Te apuesto lo que quieras a que está haciendo lo que nosotros queremos hacer.

—Yo me cambiaría por ella ahora mismo —dijo la chica con un deje soñador en la voz.

Kim miró a Travis y ambos hicieron una mueca. La chica acababa de meter la pata.

—¿Eso significa que no soy lo bastante bueno para ti? —preguntó el chico.

—Quería decir que... —respondió la chica—. En fin, qué más da. Volvamos a la carpa. Mi madre me estará buscando.

Se escuchó que alguien giraba el pomo de la puerta de la casa de juegos.

—De todas formas, la dichosa puerta está cerrada —dijo el chico.

—¡Bien! —exclamó la chica, que al parecer se alejó corriendo por el sendero.

Kim soltó el aliento en cuanto reinó el silencio. Miró a Travis y se echaron a reír.

—Mañana toda la población adolescente de Edilean se preguntará qué pareja consiguió llegar en primer lugar a la casita de juegos.

—Y resulta que lo consiguió un par de vejestorios —replicó Travis.

—Eso lo dirás por ti, que estás a punto de cumplir los treinta. Yo tengo años y años por delante. —Kim se apartó hacia la derecha—. Ven por aquí, pero agacha la cabeza. El dintel de la puerta es muy bajo.

Travis la siguió hacia una estancia muy pequeña que contaba con un diván integrado en la pared.

Kim lo señaló.

—Estás contemplando la capital del amor de Edilean. La capital interior, claro está.

—Si tenéis dos con lo pequeño que es el pueblo, merece que la nombren la capital del amor mundial.

—Algo interesante hay que hacer en un pueblo donde ni siquiera hay un centro comercial.

Travis se echó a reír mientras Kim se sentaba en un extremo del diván y le indicaba con un gesto que se sentara en el otro. No fue fácil acomodar sus largas piernas en un lugar tan pequeño.

—Así, ¿ves? Estírate. ¿Ves qué bien encajamos los dos? Con las piernas en paralelo.

—Tú y yo siempre hemos encajado muy bien —comentó Travis.

Kim se alegró de que la oscuridad ocultara su expresión. «Somos amigos», se recordó.

—Bueno, pues háblame de Joe Layton —dijo Travis, cuya voz le pareció muy seria.

—No lo conozco muy bien, pero mientras estábamos en la universidad se mostraba muy autoritario con Jecca. Aunque para ser justos, era lo que hacían todos los padres. Mi madre estaba todo el día dándome la lata. Quería saber con quién salía, cuándo llegaba y si estaba buscando trabajo.

—Parece que se preocupaba por ti. ¿Qué actitud tiene ahora?

—Exige saber con quién salgo, a qué hora llego y cuánto facturo semanalmente en la tienda.

Travis rio.

—¿Y tu padre?

—Mi padre es un trozo de pan. El hombre más cariñoso del mundo. Mis padres y mi hermana pequeña, Anna, están de crucero. No volverán hasta el otoño.

—Entonces, ¿estás sola en el pueblo?

—No, también está mi hermano Reede y unos cuantos parientes. —Le pareció que Travis se lo preguntaba por educación, ya que en realidad quería saber cosas sobre el hombre con el que su madre quería casarse—. Creo que el señor Layton es un buen hombre, claro que, en realidad, quien debe decidir es tu madre, ¿no? Por lo que has comentado, creo que es capaz de defenderse sola.

Travis tardó en replicar.

—Cuando era pequeño, mi madre era una mujer muy callada. Creo que aprendió que defender su opinión frente a mi padre empeoraba la situación. Si permanecía en un segundo plano, él tenía la impresión de que lo controlaba todo y no veía necesario reafirmar su autoridad.

—¿Y qué pasaba contigo? —quiso saber ella—. ¿Cómo era tu vida?

Travis intentó moverse, pero la estrechez del diván no se lo permitió.

—Estoy a punto de caerme de esta cosa. Tienes los pies en... ¿Te importa? —le preguntó, y antes de que ella contestara le levantó los pies y se los colocó en los muslos.

Antes muerta que protestar por lo que acababa de hacer, pensó Kim.

—¡Ay! Lo siento, pero es que se me clavan los tacones y... —dijo él.

Kim apenas tardó un segundo en quitarse las preciosas sandalias, tras lo cual colocó de nuevo los pies sobre sus muslos. Travis comenzó a masajeárselos como si fuera lo más natural del mundo. En ese momento, ella le dio las gracias al Espíritu del Spa por haberse hecho una manicura y una pedicura el día anterior. Tenía los talones tan suaves como la seda.

—¿Por dónde íbamos? —preguntó Travis.

—Mmmm... —No lo recordaba. Ningún hombre le había masajeado los pies con anterioridad.

—Ah, sí. Me habías preguntado por mi vida. La verdad es que tú lo cambiaste todo.

—¿Yo?

—Mi infancia no fue como la de los demás niños. Vivíamos en una mansión rodeada por un enorme terreno al norte de Nueva York. La construyó un empresario muy influyente a finales del siglo pasado y era el vivo ejemplo de su avaricia. Techos altísimos y paredes forradas de madera oscura por todos lados. Perfecta para mi padre. Mi madre y yo vivíamos en ella con una numerosa servidumbre. Que se convirtió en nuestra verdadera familia. Apenas veíamos a mi padre, pero su presencia siempre nos acompañaba.

Travis le estaba acariciando la planta del pie izquierdo con los pulgares. A Kim no le resultaba fácil seguir la conversación.

—Hasta aquel verano en que mi padre se marchó a Tokio y mi madre me trajo en coche a Edilean, yo no sabía que mi vida era distinta a las de los demás. Tú me enseñaste cómo vivían los otros niños, por lo que siempre me sentiré en deuda contigo.

—Creo que estás saldando esa deuda ahora mismo. Travis, ¿dónde has aprendido a hacer eso?

—Me parece que en Tailandia —contestó—. O tal vez en India. En alguna parte. ¿Te gusta?

—Si me desmayo de placer, tú ni caso.

—No podemos permitir eso, ¿verdad? —preguntó él

al tiempo que soltaba su pie—. Cuéntame más cosas de Joe Layton.

Kim suspiró, desilusionada porque hubiera dejado de masajearle los pies, pero se incorporó.

—No sé qué más decirte. Jecca se quejaba mucho de su padre, pero también sé que lo quiere con locura. Sé que ella es la niña de sus ojos. Cuando era más joven, no quería que se apartara de su lado. Durante las primeras vacaciones de verano en la universidad, tuvo que suplicarle casi de rodillas que la dejara venir a mi casa durante dos semanas. El señor Layton examinaba casi al microscopio a cualquier hombre al que Jecca mirase siquiera. Me dijo que Tristan, el hombre con el que acaba de casarse, le regaló a su padre un edificio como dote.

—¿Para abrir su negocio?

—Pues sí —contestó Kim.

—¿Ya lo ha abierto?

—No. Antes había que remodelar el edificio, o más bien reconstruirlo. El señor Layton trajo a unos cuantos amigos suyos de Nueva Jersey para que se encargaran de todo. Jecca tuvo una pelea de órdago con él y le dijo que en Virginia había buenos albañiles, pero él no le hizo caso.

—Parece un hombre al que le gusta salirse con la suya —comentó Travis, ceñudo—. Mi padre es así. Tiene que controlar cualquier situación.

—Y crees que tu madre ha aceptado al señor Layton porque es... porque su personalidad le resulta familiar, ¿es eso?

—Eso es lo que temo. Me encantaría poder verlos juntos... siempre y cuando él no supiera quién soy.

—Muy bien pensado —dijo Kim—. Si de entrada sabe que eres el hijo de Lucy, hará gala de su mejor comportamiento contigo. No sabrás si es real o no. —Levantó la cabeza—. ¿Tu madre accedería a...?

—¿A no decirle quién soy? —suplió Travis—. Eso es lo que me gustaría saber. Pero no estoy seguro. Las mujeres me resultan impredecibles. Mi madre podría reaccionar riéndose y diciendo que sí, o podría enfadarse y decirme que cómo me atrevo a pensar que conozco mejor que ella a las personas.

Kim se echó a reír.

—Calcadito al señor Spock.

—¿Es un vecino de Edilean?

—No —respondió ella—. Es un personaje de una serie de televisión. De la generación de mis padres. ¿Te pasa a menudo que hay cosas que desconoces por la educación que has tenido?

—Cientos de veces —contestó con sinceridad—. La gente hace referencia a cosas que a mí ni me suenan. Tengo que fijarme en la reacción de los demás para saber si debo reírme o no. Pero he aprendido que es mejor no pedir que me expliquen de qué están hablando. Porque así solo consigo que me tachen de extraterrestre como poco.

Kim se rio más que nada porque eso era justo lo que había hecho ella.

—Puedes preguntarme lo que quieras y yo trataré de contestarte.

—Lo tendré en cuenta. —Travis guardó silencio un instante—. Dime una cosa, ¿el doctor Spock y el señor Spock son la misma persona?

—¡Qué va! Mi padre tiene los episodios de *Star Trek* en DVD, así que te los prestaré.

—Te lo agradezco —dijo Travis mientras contenía un bostezo—. Lo siento, pero es que ha sido un día muy largo. Tenía la intención de llegar a media tarde para poder hablar con mi madre directamente. Pero mi padre quería que me encargara de un asunto, y por eso salí tarde.

Kim se volvió y dejó los pies en el suelo.

—¿Has comido algo? ¿Dónde vas a quedarte?

—A menos que Edilean tenga un hotel y un restaurante abiertos a las... ¿qué hora es? ¿Las nueve y media? Tendré que irme a Williamsburg.

Kim decidió no meditar lo que iba a decir a continuación.

—Tengo una casa de invitados y un frigorífico a rebosar de comida. En realidad, es la caseta de la piscina, pero los antiguos dueños la arreglaron para que su hijo se alojara en ella cuando los visitaba. Mi hermano me aseguró que se instalaría en ella después de que yo comprara la casa, pero es demasiado pequeña para él. Así que se fue al antiguo apartamento de Colin, el sheriff, pero también lo odia. Me refiero a Reede, no a Colin. Aunque Colin también detestaba el apartamento. —Guardó silencio para no seguir haciendo el ridículo todavía más.

—Será un honor —aceptó Travis en voz baja—. En cuanto a la cena, te invitaría a comer en algún lado, pero...

—Lo de siempre, aquí cierra todo a las nueve. Hasta las aceras.

—¿Desde cuándo hay aceras en Edilean?

—¡Oye! —exclamó Kim—. Hace tres años que tenemos aceras. El año que viene instalarán farolas y todo.

—Supongo que el sereno estará llorando porque se queda sin trabajo —replicó él.

—Desde que se casó con la hija del zapatero remendón, es muy feliz.

Ambos se echaron a reír.

3

Mientra regresaba a casa, Kim no dejaba de pensar en que Travis había vuelto. Miraba una y otra vez por el retrovisor para asegurarse de que él la seguía, en un viejo BMW que ni siquiera tenía cambio automático. A lo mejor podía enseñarle que no hacía falta que cambiara de marchas.

Se moría por hacerle un millón de preguntas acerca de lo que había estado haciendo durante esos últimos años, aunque supuso que sería mejor que él se lo contara a su propio ritmo. Sabía que trabajaba para el cabrón de su padre (el insulto la hizo sonreír al recordarlo) y que su padre tenía pasta. Pero a juzgar por el coche, no parecía haberla compartido con su hijo.

Kim pensó en la espantosa vida que debía de llevar Travis en ese momento... y en por qué la llevaba. ¡Renunciar a su propia vida para proteger a su madre! ¡Eso sí que era heroico!

Al enfilar el camino de entrada de su casa, recordó que Travis le había pedido ayuda, y se juró ofrecérsela.

Travis aparcó a su lado y salió del coche.

—¿No usas el garaje?

—Lo he transformado en un taller. —Rebuscó la llave de la casa en el llavero.

—Así que cuando nieva, llueve o hace mucho calor, ¿tu coche se queda en la calle? —Le quitó las llaves y abrió la puerta.

—Sí —contestó ella al entrar.

Encendió las lamparitas situadas junto al sofá que Jecca y ella habían escogido. La estancia estaba decorada en tonos azules y blancos. En una pared había estanterías y un televisor, con una chimenea debajo. El techo era alto y las enormes vigas blancas del tejado quedaban a la vista.

—Bonito sitio —comentó Travis—. Es acogedor. —Se preguntaba por qué su carísima diseñadora no podía hacer algo así. Claro que tampoco había ayudado a la mujer, ya que no le había dicho lo que le gustaba.

—Gracias —replicó Kim, que se volvió para que él no viera su sonrisa—. La cocina está por aquí.

—Kim, no tienes que darme de comer —dijo él—. Basta con que me dejes dormir aquí. Puedo... —Se interrumpió al ver la cocina. Estaba conectada al comedor, y era una estancia agradable y acogedora. Había una enorme isla de mármol, y cacerolas de cobre colgadas en una pared. La mesa era grande y antigua, con marcas de cortes de cientos de comidas.

»Me gusta —le comentó—. ¿Hace mucho que vives aquí? —Conocía la respuesta porque había seguido la venta al milímetro. Incluso le había dicho a Penny que llamara un par de veces al banco en el que Kim estaba solicitando la hipoteca. Quería asegurarse de que todo iba sobre ruedas.

—Menos de un año —contestó ella.

—¿Y has conseguido que tenga este aspecto en ese tiempo?

—Jecca y yo lo hicimos todo. Nosotras... —Se encogió de hombros.

—Sois artistas, así que sabíais lo que hacíais. ¿En qué puedo ayudarte con la cena?

—En nada —contestó Kim, pero se preguntó cómo sabía que Jecca era artista. ¿Se lo había dicho ella?—. Tú siéntate mientras yo te preparo algo de comer.

Travis se sentó en un taburete en el extremo más alejado de la encimera y se dispuso a observarla.

Kim sentía sus ojos clavados en ella cuando comenzó a buscar en el frigorífico. Se sentía culpable porque toda la comida la habían hecho Dave y sus empleados, pero tampoco había necesidad de contárselo a Travis. Decir que tenía un novio más o menos fijo sería asumir que podía pasar algo entre Travis y ella. Quitando el masaje de pies, no parecía muy interesado en algo que no fuera amistad. Y la estaba mirando como si aún tuviera ocho años.

Puso un mantel individual en la encimera, delante de él, y después un plato y un juego de cuchillo y tenedor. Su madre había intentado que ahorrara dinero usando la vajilla de su abuela, pero Kim se había negado.

«Quieres deshacerte de las antiguallas», le había dicho Kim a su madre, y su padre se había echado a reír. A la postre, su madre le dio la vajilla entera a Colin y a Gemma Frazier como regalo de bodas, y a ellos les había encantado.

—¿A qué viene esa cara? —preguntó Travis, y Kim se lo contó.

—Gemma es historiadora y conocía la historia de la empresa que fabricó la vajilla. Trata los platos como si fueran un tesoro.

—Pero ¿tú no? —quiso saber Travis.

—Me gustan las cosas nuevas. ¿Qué te apetece comer?

—Cualquier cosa —le contestó él—. Soy omnívoro total.

Colocó cucharas en todos los recipientes de plástico que había sacado del frigorífico y dejó que él escogiera. Fue incapaz de resistirse al impulso de sentarse a su lado y verlo comer. Lo hacía con unos modales exquisitos, con el tenedor en la mano izquierda y el cuchillo en la derecha. Tenía los modales de un príncipe.

Sin el contraste entre las sombras y las brillantes luces, reparó en que conservaba parte del aire angelical que tenía de niño. De adulto, su pelo era negro azabache, sus ojos tan oscuros como la obsidiana, sus mejillas marcadas y su mentón fuerte. Parecía llevar un par de días sin afeitarse y el asomo de barba le daba un toque más peligroso. La verdad, no creía haber visto un hombre tan guapo en la vida.

Travis se percató de que ella lo observaba apoyada en un codo. Si no la distraía, acabaría poniéndole la mano en la nuca y besándola.

—¿No te da miedo mancharte el vestido?

—¿Cómo? Ah, sí, claro. —Salió del trance en el que se había sumido mientras lo miraba—. Supongo que debería ponerme algo más cómodo.

Travis tosió un poco, como si se estuviera atragantando con la comida.

—¿Estás bien?

—Sí —le contestó él—. Terminaré de comer mientras tú...

A regañadientes, Kim se levantó del taburete.

—Claro, claro. —Recorrió el pasillo a toda prisa en

dirección a su dormitorio y cerró la puerta—. Estoy haciendo el ridículo —murmuró.

Le costaba alcanzar la cremallera de la espalda, y por un segundo pensó en pedirle a Travis que se la desabrochara. La idea le arrancó una risilla tonta... que la asqueó.

—Eres una cría de ocho años —se regañó en voz alta, y empezó a desvestirse.

En la cocina, Travis suspiró, aliviado. Ver a Kim, tan guapa con ese vestido escotado y sentada tan cerca de él, era demasiado. De haberse encontrado en circunstancias normales, le habría lanzado una mirada elocuente y le habría dejado ver lo mucho que le interesaba. Sabía por experiencia que las mujeres que lo miraban tal como lo hacía Kim eran presa fácil.

Pero ¿qué pasaría después?, se preguntó. ¿Empezaría Kim a hablar de su boda?

A decir verdad, no creía que eso lo molestase mucho. De momento, todo lo que la rodeaba lo hacía sentirse como en casa. Ella, su casa, incluso los amigos a los que había conocido eran agradables y simpáticos.

Sin embargo, ¿qué pasaría cuando averiguara más cosas sobre él, sobre su pasado y sobre la identidad de su padre? Vería cómo la luz desaparecía de su mirada... y eso no lo soportaría. No, mejor que lo siguiera creyendo un hombre íntegro, que solo había hecho cosas buenas en la vida. Mejor que nunca descubriera la verdad.

Cuando Kim regresó con unos vaqueros y una camiseta vieja, él ya había terminado de comer. Por desgracia, le pareció que estaba todavía más guapa que antes. En ese momento, se le ocurrió que había sido un error aceptar la invitación de quedarse en su casa. Se puso en pie.

—¿Tienes ganas de irte a la cama? —le preguntó ella.

Travis no se atrevió a responder a la pregunta. Se limitó a asentir con la cabeza, pero cuando Kim echó a andar hacia la puerta trasera, él se quedó paralizado. No iba a meterse en la misma habitación que ella si había una cama.

—¿Por qué no me das la llave y me dices cómo llegar?

—Es que tengo que enseñarte dónde están las cosas.

—Seguro que las encuentro sin ayuda. —Le regaló una sonrisa que dejaba muy claro que no aceptaría un no por respuesta.

Kim le dio el llavero.

Se produjo una situación incómoda junto a la puerta trasera, cuando se despidieron. Kim se inclinó hacia delante, como si quisiera darle un beso en la mejilla, pero él se apartó. Por un instante, ella creyó que iba a estrecharle la mano, pero al final acabó por darle una palmadita fraternal en el hombro antes de salir de la casa.

Mientras Kim recogía las sobras, fue incapaz de reprimir una mueca. Ella había sido la primera en enfatizar que eran amigos, así que no podía quejarse de que Travis se ciñera a sus palabras.

A la mañana siguiente, se despertó con el olor de comida recién preparada y solo atinó a pensar en Travis. Se vistió a toda prisa y se pasó un poco con el lápiz de ojos y la máscara de pestañas, pero sus cejas y sus pestañas siempre habían sido demasiado claras. Se reprendió mentalmente por no habérselas teñido antes de la boda. Claro que sospechaba que a Travis le gustaban las mujeres que usaban un maquillaje de estilo natural. Necesitó aplicarse tres tonos de marrón distinto para conseguirlo.

Se puso unos chinos negros y una camisa blanca y se dirigió a la cocina. Se detuvo en la puerta y vio a Travis de espaldas a ella, preparando algo en su nueva cocina Wolf.

Llevaba unos vaqueros y una camisa también de tela vaquera. No lo sabía a ciencia cierta, pero parecía tener un magnífico cuerpo debajo de la ropa.

—Buenos días —dijo.

Travis se volvió con la sartén en la mano y la miró con una sonrisa. Se moría por echarle los brazos al cuello. Por un segundo, tuvo la impresión de que a él no le importaría, pero después apartó la mirada.

—Me tocaba darte de comer —dijo él al tiempo que señalaba la isla de la cocina, en la que había dispuesto un servicio de mesa.

—¿Tú no comes?

—Me levanté hace un par de horas y desayuné entonces. Espero que no te importe que me haya hecho unos cuantos largos en la piscina.

Kim sintió mucho, con toda el alma, no haberlo visto en bañador.

—Me alegro de que alguien la use. Fue lo único que me hizo dudar al comprar la casa. Me gustaba la distribución y me encantaba el garaje de tres plazas como mi taller, pero no sé cómo cuidar la piscina.

Travis le puso una tortilla en el plato.

—Eso me ha parecido, así que te la he limpiado un poco y he comprobado el pH. Había unos cuantos productos químicos en el armario, y he usado algunos. Espero no haberme pasado.

—Pásate todo lo que quieras —replicó Kim con la vista clavada en el plato. Le había preparado una tortilla con pimiento y cebolla, y dos tostadas de pan de trigo integral—. Voy a engordar como siga comiendo así —comentó, y esperó a que él dijera algo amable.

Sin embargo, Travis no pensaba comentar el estado de

su cuerpo ni de coña. ¡Estaba genial! Había crecido más de lo que esperaba. Tenía la altura perfecta para él. La camisa se le pegaba al cuerpo y los pantalones negros se ceñían a su trasero.

El hecho de que guardara silencio hizo que Kim pensara que no sabía cómo comportarse con una mujer.

—Bueno, ¿qué vas a hacer hoy? —le preguntó.

Esa mañana, su primer impulso fue llamar a su madre para decirle que estaba en Edilean. Organizaría un encuentro en un lugar privado para hablar del divorcio, del hombre con quien quería casarse y de lo que pensaba hacer con su vida. Después, pasaría las siguientes tres semanas preparando el caso de divorcio que, sin duda alguna, sería portada de todos los periódicos.

Sin embargo, mientras miraba a Kim, intentó encontrar un motivo para retrasar todo lo posible lo malo que estaba por llegar.

—¿Qué habías planeado tú?

—Quería ir a la iglesia si me levantaba lo bastante temprano.

Kim miró el reloj. Aún tenía tiempo para arreglarse e ir a misa, pero eso significaría alejarse de Travis. Se le ocurrió que era muy posible que, al volver, hubiera desaparecido. Seguramente hablaría con su madre, se tranquilizaría al saber que Joe Layton era un buen hombre y volvería a... a... a donde fuera que viviese. A donde fuera que viviese, pero que no consideraba su hogar.

Se devanó los sesos en busca de un motivo para que se quedara... y para que ella lo acompañase.

—Seguro que quieres ver a tu madre, pero a lo mejor deberías ver la nueva tienda de bricolaje del señor Layton antes de hacerlo.

Travis sonrió como si ella hubiera dicho algo brillante.

—Creo que es una idea genial. Se pueden averiguar muchas cosas sobre un hombre al ver su lugar de trabajo.

—Razón por la que su despacho carecía de objetos personales, pensó, aunque no lo dijo en voz alta—. ¿Te importaría acompañarme? Si estás demasiado ocupada, podrías hacerme un mapa. Podría...

—¡Me encantaría! —exclamó—. Iremos en mi coche. ¿Te importa esperarme un momento? Tengo que hacer una llamada antes, pero después podremos irnos.

En cuanto Kim cerró la puerta del dormitorio, llamó a Carla, su asistente.

—¿Diga? —contestó Carla, a todas luces medio dormida.

—Soy yo —susurró Kim todo lo alto que se atrevió—. Necesito que termines las alianzas de la boda de los Johnson hoy.

—¿Qué? No te oigo.

Kim se metió en el armario y cerró la puerta.

—Carla, por favor, despierta. Necesito que hoy termines un par de alianzas por mí.

—Kim, es domingo. Me quedé en la boda hasta después de medianoche. Bebí demasiado.

—Yo también —replicó Kim—, pero las alianzas tienen que estar listas hoy. La boda es mañana.

—Pero ibas a hacerlas tú y...

—Lo sé —la interrumpió—, soy una jefa vaga y horrorosa, pero me ha surgido algo. Una emergencia. Necesito que vengas y las termines por mí. Ya están forjadas, solo hay que lijarlas y bruñirlas.

Carla gimió.

—Eso son unas cuantas horas y es domingo.

—Te daré día y medio libre.

Carla guardó silencio.

—Vale —dijo Kim—. Dos días. Pero las necesito para hoy. ¿De acuerdo?

—Claro, de acuerdo —contestó Carla—. Pero quiero el viernes dieciocho libre y dos días más por lo de hoy.

Kim fulminó el auricular con la mirada. ¡Con la de veces que había soñado con ser su propia jefa, con fijar su propio horario y con obligar a sus trabajadores a cumplir sus órdenes!

—Muy bien —accedió—. Ya sabes dónde está la llave del garaje, así que vente y ponte manos a la obra.

—¿Tienes una cita con un tío buenorro? —preguntó Carla—. ¿Dave va a proponértelo? ¿Has diseñado ya tu propio anillo?

No pensaba hablarle a Carla de Travis.

—Tengo que irme. Y recuérdame que pida más rojo mañana.

—¿Para tu cara o para las joyas?

Kim hizo una mueca. El sentido de humor de Carla solía dejar atónita a la gente.

—Nos vemos mañana —dijo, y colgó.

Unos minutos después, estaba en el salón. Travis se había sentado en el enorme sillón azul marino situado junto al diván compañero y estaba leyendo el periódico. Jecca había escogido ese sillón.

«Es para el hombre de tu vida», le había dicho su amiga.

«¿Para cuál de ellos?», había replicado ella con sarcasmo.

«Para el que va a aparecer y va a volverte loca.»

«¿Como Tris hizo contigo en la fiesta de bienvenida de Reede?»

«Sí», había contestado Jecca con un suspiro soñador, y Kim supo que había conseguido desviar su atención.

Kim se sentó en silencio en el sofá y cogió el dominical.

Unos minutos después, él preguntó sin levantar la mirada:

—¿Estás lista?

—Cuando quieras —contestó, pero no tenía prisa por marcharse.

Los domingos por la mañana solía salir corriendo hacia la iglesia mientras respondía a las llamadas de su madre y pensaba en el trabajo que tendría que hacer la semana siguiente. Los domingos por la tarde eran más tranquilos. Sus antiguos novios, los que tenían trabajos normales, solían ir a verla, pero Dave siempre trabajaba en fin de semana. Desde que lo conoció, sus fines de semana habían sido solitarios.

—Pareces en otro mundo —comentó Travis.

—Estaba pensando que normalmente trabajo los domingos.

—Eso no parece muy divertido —dijo él.

Estaba repitiendo las palabras que ella le había dicho hacía tanto tiempo.

—Doy fe de que no es muy divertido —replicó, parafraseándose a sí misma, y los dos se echaron a reír.

—¿Te parece que vayamos a ver en qué se está metiendo mi madre?

—Como no quieres dejarte ver, ¿qué tal si damos un rodeo? Hay un viejo camino forestal, pero no estoy segura de que sea transitable. Intentaré no meter el coche en ninguna zanja.

Travis aún tenía su llavero.

—En ese caso, ¿qué tal si conduzco yo? Y nos llevaremos mi coche viejo para no estropear el tuyo tan bonito y tan nuevo.

—Vale —accedió, aunque con cierta cautela.

La zona que rodeaba Edilean era agreste. Se trataba de una reserva natural, conservada por el estado de Virginia, pero sabía que sus primos solían encargarse de mantener los caminos forestales. La pregunta era si alguien había conservado ese camino en concreto en los últimos años.

Unos minutos después, Travis y ella estaban en su viejo Bimmer, parados al inicio de un camino que parecía no haber sido transitado en años. Había agujeros, surcos, piedras y un tronco en mitad del camino.

—Creo que deberíamos dar la vuelta y usar la carretera principal —dijo Kim—. Le diré a Colin cómo está esto y él lo arreglará.

—¿Colin?

—El sheriff. Puede que lo vieras en la boda. Es un gigantón de pelo oscuro.

—¿Y su mujer está embarazada?

—Pues sí. ¿Os conocéis?

—Más o menos —contestó Travis, pensando en el peligro que implicaba lo que Kim decía. El sheriff preguntaría por qué quería que se limpiara el camino y por qué había descubierto que estaba intransitable. Pero si no tomaban esa ruta, habría otras complicaciones. Si Kim atravesaba el pueblo sentada al lado de un desconocido iba a suscitar la curiosidad de todos... ¡y ni de coña iba a esconderse en el maletero!

—Podríamos ir andando —sugirió Kim—. La tienda está a unos tres kilómetros.

—Llevas unas sandalias preciosas —comentó él.

—Gracias. Acabo de comprarlas. Son de Børn y me encantan las suelas. Son... —Se interrumpió—. Ah, ya. Tendré que tirarlas después de caminar por ahí.

—Kim... —dijo él, despacio, mirándola a los ojos.

Casi podía leerle la mente. Travis quería atravesar ese viejo camino. Si lo hacían despacio y con cuidado, tal vez lo consiguieran. Si la conducción se volvía demasiado peligrosa para él, podrían ir andando... y tal vez Travis accediera a llevarla a cuestas. Comprobó que llevaba bien puesto el cinturón de seguridad.

—En cuanto empecemos, no puedo parar —la avisó él—. Este coche no tiene tracción a las cuatro ruedas y si me paro, nos quedaremos atascados.

—En ese caso, tendrás que llamar a un Frazier para que saque tu coche.

—¿Un Frazier?

—Un pariente del sheriff. Entienden de coches.

—¿De verdad? —Desde el punto de vista de Travis, el camino era muy sencillo. Podría causarle algunos desperfectos a los bajos del coche, pero también eran evitables. La pregunta era si una mujer como Kim lo soportaría o no—. ¿El sheriff atravesaría algo así?

—¿Colin? ¿Estás de coña? Subiría la montaña. Casi siempre es la primera persona en llegar si alguien necesita ayuda. No dejo de decirle el gran equipo que formaría con Reede. Mi hermano se desliza desde helicópteros para rescatar a gente. Es...

Travis le lanzó una mirada tan extraña que Kim dejó de hablar.

—Esto es como montar en bici, ¿no? Tienes que hacerlo aunque te caigas de boca.

La miró con una sonrisa porque ella lo entendía a la

perfección. Claro que tanto hablar de otros hombres podría herirle el orgullo.

—Yo me apunto si tú te apuntas —dijo ella.

—Si lo hacemos, tienes que confiar en mí —replicó él con seriedad.

—¿No me monté en tu manillar mientras subías el montón de tierra?

Le regaló tal sonrisa que Kim deseó besarlo. Había gratitud además de placer en la mirada de Travis.

—Muy bien —dijo él mientras clavaba la vista en el camino, con una mano en la palanca de cambios—. Pon una mano en el reposabrazos y otra aquí, y agárrate. Y no grites. Los gritos me distraen.

Al escuchar el último comentario, Kim puso los ojos como platos y una parte de ella quiso ponerse a chillar para que la dejara bajarse del coche. Pero no lo hizo. Colocó las manos donde él le había indicado, afirmó los pies y asintió con la cabeza. Estaba lista.

Con una sonrisa, Travis metió la primera y echó a andar. Para su asombro, pisó el acelerador y no aminoró la velocidad en ningún momento. Con unos reflejos rapidísimos, rodeó agujeros o los pasó por encima con maestría. Cuando un tronco les bloqueó el paso, Travis se salió del camino. El coche se inclinó hacia la izquierda unos cuarenta y cinco grados, en opinión de Kim, mientras se dirigían derechos a un enorme roble. Ardía en deseos de ponerse a gritar. Quería advertirle del choque, pero contuvo el aliento... y mantuvo los ojos abiertos.

Travis giró a la izquierda en el último momento y pasó rozando el roble, a un escaso dedo del árbol. Estuvo tan cerca que el suspiro de Kim sonó como el chillido de un ratón.

Travis siguió acelerando mientras pisaba el embrague y cambiaba de marcha. Cuando pilló un remonte creado por años de malas hierbas y el tronco podrido de un árbol, las cuatro ruedas abandonaron el suelo.

Mientras surcaban el aire, Kim pensó que su vida acabaría ahí. Miró a Travis, la última persona que vería.

Él volvió un poco la cabeza, con una expresión eufórica en sus ojos oscuros... y le guiñó un ojo.

De no haber estado aterrorizada, se habría echado a reír.

Cuando el coche golpeó el suelo, sintió el encontronazo en todo el cuerpo... pero él siguió conduciendo a lo que le parecía la velocidad de la luz.

Travis volvió a salirse del camino, sobre lo que sería el arcén, dando volantazos a izquierda y derecha sin parar. A la postre, vieron la parte trasera del enorme edificio que antiguamente era una fábrica de ladrillos. Sin embargo, Travis no aminoró la marcha. Rodeó y pasó por encima de tres agujeros más.

El muro de ladrillo del edificio estaba justo delante de ellos y Travis volaba derecho hacia él.

Al ver otro remonte en el camino, Kim tuvo que esforzarse de nuevo para no gritar.

—Agárrate bien, nena—dijo Travis, que lo pasó a toda velocidad. Salieron volando y aterrizaron al otro lado, pero seguían avanzando hacia el edificio.

Travis dio un volantazo tan fuerte que ella tuvo la sensación de que se le iban a descoyuntar los hombros. El coche patinó y se detuvo tan cerca del edificio que Kim podría bajar la ventanilla y tocarlo con los dedos. Pero no se movió. Estaba paralizada. Tenía el cuerpo totalmente petrificado por lo que acababa de experimentar.

—No estaba tan mal —dijo Travis, que apagó el motor—. No está ni la mitad de mal de lo que creía que iba a estar. —La miró—. Kim, ¿te encuentras bien?

Ella siguió donde estaba, con la vista clavada al frente y las manos blancas mientras aferraba el asa. Dudaba de que las piernas volvieran a funcionarle.

Travis salió del coche y lo rodeó para abrir la puerta del acompañante. El edificio estaba tan cerca que el borde de la puerta casi lo rozaba. Casi. Quedaba un hueco de un centímetro como mucho. Había realizado un aparcamiento milimétrico.

Cuando Travis abrió la puerta, la mano de Kim no la soltó; de hecho, tenía el brazo tan rígido que él no pudo abrir la puerta del todo. Despacio, le fue soltando los dedos uno a uno.

Cuando por fin abrió la puerta, se inclinó sobre ella, le aflojó la otra mano y después le desabrochó el cinturón de seguridad. Pero ella seguía rígida en el asiento.

Se inclinó todavía más y le pasó un brazo por la espalda y otro por debajo de las rodillas, tras lo cual la sacó en brazos del coche. La llevó a la sombra de un árbol, se sentó en un banco de madera y la meció en su regazo.

—No quería asustarte —dijo al tiempo que apoyaba la cabeza de Kim en su hombro—. Creía que... —En ese momento no sabía en qué estaba pensando. Se había relacionado con demasiadas mujeres que solo querían un subidón. La había fastidiado una vez más.

Kim comenzaba a salir del estado de shock. Sin embargo, su primer pensamiento fue que no quería que Travis la soltara. Quería quedarse en su regazo todo el tiempo necesario para que la besara.

—¿Quieres que te lleve con tu hermano? —le preguntó él en voz baja.

No sabía por qué le preguntaba eso hasta que recordó que Reede era médico.

—Estoy bien —le aseguró.

—No lo pareces. —Le apartó la cabeza de su hombro y la miró. Tenía la cara blanca y los ojos abiertos como platos. Aún parecía aturdida, pero al mismo tiempo vio algo más en sus ojos... —Se apartó un poco y la observó—. Te has divertido, ¿verdad?

—Jamás había hecho algo así —contestó—. Ha sido...

No tuvo que decir más. Travis podía verlo en su cara. El trayecto por ese viejo camino había hecho que se sintiera viva. Así fue como se sintió él aquel día, cuando montó en la bicicleta de Kim.

Con una sonrisa, Travis la dejó en el suelo.

—Bueno, ¿cómo entramos? —preguntó al tiempo que echaba a andar.

Kim seguía un poco aturdida, sentía las piernas débiles y su mente era un hervidero de pensamientos por lo ocurrido en el coche. Veía el árbol acercándose, y el brusco giro realizado justo antes de chocar contra él. En dos ocasiones, Travis había hecho que el coche saliera volando, separando las cuatro ruedas del suelo.

—¿Hay un sistema de alarma?

Tuvo que parpadear para verlo bien.

—¿Qué?

—Que si sabes si el edificio tiene un sistema de alarma.

—No tengo ni idea. —Mientras se acercaba a él, estuvo a punto de caerse en una ocasión porque le fallaron las piernas, pero consiguió guardar el equilibrio.

—Voy a echar un vistazo —dijo él. Tenía un brillo travieso en los ojos, como si supiera algo que ella desconocía—. Quédate aquí, vuelvo enseguida.

—Vale —replicó Kim—, pero si necesitas ayuda, aquí estoy.

—Lo tendré en cuenta.

Sin dejar de sonreír, Travis rodeó el edificio. Se había dado cuenta de que la había asustado muchísimo en el camino. Era la clase de cosas que él había hecho durante su trabajo en Hollywood, que consistía en hacer creer que el protagonista era capaz de hacerlo todo. Sin embargo, Kim no había gritado, aunque se había percatado de que estaba aterrada. Si se hubiera sentido fuera de control en algún momento, habría parado, pero no fue así. Le gustaba que Kim se hubiera mostrado tan valiente. Sobre todo, le encantaba que hubiera confiado en él.

Kim regresó al enorme banco de madera y se sentó.

—Parece que ha aprendido un par de cosillas desde que se montó en mi bici —dijo en voz alta.

Desde el banco, con la vista clavada en el viejo BMW y asombrada porque no hubiera estallado en llamas en protesta, vio que se abría una puerta del edificio. Esperaba ver al señor Layton, pero fue Travis quien apareció.

—No hay alarma —anunció él—. Entra.

—¿Cómo has entrado? —le preguntó ella al acercarse.

—Se dejó una ventana abierta y me he colado por ella. Necesita un sistema de seguridad mejor.

Kim solo había estado en el viejo edificio en una ocasión, y eso fue antes de que comenzaran los trabajos de rehabilitación. Jecca le había dicho que su padre había organizado a los trabajadores de Nueva Jersey en turnos continuos de veinticuatro horas. Con independencia de lo que hubiera hecho, la transformación era asombrosa.

Se encontraban en una estancia amplia con techos altos, rodeados de cajas. A juzgar por lo que había escrito en el cartón, las cajas debían de estar llenas de maquinaria y herramientas.

—Parece que ha tenido muy ocupada a alguna empresa de transporte. —Travis tenía el ceño fruncido.

—¿A qué viene esa cara?

Él titubeó un momento.

—Somos amigos, ¿recuerdas? Compartimos secretos.

La miró con una sonrisa.

—Me cuesta recordarlo, pero lo intentaré. Mi madre... En fin, cuando huyó de mi padre, se llevó cierta cantidad de dinero consigo.

—De seis o siete ceros.

—O más...

—¡Madre mía! —De repente, Kim entendió por qué Travis fruncía el ceño—. ¿Crees que el señor Layton ha usado el dinero de tu madre para... para comprar todo esto? —preguntó, abarcando las cajas con un gesto de la mano.

—¿Qué propietario de una tienda de bricolaje conoces que pueda permitirse todo esto?

—No sé —contestó, aunque en realidad sabía mucho acerca de lo que costaba montar una empresa.

Su pequeño taller de joyería era una cuarta parte del tamaño de esa estancia, y para conseguirlo había necesitado pedir un préstamo a un banco, pedirle prestado dinero a su padre y agotar el límite de sus tarjetas de crédito. Había conseguido pagarlo todo hacía un año. Lo había celebrado volviendo a endeudarse al comprar una casa un poco más grande de lo que podía permitirse. Al principio, el banco se había negado a concederle la hipoteca, pero después el director del banco la había llamado personalmente para decirle que estaban encantados de dársela.

Nadie se lo había confirmado, pero estaba segura de que su padre lo había arreglado todo.

Sin embargo, Kim no le dijo nada de eso. Jecca era su mejor amiga y estaban hablando de su padre.

Kim echó un vistazo por la espaciosa estancia y se percató de que en lo alto, muy por encima de las vigas vistas de acero, había una ventana abierta. Todo lo demás parecía cerrado a cal y canto.

—¿Has entrado por esa ventana?

Travis no levantó la vista.

—Sí —contestó.

Comenzó a leer las etiquetas de las cajas. Sierras, herramientas básicas, generadores, utensilios de jardín... Aunque lo hubiera comprado todo a precio de saldo, habría costado una fortuna. ¿Le habría hablado su madre al tal Layton del dinero que había escondido? Su madre sabía que él controlaba su cuenta, así que a lo mejor lo había usado de aval para comprar las herramientas de ese hombre.

—¿Travis? —dijo Kim—. Esa ventana está por lo menos a seis metros de altura. ¿Cómo has conseguido alcanzarla desde fuera y bajar desde ahí?

—He trepado —respondió sin prestarle mucha atención—. Voy a echar un vistazo.

Se dirigieron a una estancia más pequeña donde había dos vestuarios bastante espaciosos. Travis los pasó, pero ella se detuvo. Sabía que Jecca le había enviado planos a su padre para que los trabajadores de Nueva Jersey los siguieran.

Para conservar el estilo de Edilean y considerando que el edificio había sido una fábrica de ladrillos, Jecca había utilizado una paleta de color en la que predominaban el crema y el azul grisáceo. Había dejado ladrillos vistos allí donde era posible, y los había recortado con el azul que tanto había gustado a los colonos. Kim no estaba segura, pero apostaría lo que fuera a que Lucy Cooper había confeccionado las cortinas.

Con una sonrisa, Kim salió del vestuario para ver dónde se había metido Travis. Lo encontró en la siguiente sala, que contenía tres oficinas con cristaleras a la sala principal. Intentaba abrir las puertas, pero estaban cerradas con llave.

—Me gustaría meterme en su ordenador y ver de dónde ha salido el dinero para todo esto. —Miró a Kim como si le estuviera haciendo una pregunta.

—No sé cómo piratear un ordenador.

—Yo tampoco —replicó él, como si creyera que su educación era defectuosa.

—Me alegra saber que hay algo que no sabes hacer —murmuró Kim. De momento, Travis le había limpiado la piscina, le había preparado el desayuno, había atravesado ese camino como si hubiera salido de una película de acción y había escalado un muro de ladrillos.

Corrió para alcanzarlo. Travis estaba en mitad de una estancia alargada con ventanales orientados a la fachada. Su expresión era inescrutable. No había nada en esa estancia, ni cajas, ni escritorios, solo tres paredes cerradas y una cuarta con los ventanales.

Esperó, pero él seguía con la vista fija, callado.

—¿Quieres ver la estancia que el señor Layton había pensado para Jecca? Le gusta pintar y se le da bastante bien, así que le iba a preparar un estudio. Pero Jecca dijo que jamás conseguiría trabajar estando tan cerca de su padre. Dijo que él le daría la lata hasta que consiguiera que trabajara para él porque, verás, es que Jecca sabe cómo desmontar motosierras. Y también sabe cómo montarlas.

Travis examinaba la habitación como si se hubiera sumido en un trance; de hecho, no creía que hubiera escuchado una sola palabra de lo que había dicho.

—Pero Jecca preferiría criar unicornios rosas, así que no aceptó el ofrecimiento de su padre.

—¿De dónde ha sacado una pareja para criar?

—¿Cómo?

—De unicornios rosas, digo —contestó Travis.

—Creía que no me estabas prestando atención.

—¿No te dije que se me da bien escuchar?

Ambos sonrieron. Eran niños y apenas fueron dos semanas, pero los dos recordaban cada minuto de aquella etapa de sus vidas.

—¿Sabes qué piensa hacer Layton con esta estancia? —preguntó él.

—No tengo ni idea. ¿Por qué?

Travis se acercó a las ventanas orientadas al enorme aparcamiento.

—¿Dónde se compra el material para el aire libre?

—¿Te refieres a las cañas de pescar?

Travis sonrió.

—Más bien a equipamiento de escalada y canoas. ¿Dónde consiguen los guías locales su equipamiento?

Kim lo miró parpadeando.

—¿Los guías? —consiguió decir.

—Edilean está rodeado de unos bosques increíbles. Vi por Internet un sitio llamado Stirling Point.

—Es donde quedan las parejas para hacerlo al aire libre —dijo Kim, pero Travis se limitó a mirarla—. La casa de juegos es el punto de encuentro techado y...

—Ya lo pillo —la interrumpió con cara seria—. Según vi, se puede hacer senderismo, remo, pesca y algo de escalada en la reserva. ¿Dónde compráis el equipamiento?

—No lo sé —contestó de nuevo a su pregunta—. En Virginia City, en Norfolk o tal vez en Richmond. Y en Williamsburg seguro que hay tiendas de esas cosas.

—Pero ¿no hay nada en Edilean?

—No hay ni una tienda de canoas.

Travis no sonrió.

—Interesante. Bueno, ¿dónde está el estudio de unicornios de tu amiga?

Kim abrió la puerta que daba a una amplia y aireada estancia, orientada a la parte trasera del edificio y con vistas al bosque. Al igual que la anterior, estaba vacía. Había sido restaurada y el suelo, renovado. Todas las ventanas eran nuevas, algunas incluso aún tenían pegados los plásticos protectores.

—Es genial —dijo Travis en voz baja—. Realmente genial.

Kim se plantó delante de él.

—Quiero saber qué estás pensando.

Travis se volvió un momento.

—Cuanto más escucho acerca de Layton, más me preocupo. Has dicho que es capaz de atosigar hasta salirse con la suya. Que...

—No —lo interrumpió—. He dicho que le daría la lata a Jecca. Eso es lo que hacen los padres. Dicen que es por nuestro propio bien. Mi madre me da la lata. ¿Es que tu padre no usa todo lo que está a su alcance para que hagas lo que él quiere?

—A todas horas —contestó Travis—, pero esa no es la cuestión. No sé si conseguiré que mi madre acceda, pero a lo mejor puedo alquilar estas dos estancias para abrir una tienda de deportes. —Y conseguir que alguien las gestionara en su nombre, pensó.

A Kim se le subió el corazón a la garganta. Eso significaba que se quedaría en Edilean. Pero después se le cayó a los pies.

—¡Ah! —exclamó—. Será un montaje. Convencerás a tu madre de que te preste el dinero para fingir que vas a abrir una tienda y así estar cerca del señor Layton.

Travis se quedó de piedra al escucharla, sobre todo la parte del dinero, pero después recordó el coche que Penny le había comprado. Contarle a Kim la verdad sería hablarle de su padre. Y no quería hacerlo y ver cómo su expresión cambiaba.

—Más o menos —replicó.

Escucharon la puerta de un coche.

—Quédate aquí —dijo Travis al tiempo que pasaba a la estancia contigua para echar un vistazo a la fachada. Regresó en unos segundos.

—Es un hombre. Parece un bloque de piedra con una cabeza pegada encima.

—Es el señor Layton —dijo Kim.

—Un hombre de ese tamaño con mi diminuta madre... —Meneó la cabeza, dio un paso al frente y se detuvo antes de volver a mirarla—. Vámonos —dijo, y la cogió de la mano para echar a correr hacia la puerta trasera.

—No es real —se dijo Kim en voz alta mientras limpiaba la encimera de la cocina—. No es real y no se va a quedar —añadió para asegurarse de que la idea calaba.

Unas cuantas horas antes, Travis y ella habían salido

corriendo por la puerta trasera de lo que sería Bricolaje Layton para refugiarse en el bosque.

—Verá tu coche —le advirtió a Travis, sin aliento, mientras se apoyaba en el tronco de un árbol y lo miraba.

Travis era muy grande y muy viril. Aún no podía creerse que el niño en el que tanto había pensado a lo largo de los años se hubiera convertido en ese magnífico espécimen de virilidad. La camisa se le pegaba al torso, tanto que podía adivinar sus músculos. ¿Qué hacía para tener semejante musculatura?, se preguntó. ¿Se pasaba seis horas al día en el gimnasio?

Cuando Travis la miró, apartó la vista. No quería ver de nuevo esa expresión, la que decía que la veía como a una niña.

—Solo si sale por detrás —replicó Travis con una sonrisa—. ¡Espera!

Aguzaron el oído y escucharon el sonido de la gravilla al crujir.

—Se va —dijo Travis—. ¿Volvemos?

Kim echó un vistazo al bosque. Lo que quería era internarse mucho, muchísimo, entre los árboles y...

—¿Kim?

—Ya voy —contestó y recorrió tras él los escasos metros que los separaban de la parte trasera del enorme edificio de ladrillo.

Travis le abrió la puerta del coche y la cerró antes de ponerse detrás del volante.

—Volvemos por donde hemos venido, ¿no? —preguntó él.

—Pero ahora me toca conducir a mí.

Travis soltó una carcajada.

—A lo mejor probamos la carretera principal.

—¡Cobarde! —le soltó, y se echaron a reír.

La llevó de vuelta a casa, la acompañó hasta la puerta y se la abrió, pero no la acompañó al interior.

—Tengo que ver a mi madre —le dijo—. Tenemos que hablar de algunas cosas.

—Claro —replicó Kim al entrar en casa. Estaba segura de que en cuanto volviera, Travis le diría que se marchaba del pueblo, que había sido bonito verla de nuevo.

Su móvil sonó nada más cerrar la puerta.

—¿Me has echado de menos? —le preguntó Dave.

Habían pasado tantas cosas en el último día y medio que casi no reconoció su voz.

—Claro que sí —contestó—. ¿Y tú?

—Te eché mucho de menos cuando no respondiste mis mensajes.

Kim se apartó el móvil de la oreja y pulsó una tecla. Tenía cuatro mensajes de voz.

—Lo siento —se disculpó—. He estado tan ocupada que no he mirado el móvil.

—Lo sé. Con la boda de los Johnson, ¿no?

«¡Ay, no!», pensó Kim. «Las alianzas. Por favor, por favor, que Carla se haya acordado de hacerlas», suplicó. Echó a andar hacia la puerta del garaje.

—Sí, la boda —confirmó. Encendió la luz. En el banco del trabajo había dos alianzas de oro, con el intrincado grabado bruñido a la perfección. «Gracias», pensó al salir del taller—. ¿Y tú qué te cuentas? ¿Estás muy liado?

—Si hubieras escuchado mis mensajes, aunque no me estoy quejando, por supuesto, sabrías que estoy hasta el cuello. Pero estoy haciendo todo lo posible para escaparme el fin de semana.

Apagó la luz y cerró la puerta.

—¿Cómo?

—¡Kim! —exclamó Dave—. Me parece que se te ha olvidado. ¿El fin de semana?

—Ah, sí, claro —respondió. Se le había olvidado por completo. Claro que la escapada no había sido idea suya, sino de sus amigos y familiares.

—Hiciste la reserva, ¿no?

Se acercó a su escritorio, situado en un rincón de la cocina, y miró la reserva impresa. Una habitación doble en el bed & breakfast Sweet River, de Janes Creek, Maryland, para las noches del viernes, el sábado y el domingo del fin de semana siguiente. Carla le había dicho que creía que Dave iba a proponerle matrimonio mientras estaban allí. Desde luego, podría decirse que él se había invitado solito a acompañarla.

«Lo conozco de hace seis meses», había protestado Kim con el ceño fruncido. «Me pidió venir porque quiere alejarse unos días de su empresa.»

«Claro, claro», había replicado Carla. «Se te olvida que conozco a su ex novia. Nunca se tomó un fin de semana libre por ella, y estuvieron juntos más de dos años.»

Kim había dicho que necesitaba... Como no se le había ocurrido una excusa, se había limitado a salir de la estancia.

—¿Kim? —le preguntó Dave—. ¿Sigues ahí?

—Sí. Es que un antiguo amigo de la infancia ha aparecido de repente y se está quedando en la casita de la piscina.

—Debe de ser una sorpresa muy agradable —dijo Dave—, pero, Kim, nada de amigos este fin de semana. Te quiero para mí solo. Tú y yo... vamos a jugar.

—Vale —contestó, y tras murmurar unas cuantas cosas más, Dave dijo que tenía que dejarla, ya que acababan de entregarle más de diez kilos de gambas.

Se metió el móvil en el bolsillo y empezó a recoger la cocina... y a mirar el reloj. No tenía sentido que la pusiera nerviosa el tiempo que Travis pasara con su madre, pero así era.

Pasó una hora, y después dos. Cuando ya habían pasado tres horas, se convenció de que no volvería a verlo en la vida. De modo que cuando Travis golpeó el cristal de la puerta trasera, dio un respingo antes de regalarle su mejor sonrisa.

Travis no parecía estar de muy buen humor, una sospecha que quedó confirmada cuando se sentó en uno de los taburetes y preguntó:

—¿Tienes whisky?

Le sirvió una copa de McTarvit, una botella que siempre tenía en casa para sus primos.

Travis la apuró de un solo trago.

—¿Quieres contármelo? —le preguntó en voz baja.

Cuando la miró, vio el dolor reflejado en sus ojos.

—¿Alguna vez has tenido la sensación de que lo que más temes en la vida se está haciendo realidad?

Quería decirle que ella temía convertirse en una empresaria cincuentona sin vida social y, de momento, ese era el camino que llevaba.

—Sí —contestó—. ¿Es lo que crees que te está pasando?

—Es lo que parece creer mi madre.

Esperó a que él le contara algo más, pero guardó silencio. Cuando eran niños, Travis siempre decía lo menos posible, y en ella recaía la tarea de sonsacarle información.

—Bueno, ¿qué vas a hacer mañana?

La miró un momento y sonrió.

—No lo que me gustaría hacer, pero estoy abierto a alternativas.

—¿Qué quiere decir eso de que no puedes hacer lo que te gustaría?

—Nada —contestó él—. ¿Qué haces mañana?

Kim sintió que la opresión del pecho desaparecía. Hasta ese momento había temido que, una vez que hablara con su madre, anunciaría que se marchaba.

—Trabajar —dijo—. Lo que hago todos los días. Tú eres quien tiene otros planes. ¿Te ha dicho tu madre que te vayas del pueblo?

—En realidad, me ha dicho todo lo contrario. ¿Hay algo de comer? Estoy bajo de reservas después de la charla materna.

Kim había estado tan preocupada por la posibilidad de que se marchara que no se había percatado de que tenía la camisa rota y sucia, y de que tenía una hoja en el pelo. Justo como cuando eran niños.

—¿Qué has estado haciendo? —le preguntó mientras abría el frigorífico.

—Un poco de escalada. Tenéis un bonito acantilado en Stirling Point.

—¿Y cómo te has ensuciado tanto subiendo por el sendero?

—No he subido por el sendero —contestó él mientras se acercaba a los armarios y sacaba un par de platos.

Kim se detuvo con un cuenco en las manos.

—Pero es una pared vertical.

Travis se encogió de hombros.

A Kim no le hizo gracia.

—No tenías cuerdas y estabas solo. Ha sido arriesgado. No vuelvas a hacerlo —le regañó.

—¿O me desmembrarás? —preguntó él, y esa palabra lo llevó a hacer una mueca. Sirvió ensalada de patata en los platos—. Bueno, ¿qué has hecho mientras yo no estaba?

—Intentar moldear cera para que fuera luz de luna.

Travis la miró con curiosidad.

—¿Qué quiere decir eso?

—Anoche durante la boda, la luz de la luna me pareció tan bonita que me pregunté si podría convertirla en una joya.

—¿Y eso que tiene que ver con la cera? —le preguntó él mientras comenzaba a comer.

Kim se sentó a su lado y aceptó el plato que él le había servido. Se le pasó por la cabeza que Dave lo había preparado y que tenía que hablarle a Travis de él, pero no lo hizo.

—Fabrico joyería industrial, fundición a pequeña escala y también a la cera perdida.

—¿La cera perdida? Me suena de haberlo visto en la tele. Era un misterioso método desaparecido a lo largo de los siglos.

Kim resopló con desdén.

—¡Menudos imbéciles! Se llama «a la cera perdida» no porque el proceso se haya perdido, sino porque la cera se funde y se cuela. La cera se pierde en el proceso.

—Vas a tener que enseñármelo. A lo mejor podrías...

—¡Travis! —exclamó Kim—. Quiero saber qué está pasando. Me dijiste que necesitabas mi ayuda y ahora mismo no pienso darte un curso de joyería.

Travis titubeó antes de decir:

—Tengo tres semanas.

—¿Tres semanas antes de qué?

—Antes de tener que enfrentarme a mi padre con la noticia de que su mujer quiere el divorcio.

—¿Qué pasará después?

—Una batalla legal —contestó—. Mi padre se opondrá y yo me opondré a él. Será la guerra.

—Pero en cuanto termine, ¿serás libre? —quiso saber ella.

—Sí —respondió—. No sé lo que seré libre de hacer, pero ya no me atará obligación alguna a ellos. Salvo por motivos éticos y morales, y por el cariño, y por...

—Pero ¿qué planes tienes ahora? Para estas tres semanas —precisó Kim.

—A lo mejor capturo un poco de luz de luna para que puedas meterla en cera y perderla.

Kim sonrió.

—Eso estaría bien. Necesito ideas nuevas. Siempre me han inspirado las formas orgánicas y se puede decir que ya he agotado todas las que conozco.

—¿Qué me dices de las flores que solías unir?

—Es la flor del trébol y se consideran malas hierbas.

—Me gustaban —dijo él en voz baja y por un segundo sus miradas se encontraron. Pero después, Travis se volvió y recogió los platos sucios para meterlos en el lavavajillas.

—Si vas a quedarte aquí durante tres semanas, tenemos que decirle a la gente quién eres.

—¿A la gente? —preguntó él—. ¿A quién te refieres?

—Travis, estamos en un pueblecito. Estoy segura de que todo el mundo está hablando de que Kim recogió a un moreno desconocido y se lo ha llevado a su casa.

—¿Has llamado ya a tu madre? —le preguntó él con una sonrisa.

—La última vez que supe de ella, estaba en Nueva

Zelanda, así que las noticias tardarán en llegarle otras veinticuatro horas, o eso espero. Pero mi hermano está aquí. Al igual que mi primo Colin.

—El médico del pueblo y el sheriff. Eres una mujer con muchos contactos.

—¿Qué vas a contarles? ¿Les dirás que Lucy Cooper es tu madre?

—Me ha pedido una semana para contarle a Layton que está casada y que tiene un hijo.

—Si se lo dice así, creerá que tiene un hijo de nueve años.

—¿Cuántos años cree tu madre que tienes? —quiso saber Travis.

—Cinco —contestó Kim, y los dos se echaron a reír—. ¿Y si contamos la verdad, pero nos callamos que la mujer que cose, Lucy Cooper, es la señora Merritt? Viniste aquí de niño, nos conocimos, has crecido y ahora has vuelto a Edilean para pasar tres semanas de vacaciones.

Los ojos de Travis se iluminaron.

—Si consigo que mi madre posponga el momento de contarle la verdad a Layton, podría conocerlo antes de que ella le diga quién soy.

—Creo que tenemos un plan —dijo Kim y ambos sonrieron.

4

Joe Layton abrió la puerta de su oficina e hizo una mueca al ver los papeles que se amontonaban en su escritorio. Se preguntó de nuevo qué narices hacía empezando de cero a su edad. El antiguo resentimiento lo abrumó de nuevo. Siempre había pensado que se pasaría la vida regentando la tienda de bricolaje que fundó su abuelo. Jamás había considerado que fuera una empresa demasiado ambiciosa ni tampoco había imaginado que alguien pudiera codiciarlo. Sin embargo, después de que su hijo Joey se casara y tuviera hijos, su mujer empezó a ver Bricolaje Layton como una mina de oro, y le quedó muy claro que estaba dispuesta a matar para conseguirlo.

Si no lo ambicionara para el bien de sus nietos, Joe se habría opuesto a ella con uñas y dientes. Sin embargo, no lo intentó siquiera. De hecho, le gustaba que su nuera demostrara esa ambición para asegurarse el futuro de sus hijos.

De modo que cuando su hija, Jecca, decidió casarse con un hombre que vivía en el diminuto pueblo de Edilean, situado en Virginia, Joe lo vio como una salida a todo ese embrollo. Disponía de ahorros en el banco, así que pensó en usarlos para abrir un nuevo establecimiento en Virginia. Sheila, su nuera, había puesto el grito en el cielo, aduciendo que «no tenía derecho» a llevarse lo que había ganado a lo largo de los años y que debería «dejárselo» a ellos. Lo había dicho como si la muerte de Joe fuera algo inminente. Y esa fue la gota que colmó el vaso para la generosidad de Joe. Sabía que su nuera quería comprar una de esas enormes mansiones emplazadas en eso que llamaban «urbanización privada».

—¿Una urbanización privada? —le había preguntado con sorna la primera vez que escuchó dicho término.

—¡Pues sí! —contestó su nuera con su habitual beligerancia. A menos que estuviera intentando venderle algo a alguien, le gustaba dejar claro que siempre estaba preparada para pelear—. Con un guardia de seguridad en la verja de entrada. Como protección.

—¿Contra qué? —preguntó Joe con el mismo tono de voz que ella—. ¿Contra los fotógrafos que te acosan? ¿Es que quieren una foto de la nuera de Joe Layton?

Cada vez que Sheila y su padre se enzarzaban en una discusión, Joey los dejaba solos. Se negaba a que lo involucraran en sus disputas. Sin embargo, Joe sabía que su hijo quería regentar su propio negocio. En alguna ocasión, Joe se preguntaba si su hijo se había casado con Sheila porque sabía que ella sería capaz de enfrentarse a él. A veces, incluso pensaba que tal vez su hijo había instigado a su mujer para quedarse con el negocio. Bien sabía Dios que Sheila carecía de la inteligencia necesaria para planear cuál era la mejor forma de que su suegro les dejara el negocio.

Una tarde, mientras Sheila lo martirizaba con la idea de vender unas dichosas cortinas en un establecimiento dedicado al bricolaje, recibió un mensaje de texto de un completo desconocido. El tipo aseguraba estar enamorado de Jecca y afirmaba que quería casarse con ella, para lo que le preguntaba la forma de conquistarla.

El amor era el último pensamiento en la mente de Joe. Entre los gritos de Sheila, el enfurruñamiento de Joey, que los había dejado solos, y enterarse de esa forma de que un desconocido quería casarse con su hija, Joe estalló. Se dejó llevar por un impulso, algo que jamás hacía, y le contestó al tipo preguntándole si en su pueblo existía alguna tienda de bricolaje. Si su preciosa y cariñosa hija iba a mudarse a esa localidad, él también se iría. Estaba a punto de darle a «Enviar» cuando añadió que quería más fotos de esa mujer tan guapa, Lucy Cooper, de quien Jecca ya le había enviado algunas y de la que no paraba de hablar maravillas.

En aquel momento, Joe solo pensaba que esa mujer se había convertido en la madre que Jecca nunca había tenido. La esposa de Joe, el amor de su vida, había muerto cuando Jecca era tan solo un bebé. Después de aquello, había estado demasiado ocupado ganándose la vida y criando solo a dos hijos como para pensar en buscar otra mujer. Había salido con algunas de vez en cuando, e incluso tuvo una relación seria, pero a todas les encontraba algún defecto. Jecca decía que buscaba un clon de su madre, no una persona real, y Joe sabía que su hija tenía razón.

Claro que Jecca casi siempre tenía razón. Eso era lo que Joe pensaba, aunque antes muerto que decírselo a ella.

Cuando descubrió que su hija iba a casarse con un médico, supo que estaba a punto de cometer un gran error. Jecca había nacido en el seno de una familia de trabajadores. ¿Cómo iba a arreglárselas siendo la mujer de un médico con ínfulas? Sin embargo, el tal doctor Tris (así era como lo llamaban) resultó ser un buen tipo. Un tipo excelente. Estaba loco por Jecca y renunció a un sinfín de cosas con tal de estar con ella.

Gracias a Tristan, Joe pudo abrir su tienda de bricolaje en Edilean. Tris prácticamente le regaló el viejo edificio. El hecho de que necesitara una renovación completa era lo de menos.

A lo largo de los años, Joe había ayudado a un montón de gente en Nueva Jersey. Si se quedaban sin trabajo, él les buscaba uno. Si necesitaban herramientas para algún trabajo, se las vendía a crédito. Si no podían pagarle, alargaba los plazos todo lo que fuera necesario.

Toda esa gente le pagaba con su fidelidad, comprando en su tienda en vez de hacerlo en alguna franquicia, pero aun así, el negocio iba cuesta abajo. Aunque preferiría la muerte a verse obligado a admitirlo, la idea de Sheila de abrir un departamento de decoración podría haber sido una buena solución.

Y tampoco habría admitido jamás que disponía de menos dinero del que afirmaba tener. Aunque no llegó a mentir, sí que maquilló las cifras.

Jecca y él tuvieron una de sus típicas discusiones cuando le informó de que pensaba contratar los servicios de unos albañiles de Nueva Jersey para llevar a cabo las reformas en el edificio. Le dijo que lo hacía porque confiaba en ellos. La verdad era que lo hizo para cobrarse muchos favores. Recurrió a gente con la que llevaba años sin hablar. Salvo unas cuantas excepciones, todos aparecieron en el pequeño pueblo y trabajaron unos días gratis. Algunos llevaban tantos años haciendo negocios con Joe que le enviaron a sus nietos. O a sus hijas, un hecho que a Joe no le molestó. Porque su hija siempre había trabajado para él.

Casi todos trabajaron gratis. Joe les pagó a algunos de los más jóvenes, pero sus antiguos amigos se negaron a aceptar dinero.

—¿Ves esa sierra? —le preguntó uno de ellos—. En junio hará diecisiete años que me la vendiste. Tus dos hijos la han reparado tantas veces que ya he perdido la cuenta. Supongo que te debo el dinero que me he ahorrado al repararla en vez de comprar una nueva cada vez que se estropeaba.

Joe hizo el trabajo del contratista y se limitó a supervisar a los hombres, que trabajaban a cualquier hora del día o de la noche. Algunos no necesitaban indicaciones, pero otros estaban tan verdes que tuvo que enseñarles por dónde se cogía una clavadora.

Solo tuvo que pagar el material. Las vigas para el techo y la grúa para su instalación habían estado a punto de dejarlo a dos velas.

Pensó muchas veces en tirar la toalla y volver a casa para luchar con Sheila por lo que le pertenecía. Sin embargo, eso implicaba enfrentarse a su hijo y a sus nietos. ¿Qué podía hacer, aparecer en Nueva Jersey y echar abajo el muestrario de cortinas de Sheila? ¿Intentar que el negocio recuperara las ventas que tenía cuando sus hijos eran pequeños?

Era absurdo, sí, aunque lo habría hecho de no ser por lo único que lo frenaba: Lucy.

Lucy, pensó en ese momento, con la vista clavada en los papeles del escritorio. Su vida había acabado girando en torno a ella.

Jecca la había conocido cuando alquiló un apartamento en la casa de la señora Wingate. Las tres mujeres conectaron tan bien que todos los mensajes de correo electrónico que Jecca le enviaba trataban sobre ellas. Después, descubrió que su hija intentaba encubrir que había conocido a un hombre. Sabía que Joe le haría un sinfín de preguntas, de modo que ni siquiera lo había mencionado en sus mensajes.

Jecca no sabía que sus mensajes, y las fotos de Lucy, o más bien Lucy, sí, Lucy, habían despertado la curiosidad de su padre. Lucy Cooper le había hecho recordar todo lo que añoraba. En un momento en el que había perdido a su hijo y estaba a punto de perder a su hija y su negocio, Lucy Cooper llenó ese vacío.

Cuando viajó hasta Edilean para ver el edificio que le ofrecía el doctor Tris, se recordó que la señorita Cooper no lo conocía. No podía saludarla como si ya la conociera gracias a los cientos de fotos suyas que había visto y a todos los datos que le había sonsacado a Jecca. Debía mostrarse distante y reservado. Debía hacer de James Bond, se dijo, no interpretar a un tío de Nueva Jersey tan anticuado que se negaba a usar un destornillador eléctrico para poner tornillos.

Una vez que estuvo en Edilean, Jecca y Tris tuvieron una pelea. Ella se marchó a Nueva York y la idea de perderla alteró mucho al doctor Tris.

Joe se percató de que todo el mundo le ofrecía al médico muestras de simpatía en vez de darle una patada en el culo, que era justo lo que necesitaba. Y fue él quien se la dio. ¡Las palabrotas que salieron de su boca lo dejaron pasmado! Y por eso dejó de pensar que un médico era demasiado pijo para su hija. Estuvo toda una larga noche cantándole las cuarenta al muchacho y dándole un montón de consejos sobre Jecca.

Tris tardó tres días en superar la resaca (mientras que Joe se levantó a las nueve en punto de la mañana) y en comenzar a hacer lo que le habían dicho que necesitaba hacer para que Jecca regresara.

Una vez que enderezó a Tris, Joe localizó la tienda de la señora Wingate y le dijo que quería alquilar un apartamento en su casa. La mujer titubeó.

—Me han dicho que necesita reparar algunas cosas —dijo—. Si quiere, puedo echarles un vistazo.

Eso la convenció y no tardó en darle las indicaciones precisas.

—Llamaré a Lucy para avisarla de su llegada —dijo la señora Wingate, mirándolo de nuevo de arriba abajo.

Joe conocía bien esa mirada. Las mujeres como ella no querían encontrarse a un hombre como él sin previo aviso.

Se tomó su tiempo para conducir desde Aldredge Road hasta la vieja casa de la señora Wingate. La idea de conocer a Lucy lo aterraba. Tenía el presentimiento de que iba a gustarle. Pero ¿y si había malinterpretado lo que sabía de ella y en realidad era tan arrogante como la señora Wingate? Esa mujer lo había mirado como si fuera un obrero que había usado la entrada equivocada. Si Lucy también lo miraba así...

«Me iré a un motel», se dijo.

La casa era grande, tal como Jecca le había contado, y estaba rodeada por un precioso jardín. El edificio necesitaba ciertas reparaciones, pero nada importante.

Sacó su vieja maleta de la camioneta, respiró hondo y se dirigió a la casa. El interior era tan femenino que tuvo la impresión de estar entrando en un harén... sin ser el jeque.

Se detuvo un instante al pie de la escalera y aguzó el oído. Tal como Jecca le había dicho, escuchó el ruido de una máquina de coser. Un sonido maravilloso para un hombre que se había pasado la vida entre herramientas.

Subió la escalera despacio y cuando llegó al último peldaño, se dio de bruces con una mujer muy guapa que llevaba un montón de vestidos para bebés en los brazos. El golpe fue fuerte. Si no la hubiera agarrado de un brazo, la mujer habría acabado en el suelo después de rebotar contra su torso. Le agradó comprobar que era fuerte, que tenía buenos reflejos y una gran flexibilidad. Se enderezó tan rápido que, de repente, Joe sintió su suave delantera pegada a su torso.

El tiempo pareció detenerse un instante. Se miraron a los ojos y lo supieron. Así, sin más.

—Supongo que eres Joe y necesito tu ayuda —dijo Lucy cuando se apartó de él—. Harry no funciona, la mesa cojea y necesito ayuda para cortar. Deja la maleta aquí y sígueme. —Se agachó para recoger los vestidos blancos y Joe aprovechó para admirar su firme y delgada figura. Lucy se detuvo al llegar a una puerta—. Vamos. No tenemos todo el día. —Y con eso desapareció en el interior de la estancia.

Joe se demoró un instante, asaltado por el repentino pensamiento de que su hijo y él tal vez no fueran tan diferentes.

—Adoro a las mujeres mandonas —dijo en voz alta, tras lo cual siguió a Lucy hacia el taller de costura.

5

Kim se encontraba en la tienda, enseñándole varios anillos de la temporada anterior a una pareja joven. Solo iban a estar en el pueblo un día y no paraban de decir lo «bucólico» que era Edilean. Esa palabra siempre le arrancaba a Kim una sonrisa. Tess, la mujer de su primo, decía que acabarían poniendo un letrero en la carretera principal que rezara: «No somos bucólicos.»

Kim intentó concentrarse en la pareja, aunque estaba convencida de que iban a comprarle una pieza barata.

—¿Cuál le gusta más? —le preguntó la chica a Kim mientras contemplaba los seis anillos expuestos en la bandeja.

Kim quería decirle la verdad, que le gustaban todos porque ella había diseñado todo lo que había en la tienda.

—Depende de lo que le guste a usted, pero creo que...

Alguien abrió la puerta y escuchó que Carla inspiraba entre dientes. Era el sonido que indicaba «hombre a la vista», ya que su ayudanta siempre estaba al acecho.

Kim levantó la vista y vio a Travis en la puerta. Llevaba una camiseta verde botella y unos vaqueros, y con ese pelo y esos ojos oscuros, parecía el hombre más viril del mundo. Era como si irradiara masculinidad, como si lo rodeara un aura especial.

—Me he enamorado —dijo Carla entre dientes al tiempo que se pegaba a ella. Dado que Travis solo tenía ojos para Kim, Carla añadió—: Por favor, dime que es uno de tus parientes y que está libre para el resto de las mujeres.

En vez de replicarle, Kim volvió a concentrarse en la pareja... aunque la chica miraba a Travis y su marido fruncía el ceño. «Adiós clientes», pensó Kim.

Travis se adentró en la tienda y se detuvo junto a la chica. Cuando ella le sonrió, él le devolvió el gesto.

—Creo que deberíamos irnos —dijo el marido, pero su mujer no le hizo caso.

—Lo suyo son las aguamarinas —comentó Travis con una voz que Kim nunca le había oído antes. Era ronca y grave, aterciopelada.

—¿En serio? —le preguntó la chica, que de repente parecía una quinceañera.

—Con esos ojos, ¿qué otra cosa podría usar?

La chica no era especialmente guapa y sus ojos eran de un castaño muy corriente. Claro que el anillo al que Travis se refería era la pieza más cara de la joyería.

—Nunca había pensado en llevar aguamarinas. —Se volvió hacia su marido y lo miró pestañeando de forma coqueta—. ¿Qué te parece, cariño?

Antes de que el marido pudiera responder, Travis se inclinó sobre el mostrador de modo que su torso quedó delante de la chica.

—Pero si quiere algo más asequible, esos anillos de ámbar estarán bien. No tienen el mismo brillo, pero su tarjeta de crédito sufrirá menos.

La chica miraba el cuello de Travis, allí donde el pelo se le ondulaba sobre la piel bronceada. Parecía sumida en un trance hipnótico. De repente, levantó la mano como si fuera a tocarle el pelo, y su marido se colocó delante de ella. Travis retrocedió un paso.

—Nos llevamos ese anillo y también los pendientes a juego —anunció el marido, señalando las aguamarinas.

—Buena elección —dijo Travis, tras lo cual se volvió hacia Kim con una sonrisa.

Una parte de ella quería darle las gracias, pero otra parte, mucho mayor, estaba asqueada por lo que acababa de hacer.

—¿Estás lista para comer? —le preguntó Travis.

Kim le hizo un gesto a Carla para que cobrara el conjunto antes de dirigirse al mostrador más alejado, seguida de cerca por Travis.

—Son las diez de la mañana —respondió con voz cortante—. No es hora de comer.

—¿Estás enfadada conmigo?

—¡Claro que no! —le soltó al tiempo que sacaba una bandeja con pulseras y empezaba a ordenarlas.

Travis cogió una y la sostuvo al trasluz.

—Es bonita.

La pulsera era la más pequeña de todas, pero también la de diseño más complicado, y las piedras eran de mejor calidad que las otras. También era la pieza más cara que vendía. Se la quitó de las manos.

—Parece que has aprendido algo sobre joyería.

—Tengo mucha experiencia. —Se inclinó hacia ella—. Tengo que decirte algo. Vamos a dar un paseo y a comer.

—Travis, tengo un negocio. No puedo ir y venir a tu antojo.

Él miró a Carla, que no le había quitado la vista de encima, y le regaló una sonrisa.

—A mí me parece muy capaz de ocuparse de todo.

Kim bajó la voz.

—Deja de coquetear con las mujeres que hay en mi tienda.

—Pues ven conmigo.

—¿Adónde has ido esta mañana?

Travis se puso serio.

—Me levanté a las cinco, me fui al bosque y corrí un poco. Cuando volví, tú ya habías salido. Es agradable que te preocupes por mí.

—No estoy preocupada —le aseguró al tiempo que cerraba el expositor. Travis le sonreía—. ¡Vale! Estaba preocupada. Conduciendo como conduces, podrías haberte despeñado montaña abajo y nadie sabría dónde estabas.

—Lo siento —dijo él, y parecía compungido—. No estoy habituado a decirle a nadie adónde voy ni cuándo volveré. —Titubeó—. Tampoco estoy acostumbrado a que alguien se preocupe por mí. ¿Puedes venir conmigo? ¿Por favor?

Sus ojos oscuros tenían una expresión suplicante, incluso seductora. Kim cedió. Se acercó a Carla y le dijo que se encargara de todo un rato.

Carla se inclinó sobre el mostrador y le hizo un gesto a Kim para que la imitara.

—¿Quién es? ¿Dónde lo has encontrado? ¿Es la emergencia que te surgió el domingo? ¿Dave lo sabe?

Kim se enderezó.

—¿Sabe él que Dave existe? —preguntó Carla desde la misma postura.

Kim puso los ojos en blanco, cogió su bolso y salió a la calle con Travis.

Ante ellos se extendía todo el pueblo de Edilean, o lo que era lo mismo, dos plazas, una de ellas con un enorme roble en el centro.

—¿Te parece que nos sentemos allí? —le preguntó Travis al tiempo que señalaba con un gesto de la cabeza los bancos situados debajo del árbol. Había dejado el coqueteo y se comportaba como el Travis que ella conocía.

No había mucho tráfico en el pueblo, de modo que cruzaron sin problemas. Muy educadamente, Travis esperó a que ella se sentara antes de hacer lo propio a su lado.

—Tu tienda es bonita. A lo mejor un día de estos, cuando no haya clientes, me la puedes enseñar.

—¿Y disfrutarías tanto sin clientes?

—Te prometo que no volveré a coquetear con ninguna mujer en tu tienda. Aunque han comprado unas piezas bonitas. Me gustan mucho más tus diseños que los que he visto en joyerías de Nueva York.

Kim sabía que la estaba halagando, pero parecía tan preocupado por la posibilidad de que no lo perdonase, que lo hizo. Lo miró con una sonrisa.

—Bueno, ¿qué querías decirme? —Al ver que él no respondía, añadió—: Anoche... ¿tan mal te fue con tu madre?

Durante un segundo, Travis clavó la vista al frente sin responder, por lo que Kim supuso que estaba preocupado por algo.

—¿Recuerdas que te dije que podría tomárselo de dos formas distintas: alegrarse o enfadarse?

—Sé que dijiste que las mujeres somos impredecibles.

—Y tú me prometiste los DVD de *Star Wars*.

—Los de *Star Trek*, y no, no son lo mismo. ¿Cómo se lo tomó tu madre?

—Se enfadó.

Kim lo miró con expresión comprensiva, aunque sabía que su madre le había dicho algo más, aparte de que se metiera en sus asuntos.

—¿Acabasteis muy mal?

Travis guardó silencio un instante.

—Mi padre me grita a todas horas. Tiene mucho genio y utiliza su mal carácter para asustar a la gente.

—¿A ti te asusta?

—En absoluto. —Travis se permitió una sonrisilla—. De hecho, me gusta hacer cosas que lo saquen de quicio.

—Pero si te despidiera...

Travis soltó una carcajada.

—¿Crees que no quiero que lo haga? Y él lo sabe muy bien. Mi padre me dice cosas que deberían hundirme y yo me río en su cara. Pero mi madre, que es muy dulce... —Agitó una mano.

—Te entiendo —dijo ella—. Mi madre me grita hasta ponerse morada, pero no le hago caso. Pero una vez, cuando estaba en el colegio, mi padre me dijo: «Kim, me has decepcionado», y me alteré tanto que mi madre lo obligó a disculparse.

Travis la miró y meneó la cabeza.

—Tu familia parece muy normal. No me imagino a mi madre «obligando» a mi padre a hacer nada. Se derrumba delante de él.

Kim pensó que Lucy debería haberse enfrentado a su marido cuando Travis era pequeño, pero no le pareció el momento oportuno para decírselo.

—Si tu madre cree que no es de tu incumbencia, ¿por qué te llamó para decirte que quería divorciarse?

—Eso mismo le pregunté yo. Por desgracia, lo hice después de soltar unos comentarios desafortunados sobre el hombre con quien quiere casarse.

—¡No me lo creo!

—Pues eso fue lo que pasó. Entre lo que ha comprado para su tienda nueva y el tamaño de ese hombre, saqué algunas conclusiones precipitadas. Y a lo mejor me pasé un poco a la hora de hacerle saber mi opinión.

—Te dije que Joe Layton es un buen hombre.

Travis le cogió la mano y le besó el dorso.

—Ya. Ojalá te hubiera hecho caso.

Kim lo miraba con los ojos desorbitados. Travis le sostenía la mano, se la estaba masajeando de hecho, con la mirada perdida. No parecía darse cuenta de lo que estaba haciendo.

—¿Qué te ha dicho exactamente?

—Me dijo que no era asunto mío. Me dijo que se buscaría un abogado y que se enfrentaría a mi padre sola. —Inspiró hondo—. Y me dijo que podía dejar de trabajar para él porque ya no necesitaba mi protección.

—¡Ah! —exclamó Kim con la vista clavada en su perfil. Travis fruncía el ceño—. ¿Y vas a hacerlo?

—¡Claro que no! —respondió él, dejándole la mano en el regazo.

Delante de ellos había una madre con sus dos hijos pequeños, un niño y una niña, seguramente gemelos. Kim no conocía a la familia. Los niños llevaban unos globos con sendas cintas, y los miraban fascinados.

Al ver que Travis no añadía nada más, lo miró.

—¿Tienes algún plan?

—De momento, ninguno.

Un chillido hizo que Kim mirara a los niños. Al niño se le había escapado el globo, que volaba entre las ramas del árbol.

Segundos después, Travis se puso en pie y miró la copa del árbol, como si la estuviera examinando. Para sorpresa de Kim, se agarró a una rama y tomó impulso para subir. De pie en una rama, Travis la miró.

—He hablado con mi madre esta mañana y le he dicho que quiero conocer a este tío, así que me ha dado una semana de plazo antes de que... —Caminó por la rama y después tomó impulso de nuevo para subir a una más alta—. Antes de que le diga que estoy aquí —siguió.

A esas alturas, el niño había dejado de gritar y miraba al hombre del árbol, como también lo hacían un par de adolescentes.

Kim estaba alucinada. Se puso en pie.

—¿Crees que podrías ayudarme a concertar una cita con el señor...? —Travis miró a la gente que la rodeaba. No quería decir su nombre en público—. ¿Con él? —Había subido bastante y en ese momento se arrastraba por una rama que no parecía lo bastante ancha como para soportar su peso.

Kim contuvo el aliento mientras asentía con la cabeza para contestar a su pregunta.

—Y tengo que organizar... —Travis siguió arrastrándose despacio por la rama, que parecía muy frágil, con el brazo izquierdo extendido hacia el globo amarillo.

Kim se llevó una mano a la boca y se mordió los nudillos.

—¿Quién es ese si se puede saber? —preguntó una voz junto a ella.

Se volvió y vio el torso amplio y recio de su primo Colin, el sheriff de Edilean.

Kim devolvió la vista a Travis. Era incapaz de articular palabra.

Colin se quedó a su lado, observando cómo Travis seguía avanzando hasta alcanzar la cinta del globo, que por fin agarró.

—Las vacaciones. —Travis miró a Kim de nuevo—. Buenos días, sheriff —dijo justo antes de que la rama se rompiera.

Una niña gritó y el resto de los presentes contuvo el aliento.

Mientras caía, Travis se agarró a una rama con la mano derecha mientras sostenía la cinta del globo con la izquierda. Se lio la cinta en la mano antes de pasar las piernas por encima de la rama. Se incorporó, se sentó a horcajadas en la rama, se puso de pie y caminó hasta el tronco del árbol, tras lo cual descendió.

Aterrizó en el suelo de pie, caminó hasta el niño para devolverle el globo y se sacudió el polvo mientras regresaba junto a Kim.

—¿Qué te parece?

Kim se limitó a mirarlo boquiabierta.

Colin dijo:

—Te está preguntando que qué crees que debería hacer sobre sus vacaciones en Edilean. —Parecía hacerle mucha gracia lo que acababa de presenciar.

—¡Travis! —consiguió cxclamar Kim.

Colin resopló.

—Te la has ganado —dijo Colin, dirigiéndose a Travis. Al ver que Kim hacía ademán de hablar, se lo impidió—. ¿Sueles hacer este tipo de cosas a menudo?

—Antes sí —contestó Travis—. Estuve trabajando un par de años en Hollywood como doble.

Colin lo miró de arriba abajo.

—¿Sigues en forma?

—Lo intento. ¿Qué tienes en mente?

—A veces los turistas se quedan atrapados en la reserva y tenemos que rescatarlos. Yo estoy más cerca, así que suelo ser el primero en llegar. A veces necesito ayuda.

Travis sonrió al recordar que Kim había ensalzado a ese hombre y a su hermano como si fueran superhéroes que rescataban personas. Ni de coña iba a rechazar la posibilidad de ayudar... y tal vez de impresionar a Kim.

—¿Tienes el móvil a mano? Te doy mi número.

Colin le pasó el móvil, tras lo cual Travis se llamó a sí mismo y después guardó el número con su nombre antes de devolverle el teléfono.

—En cualquier momento, de día o de noche, estaré encantado de ayudar. Tengo experiencia con las cuerdas y la escalada, pero nunca he participado en un rescate. Al menos, no de verdad.

Colin sonrió.

—Bienvenido a Edilean. —Miró a Kim—. Me alegro de que esta vez te hayas buscado a uno que sea útil —murmuró, y echó a andar hacia su despacho.

—Saluda a Gemma de mi parte —le gritó Kim antes de mirar de nuevo a Travis.

—Tengo tres semanas de vacaciones. —Aún parecía esperar una respuesta.

—Mi hijo quiere agradecérselo —terció en ese momento la madre del niño, y Travis se arrodilló junto al pequeño.

—Gracias —dijo el niño, que abrazó a Travis. La hermana, para no sentirse desplazada, también lo abrazó.

La madre sonrió a Travis, y su mirada se demoró un pelín más de la cuenta.

—Si le parece, podríamos invitarlo a cenar algún día.

Los ojos de Travis adquirieron una vez más ese brillo seductor.

—Eso sería...

—Está ocupado —lo interrumpió Kim, que despachó a la mujer con la mirada.

Sin dejar de sonreír, la mujer cogió a sus hijos y se fue.

—¿Puedes concertar una cita? —le preguntó él.

—Travis, lo que acabas de hacer es muy peligroso —le dijo—. Podrías haberte hecho daño. Podrías haberte...

Travis se inclinó y la besó en la mejilla.

—He descubierto que me gusta que alguien se preocupe por mí.

—¿Eso quiere decir que vas a hacer más tonterías como esta? No tiene sentido arriesgar la vida por un simple globo.

—Mi vida no ha corrido peligro en ningún momento y me daba lo mismo el globo. Lo he hecho al ver la expresión que había en los ojos de ese niño.

Kim no sabía qué replicar a eso, ya que tenía razón.

—Bueno, ¿qué me dices de esa cita con el hombre con quien quiere casarse mi madre?

—Estamos en Edilean. No necesitas concertar una cita. Seguramente el señor Layton esté en su tienda ahora mismo, así que podemos acercarnos y puedes hablar con él.

—¿Qué excusa le daremos?

—Diremos que hemos pasado para saludar —contestó Kim, frustrada y un poco molesta por su formalidad... y por su forma de coquetear con la madre de los niños—.

Le preguntaré cómo está Jecca o algo del estilo. ¡Lo que faltaba!

—¿Qué pasa? —preguntó él.

—Ahí está mi hermano. Seguro que Colin lo ha llamado. ¡Soplón! Ahora te interrogará hasta que no te quede nada dentro. No será agradable.

Travis fue incapaz de contener una sonrisa al escucharla. Lo habían interrogado los abogados más brillantes del mundo, tanto en los tribunales del país como en algunos extranjeros. No le cabía la menor duda de que podía plantarle cara al hermano médico de Kim.

Sin embargo, al ver al hombre que se acercaba a ellos, se puso blanco. Ya había visto antes a Reede Aldredge, y no precisamente en las mejores circunstancias.

Travis y su mecánico participaban en un rally por Marruecos. Al doblar un recodo del camino a las afueras de un pueblo perdido, se toparon con un hombre que tiraba de las riendas de un burro cargado hasta los topes, justo delante de ellos.

Travis consiguió no atropellar al hombre e hizo virar el coche con tal brusquedad que trazó un círculo completo. Le costó mantener el control para no volcar, pero al final lo consiguió.

Por desgracia, con el susto, las cajas que transportaba el burro cayeron al suelo. Cuando Travis consiguió enfilar de nuevo la dirección correcta, vio que se había derramado algún líquido en el interior de las cajas y que el hombre agitaba un puño hacia ellos. Su expresión furiosa se le quedó grabada a fuego en la memoria.

Mientras se alejaban, le dijo a su mecánico que llamara a Penny para descubrir la identidad del hombre y para que reemplazara lo que hubiera perdido. Días después,

Penny le mencionó que el hombre era un médico norteamericano y que le había enviado nuevos suministros. También había hecho una donación a la clínica. No le dijo cómo se llamaba el médico y él no se lo preguntó.

Ese hombre, el médico que los había puesto de vuelta y media en Marruecos, caminaba hacia él en ese momento.

—¿Puedo contarle la verdad sobre ti? —susurró Kim.

Por un segundo, Travis creyó que se refería a la carrera, pero se refería a cuando se conocieron de niños.

—Claro, pero no le digas que Lucy Cooper es mi madre.

—Ni se me ocurriría —masculló ella mientras le sonreía a su hermano.

—Kimberly —dijo Reede con bastante seriedad—, me han dicho que has causado un pequeño alboroto hace un rato.

—Travis ha rescatado el globo de un niño —dijo al tiempo que miraba a Travis, que se estaba tapando la cara con una mano—. Te presento a...

—No me digas que es ese Travis —la interrumpió Reede—. ¿El niño con el que has estado fantaseando desde que eras una cría?

—¡Reede! —protestó Kim, que sintió que le ardía la cara—. ¡Eso es mentira!

—Me alegro de conocerte por fin —dijo Reede al tiempo que le tendía la mano.

Travis se la estrechó, pero mantuvo la mano izquierda sobre los ojos.

—Me suenas de alguna parte —comentó Reede—. He viajado mucho. Por casualidad no habrás sido paciente mío, ¿no?

—No —contestó Travis al tiempo que apartaba la cara.

Kim miró a su hermano y a Travis. Reede lo observaba con los ojos entrecerrados como si quisiera recordar dónde había visto a Travis. Y este se comportaba como un animal acorralado, desesperado por esconderse en su madriguera.

—Tenemos que irnos —dijo—. Travis quiere hablar con el señor Layton sobre la posibilidad de abrir una tienda de deportes.

—Hace falta una en la zona —comentó Reede—. ¿Qué piensas vender?

—Artículos de deporte —se apresuró a decir Kim, deseando alejarse de su hermano lo antes posible—. ¿No te está haciendo señas una de tus enfermeras?

—Sí —contestó Reede—. He dejado las dos salas de reconocimiento y la sala de espera llenas. A ver si quedamos para cenar. —Echó a andar pero se volvió hacia Travis—. Estoy ansioso por saber qué has estado haciendo desde que visitaste Edilean por primera vez.

En cuanto se quedaron a solas, Kim le preguntó a Travis:

—¿A qué ha venido eso?

—Bueno... Creo que ya he visto a tu hermano antes.

Al ver que no pensaba añadir más, Kim se dio la vuelta y echó a andar hacia su joyería.

Travis la alcanzó.

—¿Qué haces?

—Si no vas a sincerarte conmigo, mejor me vuelvo al trabajo. Tengo que ponerme con un collar que estoy diseñando. Había pensado usar ópalos australianos, pero quizá debería comprar más aguamarinas, ya que van tan bien con los ojos castaños.

—Vale —dijo él—. ¿Y si vamos a algún lugar tranquilo para hablar? A lo mejor puedes ayudarme a decidir qué hacer con mi madre.

Una hora después, estaban sentados a una mesa en la reserva. Habían pasado por el supermercado y habían comprado unos sándwiches, ensaladas y algo de beber, pero aún era muy temprano para comer.

—Es precioso —comentó Travis con la vista en el lago—. Vives en un lugar muy bonito.

—Me gusta —le aseguró Kim.

El lugar era muy relajante, tanto que apenas recordaba por qué se había enfadado. Por algo relacionado con Reede. Claro que de un tiempo a esa parte cualquier cosa relacionada con su hermano parecía enfadarla. Reede no quería ser médico en su pueblo natal y solía quejarse con frecuencia... y ya estaba harta de escucharlo.

—En realidad, nunca me han presentado a tu hermano, pero estuve a punto de matarlo —confesó Travis, que procedió a hacerle un resumen de la historia, incluido el hecho de que hubiera repuesto los suministros de Reede.

—Reede nunca mencionó el incidente en sus cartas —comentó Kim. Se imaginaba perfectamente lo furioso que se habría puesto su hermano—. Reede cree que todo el mundo debería olvidarse de las frivolidades como los rallies y dedicarse a buenas causas.

Travis la estaba observando.

—No sabe cómo divertirse, ¿verdad? —preguntó en voz baja.

—Las cosas de madurar —respondió—. ¿Qué has estado haciendo desde que nos vimos cuando éramos pequeños?

—Vivir según lo que me enseñaste —contestó él con una sonrisa.

Kim no se la devolvió. Comenzaba a percatarse de que esquivaba sus preguntas, de que las respondía con evasivas. Ese día había presentido que algo lo inquietaba. Aunque Travis le había quitado hierro a lo sucedido con su madre, comenzaba a pensar que había mucho más aparte de lo que le había contado.

—Cuéntame más sobre la conversación con tu madre. ¿Qué te dijo exactamente?

Travis apartó la cara, pero no antes de que Kim pudiera ver que tenía el ceño fruncido. Parecía que lo que madre e hijo se hubieran dicho era demasiado desagradable como para hablar de ello.

Cuando volvió a mirarla, sonreía.

—Me aseguró que Joe Layton era un buen hombre y que la quería. No sabe que mi madre tiene dinero y ella desconoce cómo se las ha apañado para financiar la remodelación de ese viejo edificio.

Kim se percató de que le estaba ocultando algo y estaba segura de que no le iba a decir qué era. En fin, pensó, si él podía guardar secretos, ella también.

—¿Cuándo quieres ver al señor Layton?

Travis comprendió que Kim se había cerrado en banda y conocía el motivo. A decir verdad, le habría encantado hablarle de la conversación con su madre, pero no podía hacerlo porque la peor parte había sido precisamente sobre ella.

La noche anterior había quedado con su madre en el jardín de la casa de la señora Wingate, y tras unos minutos de abrazos y de lágrimas de alegría por el reencuentro, Travis se puso manos a la obra para averiguar cosas sobre Joe Layton. Pero desde que abrió la boca, su madre se mostró distinta a como la recordaba. No era la mujer acobardada y callada con la que había crecido. Le dio las gracias por haber ido a rescatarla, pero le dejó bien claro que era una batalla que tenía que librar sola.

Travis empleó la voz que usaba en los juzgados para hacerle ver que estaba equivocada. Pensó que había dejado clara su postura hasta que su madre le dijo que se parecía a su padre. Eso lo desinfló por completo, tanto que se dejó caer contra el respaldo del banco y la miró boquiabierto.

Justo entonces, su madre le preguntó que qué hacía con Kim y que por qué no le había contado toda la verdad sobre su padre.

—¿Kim conoce tu apellido?

La pregunta hizo que volvieran a ocupar los papeles de costumbre, el de madre e hijo.

—Es que... Me gusta que una mujer se preocupe por mí, que no se deje cegar por el apellido Maxwell —explicó Travis—. ¿Y sabes qué, mamá? Me gustaría saber si soy capaz de vivir como una persona normal. Mi aislada infancia no me preparó para llevar una vida normal como adulto.

Lucy dio un respingo, pero Travis continuó.

—Y desde entonces las mujeres...

—Por favor, no me des detalles.

—No pensaba hacerlo —le aseguró—. Es que no se me había presentado la oportunidad de... en fin, de conocer el amor.

—¿Y qué pasa si Kim se enamora de ti? —le preguntó Lucy—. ¿Qué pasaría?

—¿Y si me enamoro yo de ella? —Estaba bromeando, en un intento por aligerar el ambiente.

Sin embargo, Lucy hablaba en serio.

—Travis, llevas enamorado de esa chica desde que tenías doce años. Lo que quiero saber es qué pasará si ella se enamora de ti. ¿La mirarás a los ojos y le dirás «Espérame» antes de irte a esquiar a alguna montaña? ¿Querrás que sea como yo y que se quede todos los días junto al teléfono con el miedo de recibir una llamada que la informe de que te has quedado paralítico, has perdido una extremidad o has muerto? ¿Querrás que comparta tu vida nómada y que nunca eche raíces en ninguna parte?

—¡No lo sé! —exclamó Travis, frustrado—. Mi vida...

—No ha sido normal —terminó Lucy por él—. Yo lo sé mejor que nadie.

—Comencé a trabajar con mi padre para proteger...

—Ni se te ocurra responsabilizarme de esa carga —lo interrumpió Lucy a voz en grito—. Travis, te ha encantado trabajar para Randall. La emoción, el dinero, el... el poder. Has florecido haciéndolo.

Travis se dejó caer de nuevo contra el respaldo.

—¿Me estás diciendo que me estoy convirtiendo en mi padre? —le preguntó en voz baja.

—No, claro que no. Pero me temo que...

—¿Qué?

—Que podrías hacerlo.

Travis tardó un rato en hablar de nuevo.

—A mí también me preocupa —dijo a la postre—. A veces veo cosas de mi carácter que no me gustan. Cada vez que lo complazco, me enfado conmigo mismo... y me preocupa que mi enfado sea tan fuerte como su satisfacción. —La miró—. Pero no sé cómo distanciarme de esa parte de él que llevo dentro.

Lucy le cogió la mano.

—Pasa más tiempo con Kim. Olvídate de Joe y de mí.

Lo nuestro funciona bien. No va detrás de mi dinero, y tampoco lo haría aunque supiera que lo tengo. Me quiere.

—¿Estás segura?

—Total y absolutamente.

—Pero ¿no quisiste a papá en otra época?

—Era una chica que había crecido en un ambiente muy protegido y tu padre me persiguió tal como persigue las empresas que compra.

—A mí me gustaría perseguir a Kim de esa manera —masculló.

—¡Ni se te ocurra! —exclamó Lucy—. ¡Ni se te ocurra hacerle eso! No uses el encanto y el dinero de los Maxwell y todo lo que has aprendido con esas espantosas mujeres con las que sales para seducir a Kim. No la hipnotices. No la lleves a París para cenar con un buen vino, no hagas que se derrita por ti. No se merece que la trates así.

—¿De qué lado estás?

—¡Del tuyo! —exclamó ella antes de obligarse a calmarse—. Travis, te quiero más que a mi vida. Moriría por ti, pero quiero que tengas algo real. No te acuestes con esta chica y le enseñes lo que has aprendido con una modelo ambiciosa. Descubre quién es. Averigua si la quieres de verdad o si solo sientes gratitud porque te enseñó a montar en bici. Conoce a la mujer en la que se ha convertido. Y deja que ella te conozca... pero de verdad. No al abogado astuto y locuaz que es capaz de liar a cualquiera. Deja que vea al niño que se quedó prendado de una niña que le puso un collar de cuentas al cuello.

—No estoy seguro de saber hacerlo.

De vuelta al presente, miró a Kim, que tenía la vista clavada en el lago. En ese momento, no creyó haber visto nada más bonito... ni más deseable. Si fuera otra mujer, le diría cualquier cosa y usaría cualquier táctica para llevársela a la cama. Pero, tal como su madre le había dicho, después la dejaría. Parecía que su vida consistía en ir corriendo de un lado para otro. Si no era una reunión de negocios en representación de su padre, era alguna carrera o alguna escalada, o alguna otra actividad que, tal como había comentado su madre, podría acabar en la pérdida de una extremidad.

—Supongo que deberíamos marcharnos —dijo Kim para romper el silencio, sacando a Travis de su ensimismamiento.

No se movió.

—No es mi intención ser tan misterioso.

—¡Pues dime qué es lo que te molesta! —exclamó ella—. ¿Me estás ocultando algo espantoso que has hecho? No puedes ser un criminal buscado por la policía, porque estoy segura de que Colin ya te habrá investigado a estas alturas. Si tuvieras antecedentes penales, se habría enterado y me habría avisado.

Dado que ni el sheriff, ni Kim, conocían su verdadero apellido, no habría encontrado nada, pensó él.

—No tengo antecedentes penales —le aseguró y la miró con una sonrisa—. La verdad es que no me siento orgulloso de algunas de las cosas que he hecho en la vida.

—¿Te refieres a tu trabajo en Hollywood o a atropellar médicos en Marruecos?

Soltó una carcajada al escucharla.

—A lo de Marruecos más bien. Pero ¿qué narices hacía tu hermano tirando de un burro en el trazado de un rally?

—Supongo que Reede pensó que todo el mundo se

pararía para dejarlo pasar. Su trabajo es importante, el tuyo no.

—En eso tengo que darle la razón. Kim...

—¿Qué?

—Ahora mismo tengo que tomar decisiones importantes sobre mi vida.

—¿Como qué?

—Como qué hacer con lo que me queda de ella. Dentro de tres semanas dejaré de trabajar para mi padre.

—¿En qué consiste tu trabajo exactamente?

—En dejar a la gente sin trabajo —contestó Travis.

Kim lo miró con expresión hosca.

—No es tan malo como te lo acabo de decir. Las empresas están en bancarrota y los trabajadores acabarían en la calle de todas formas. Mi padre compra la empresa y despide solo a dos tercios de la plantilla. —Clavó la mirada en el lago—. Estoy cansado de todo y necesito un cambio. ¿Tienes una vacante en tu joyería? Creo que podría vender cosas.

—¿Coqueteando con las clientas? No, gracias. ¿Para qué quieres mi ayuda?

Quiso decirle «Huye conmigo», pero las palabras de su madre seguían resonando en su cabeza. «Conoce a la mujer en la que se ha convertido. Y deja que ella te conozca... pero de verdad», le había dicho.

—Quiero que seas mi amiga —le dijo, en cambio—. Fuimos amigos de niños, así que a lo mejor podemos serlo ahora.

—Claro —replicó Kim, clavando de nuevo la vista en el lago.

Amigos. Esa parecía la historia de su vida. Sus dos últimos novios habían cortado con ella porque tenía más éxito que ellos. Cada vez que conseguía un contrato nuevo con una empresa que quería vender sus joyas, se producía una discusión. Calculaba que hacían falta unas tres discusiones gordas antes de terminar con la relación. Estaba segura de que el único motivo por el que Dave y ella habían durado seis meses era porque no le había dicho que Neiman Marcus quería exponer sus joyas a modo de prueba para comprobar las ventas.

—Ahora eres tú la que guarda silencio.

—Yo también necesito un amigo —dijo—. En los últimos dos años, todas mis amigas se han casado y casi todas están embarazadas.

—¿Por qué tú no? —le preguntó él con seriedad.

Sabía que si le contaba la verdad, parecería autocompasión, y eso no lo soportaría.

—Porque mi hermano médico se niega a decirme cómo se queda embarazada una mujer. No creo que sea al comerse las semillas de una sandía, que fue lo que me contó cuando yo tenía nueve años. Después de que me lo dijera, estuve dos años sin comer fruta que tuviera pepitas grandes. Mi madre me amenazó con darme de comer a la fuerza. Pero después descubrí que era un beso francés, que en su momento creí que era un beso que se daba en Francia, lo que dejaba embarazada a una chica.

Travis sonreía.

—¿Y quién te contó la verdad?

—Sigo con la teoría francesa, dado que nunca he estado en ese país y no me he quedado embarazada.

—¿Qué te parece si tú y yo...? —Travis se interrumpió porque había estado a punto de sugerir que se fueran a París unos días.

—¿Si tú y yo qué?

—Si nos comemos los sándwiches.

Kim sabía que se había mordido la lengua una vez más antes de decirle algo. Le pasó un sándwich y empezó a desenvolver el suyo. Parecía que la idea que Travis tenía de la amistad era muy diferente a la suya.

6

Cuando Joe Layton vio bajar del coche a Kim y al hombre que la acompañaba, supo dos cosas: la primera, que el hombre era familia de Lucy; la segunda, que estaba enamorado de Kim. La primera hizo que frunciera el ceño y la segunda le arrancó una sonrisa.

Llevaba tratando de sonsacar a Lucy sobre su pasado desde que la conoció, pero ella se negaba a hablar. Si fuera otro tipo de hombre, le habrían hecho gracia sus intentos por eludir sus preguntas. Sin embargo, no le gustaba verla incómoda, de ahí que evitara preguntarle.

Sin embargo, saltaba a la vista que ese hombre era pariente suyo. ¿Sería su hijo?, se preguntó. Tenían los mismos ojos, pero los de Lucy eran más claros. También tenía una onda en el pelo justo sobre el cuello, igual que ella. Y el gesto que hizo con el brazo al cerrar la puerta del coche era idéntico al que hacía Lucy.

De modo que tenía un hijo, pensó. ¿Quién sería el padre? Esa era la siguiente pregunta.

En cuanto a su segunda observación, Joe sentía lástima por Kim porque todas sus amigas se habían casado y habían comenzado una nueva fase de sus vidas. Jecca y ella habían sido amigas durante años, y Joe sabía que todas las amigas y las primas de Kim habían ido casándose una a una. Hasta Jecca la había abandonado. Aunque había ido a Edilean para visitarla, había acabado pasando todo el tiempo posible con el doctor Tris.

Así que le alegraba ver a un hombre enamorado de ella. Se merecía lo mejor que la vida pudiera ofrecerle.

Joe carraspeó y enderezó los hombros. No podía permitir que se le notara la vena sentimental. Abrió la puerta.

—¿Habéis venido por lo del trabajo?

—¿Qué trabajo? —preguntó Kim mientras lo saludaba besándolo en la mejilla. Lo conocía desde hacía años, y había pasado varias noches en su casa, en Nueva Jersey. En una ocasión, cuando estaba en la universidad, Joe pasó toda la noche escuchándola llorar por lo que le había hecho un chico de una fraternidad.

—Ayudarme a poner la tienda en marcha. He tenido que despedir al primero que contraté.

Travis miraba a Joe Layton de forma penetrante. Era un hombre bajo y de complexión musculosa, y parecía estar frunciendo el ceño.

—Este es mi amigo Travis... —Kim titubeó al añadir—: Merritt. Estaba hablándole sobre tu nueva tienda. ¿Sigue vacío el almacén que ibas a dejar que usara Jecca?

Joe estaba observando a Travis. Su padre debía de ser alto, pensó, tal como lo era el muchacho, pero el parecido con Lucy era escalofriante. Tardó un momento en percatarse de que Travis le había tendido la mano para saludarlo. Joe la aceptó sin dejar de mirarlo a los ojos. Cuando el muchacho apartó la mano, Joe reparó en sus callos.

—¿Trabajas en la construcción?

—No —contestó él—. He llevado una vida inútil.

—Trabajaba de doble en Hollywood —dijo Kim.

—¿En serio? ¿Y qué trucos sabes hacer?

—Casi siempre me usaban como diana —respondió Travis—. Soy el tío vestido de policía al que mata el malo. Me han llegado a matar cuatro veces en la misma película. Cosas de tener un presupuesto mínimo.

—Lo normal es que un chico guapo como tú sea el protagonista —replicó Joe.

Travis se echó a reír.

—Pues sí. Incluso se lo insinué a un director, así que me hizo una prueba para un papel. El veredicto fue que carezco de talento interpretativo.

—¿Y qué tiene que ver eso para convertirte en una estrella de cine? —preguntó Joe, con una expresión muy seria.

—Eso mismo me pregunto yo —repuso Travis—. Pero de cualquier forma, no me gustaba pasarme las horas muertas sentado en un tráiler sin hacer nada. ¿A qué trabajo te referías antes?

—Gerente —respondió Joe—. Necesito alguien que se encargue de la tienda mientras yo estoy con mis chicas.

—¿Con tus chicas? —le preguntó Travis, cuya sonrisa había desaparecido.

—Quizá deberíamos... —terció Kim.

—Mi hija y mi prometida —contestó Joe—. ¿Crees que podrías encargarte de ese trabajo? Hay que saber mucho sobre herramientas.

—Travis sabe mucho sobre... —dijo Kim, aunque guardó silencio antes de añadir—: Globos.

Ambos la miraron.

—¿Eres el tipo que ha bajado del árbol el globo del niño?

—Sí —contestó Travis—, pero no sabía que el pueblo entero iba a enterarse tan pronto.

—Es que el sheriff ha pasado hace un rato por aquí. —Señaló con la cabeza hacia el otro extremo del edificio—. ¿Queréis ver el estudio de Jecca?

—Pues sí —respondió Kim, tras lo cual siguieron a Joe.

—¿Qué te parece? —le preguntó Kim a Travis. Estaban cenando en un pequeño restaurante situado en la carretera de Williamsburg.

—¿El qué? —preguntó él a su vez mientras jugueteaba con el tenedor.

—Lo de abrir una tienda de artículos deportivos.

Travis se tomó su tiempo para contestar.

—Me gusta ese tío.

—¿Te refieres a Joe? No me extraña. Es un buen hombre. Y lo has impresionado mucho. Me ha resultado increíble que te pidiera consejo sobre sus finanzas.

—Igual que a mí. No pensarás que está al tanto de...

—¿De que eres el hijo de Lucy? ¿Cómo iba a estarlo?

—Me han dicho muchas veces que me parezco a mi madre, así que a lo mejor me ha reconocido.

—No sabría decirte, porque de momento no he podido fijarme bien en ella. —Kim lo miró, demorándose en esas cejas oscuras que se curvaban sobre sus ojos y en ese mentón ensombrecido por la barba. No entendía que un hombre tan masculino pudiera parecerse a una mujer.

Lo que Travis vio en los ojos de Kim lo instó a extender un brazo por encima de la mesa para tirar de ella. Su boca era tan preciosa que se moría por besarla. En ese momento, recordó las palabras de su madre y apartó la vista. No sabía hacia dónde se dirigía su vida y no era justo arrastrar a Kim con él.

Kim se había percatado del brillo que había iluminado los ojos de Travis. Había sentido la chispa que había surgido entre ellos. Pero en ese momento Travis apartó la mirada. Por algún motivo que se le escapaba, él se esforzaba por negar la atracción que existía entre ellos. La atracción sana y natural que los hombres y las mujeres sentían mutuamente, pero que él negaba.

Que así fuera, pensó. Había dicho que serían amigos y eso era lo que iban a ser. Sin embargo, no pudo evitar enfadarse. ¿Habría alguna mujer en su vida? ¿Habría decidido que una chica de pueblo no era suficiente para él? ¿O se trataba de que aún la veía como si fuera una niña?

Fuera lo que fuese, no le gustaba ni un pelo.

—¿Te importa si llamo por teléfono? —le preguntó con la voz más dulce de la que fue capaz. Parecía que en su caso era cierto el dicho sobre la ira de las mujeres despechadas.

—No, adelante. ¿Quieres hacerlo a solas?

—No, no voy a tardar. Estoy segura de que está trabajando.

—¿Quién?

—Dave, mi novio.

Travis estuvo a punto de atragantarse con la comida que tenía en la boca.

—¿Tu novio?

Kim estaba a punto de responderle justo cuando Dave contestó:

—Hola, nena, ¿qué pasa?

Kim se apartó un poco el teléfono de la oreja para que Travis oyera la voz de Dave.

—Me preguntaba si sabías qué ropa debemos llevarnos para el fin de semana. ¿El bed & breakfast es muy elegante? ¿Me llevo algún vestido largo?

—No lo sé —contestó Dave—. Fuiste tú quien eligió el sitio. Eso sí, desde ya te digo que no voy a llevarme el esmoquin. Bastante lo uso en el trabajo. ¡Oye! ¿Y si solucionamos el problema cenando todas las noches en la cama?

Kim sonrió mientras miraba a Travis, que la observaba con los ojos como platos, como si no creyera lo que estaba oyendo.

—Pensaba que lo normal era desayunar en la cama —replicó con una voz ronca y sensual. La misma voz que Travis había usado con las mujeres. Con otras mujeres que no eran ella.

—¿Y si llegamos a un acuerdo y hacemos las dos cosas? —le preguntó Dave con voz ronca.

—¿Y qué hacemos a la hora del almuerzo si se puede saber? —preguntó ella, haciéndose la inocente.

—Tú eres la creativa, así que eso te lo dejo a ti. Tengo que irme. Estamos cargando la furgoneta para una cena. Nos vemos el viernes a las dos. Ah, Kim...

—¿Qué?

—No te lleves nada para dormir.

Ella colgó entre carcajadas, soltó el teléfono y le dio un buen sorbo a su bebida.

Travis la estaba mirando. No había movido un solo músculo desde que ella cogió el teléfono.

—¿Tu novio? —preguntó por fin, casi susurrando.

—Sí. ¿Qué te pasa? ¿No te gusta el sándwich? Podemos pedir otra cosa. ¿Quieres que llame a la camarera?

—La comida está bien. ¿Desde cuándo tienes novio?

—Dave y yo llevamos seis meses juntos. —Le sonrió—. Creo que la cosa va en serio.

—¿Hasta qué punto?

Kim se encogió de hombros.

—Pues lo normal. ¿Por qué me miras así?

—Es que estoy sorprendido. No me había dado cuenta de que tenías a alguien... a alguien importante en tu vida.

—Por favor, dime que no has supuesto que porque vivo en un pueblecito estaba... ¿qué? ¿Esperando que un chico de la ciudad me rescatara? Pues no.

—En realidad, pensé que la boda que se celebraba el día que llegué era la tuya —confesó.

Ese comentario acabó con todas las dudas que pudiera tener sobre la naturaleza de la relación que existía entre ellos. Travis no parecía molesto por la idea de que ella estuviera a punto de casarse. ¿Por qué iba a estarlo? Apenas se conocían y le había dejado muy claro que se marcharía al cabo de tres semanas.

—¿Y tú qué? ¿Hay alguien especial?

—No sé —contestó. No se le había ocurrido pensar que Kim pudiera tener novio. Que pudiera tener una relación «en serio».

—¿No sabes si hay alguna mujer en tu vida? Si la hay y necesitáis anillos, puedo diseñároslos y hacerlos. ¿Nos vamos?

—Claro —respondió Travis, que aún no se había recuperado de la impresión.

No tenía claro qué había imaginado, pero desde luego

que no era a Kim hablando con otro hombre sobre desayunar y cenar en la cama.

Dejó el dinero sobre la mesa y salió del restaurante detrás de Kim. Una chica muy guapa le sonrió, pero él no le prestó la menor atención.

Kim se sentó al volante de su coche.

—Tengo trabajo en casa —dijo ella con voz distante.

—¿He hecho algo para que te enfades?

—Por supuesto que no. ¿Por qué iba a enfadarme? —Se moría por decirle cuatro cosas a voz en grito.

Había coqueteado con otras mujeres, pero a ella la miraba como si fuera su hermana. O más bien como si fuera una niña de ocho años.

Respiró hondo y después soltó el aire, liberando la ira que la embargaba. No era justo que se enfadara con él solo porque no la encontrara atractiva. ¿Cuántas veces se le habían acercado hombres que ella había rechazado? Todas las semanas entraba algún tío en su tienda que le hacía saber que estaba disponible. A veces, su mujer lo esperaba al otro lado de la puerta.

«En realidad, la atracción sexual es incontrolable», pensó. O se sentía o no. Había imaginado que Travis la sentía por ella, pero al parecer se había equivocado. Le había dejado claro que lo que quería y necesitaba era una amistad, así que eso era lo que iba a darle.

—¿Hasta qué punto es seria tu relación con este hombre?

«Piensa en él como si fuera una amiga», se dijo. «No lo mires, no te dejes hipnotizar por esa pinta tan estupenda que tiene. Es un colega, un amigo y nada más.»

—Creo que puede ser permanente —contestó—. Carla se ríe tontamente cada vez que habla de este fin de semana, y resulta que uno de mis mejores anillos no está en su expositor. Un zafiro enorme. No encuentro el tíquet de compra y cada vez que le pregunto a ella, dice que... no recuerdo qué excusa me pone, pero el caso es que el tíquet de compra no está en la tienda.

—No pareces preocupada por la posibilidad de que la tal Carla lo haya robado. Supongo que insinúas que este tío va a regalarte uno de tus anillos. ¿Como anillo de compromiso?

—Es posible —respondió.

—¿Y lo del bed & breakfast?

—Es que la mujer de mi primo Luke, Jocelyn, ha estado investigando la genealogía de las siete familias fundadoras de Edilean, pero hay una laguna en el árbol genealógico de los Aldredge. Una de mis antepasadas fue a un lugar llamado Janes Creek, en Maryland, alrededor de 1890, y volvió embarazada. Joce quiere intentar averiguar quién era el padre de la criatura. Pero tiene dos niños pequeños, y por eso me ha pedido que sea yo quien vaya para ver qué puedo averiguar.

—¿Y este hombre va a acompañarte?

—Sí —contestó Kim—. Dave es el dueño de una empresa de catering y siempre está muy ocupado durante los fines de semana. Ha tenido que pagarles una pasta a sus empleados para que lo cubran mientras él me acompaña.

—Y que se tome esos días libres, y que haya desaparecido un anillo y no encuentres el tíquet de compra te hace pensar que va a... ¿a hacer qué? ¿A pedirte que te cases con él?

Kim sintió que la rabia se apoderaba de nuevo de ella, pero se controló. Dobló al llegar al camino de entrada a su casa, apagó el motor y se volvió para mirar a Travis.

—Resulta que Dave también está loco por mí. Pasamos juntos todos sus días libres. Nos llamamos. Hablamos de nuestro futuro juntos.

—¿Futuro? ¿Qué significa eso?

—Travis, la verdad es que no me gusta este interrogatorio. Accedí a ayudarte con tu madre y eso es lo que voy a hacer, pero prefiero mantener mi vida privada al margen. —Salió del coche y entró en casa.

Travis se demoró en el coche, porque estaba tan sorprendido que ni siquiera podía moverse. ¡Kim estaba a punto de aceptar una propuesta matrimonial del dueño de una empresa de catering! ¿Cómo era posible que se hubiera equivocado hasta ese punto con ella? Había pensado que estaba... bueno, que estaba interesada en él.

Abrió su móvil y usó la marcación automática para llamar a Penny. Tan pronto como esta contestó, él dijo:

—Necesito todo lo que puedas encontrar sobre un hombre llamado Dave, desconozco su apellido. Vive en algún sitio cercano a Edilean y es el dueño de una empresa de catering. Tiene una habitación registrada a su nombre en un bed & breakfast de Janes Creek, en Maryland, para este fin de semana. Quiero saberlo todo sobre él, y me refiero a todo.

—¿Cancelo la reserva en el bed & breakfast?

—¡Sí! No. Resérvame la habitación contigua. Y reserva también todas las demás. De hecho, reserva todas las habitaciones disponibles del pueblo.

—¿Alguna preferencia en cuanto a los huéspedes? Leslie te ha llamado varias veces.

Travis pensó en invitarla. No sabía si estaba enfadado con Kim, o celoso, o... en fin, dolido. No obstante y con independencia de sus sentimientos, no creía que la presencia de Leslie pudiera ayudarlo.

—Le encantaría la joyería de la señorita Aldredge —comentó Penny, poniendo fin al silencio. Al ver que Travis no replicaba, añadió—: La vida no es tan fácil sin el apellido Maxwell, ¿verdad?

Sus palabras fueron demasiado certeras para el gusto de Travis.

—Me da igual a quién envíes a ese pueblo. Invita a tu familia. —De repente, pensó que desconocía los detalles de la vida personal de Penny—. ¿Tienes...?

—¿Que si tengo familia? —suplió ella—. Pues sí. Muy numerosa, además. Tengo un hijo de tu edad. Te enviaré lo que encuentre por correo electrónico —concluyó y por primera vez en todos esos años, fue ella quien colgó primero.

Travis cerró el teléfono y lo contempló un instante. ¡Menudo día de sorpresas! Kim estaba a punto de aceptar una propuesta matrimonial y su leal mano derecha, Penny, tenía un hijo de su edad.

En ese momento, pensó en volver a Nueva York para seguir destrozando las vidas de otras personas. Esa actividad no afectaba tan negativamente a sus sentimientos.

Salió del coche de Kim sin saber muy bien lo que hacer. ¿Entraba en su casa para hablar con ella? ¿Qué podía decirle? ¿Que dejara a su novio por la remota posibilidad de que entre él y ella hubiera algo, y de que algún día, cuando por fin decidiera qué hacer con su vida, pudieran estar juntos? Ninguna mujer aceptaría semejante proposición. Mucho menos una como Kim, que sabía lo que quería desde que era pequeña. A los ocho años, empezó a diseñar joyas, y seguía haciéndolo a los veintiséis.

—Mientras que yo ni siquiera he decidido... —dijo en voz alta, pero no quiso concluir la frase.

Vio que Kim había encendido la luz del garaje, lo que significaba que estaba trabajando. A él no le gustaba que lo molestaran mientras trabajaba, así que tal vez a ella tampoco le hiciera gracia. Además, no sabía qué decirle.

Se marchó a la casa de invitados y se acostó.

7

Travis pasó la noche casi en vela, y cuando se levantó a la mañana siguiente, Kim ya se había ido al trabajo. Su coche, el viejo BMW que Penny le había comprado, estaba en el camino de entrada. Quería ver a Kim. Pero si la veía, no sabía muy bien qué iba a decirle. Su mente seguía sin asimilar que tenía novio. Un novio «formal».

Sin pensar en lo que hacía, Travis se montó en el coche y empezó a conducir. Su primer impulso fue hacer algo físico. Eso era lo que hacía cada vez que su padre le exigía demasiado. Escalar, correr, conducir, esquiar, surfear o patinar. Daba igual, siempre y cuando la actividad lo dejara demasiado cansado como para pensar.

Sin embargo, no puso rumbo a la reserva, no buscó un lago ni un acantilado. Cuando se dio cuenta, se encontraba en el aparcamiento de la tienda de bricolaje de Joe Layton.

Se quedó sentado en el coche, con la vista clavada en la fachada de ladrillo mientras se preguntaba qué narices hacía allí. Alguien abrió la puerta del coche, pero no le sorprendió ver a Joe.

—Has llegado justo a tiempo. Tengo que comprobar

el inventario. Tú abres las cajas, sacas las cosas y yo las tacho de la lista.

—Tengo que... —No se le ocurrió otro lugar donde tuviera que estar—. Claro. Pero te advierto que no distingo una sierra de un martillo.

—Yo sí, así que no pasa nada. —Joe sostuvo la puerta abierta mientras Travis salía del coche—. Ayer parecías contento. Ahora parece que el mundo se te ha caído encima. ¿Kim te ha echado de casa?

Travis no estaba acostumbrado a revelar lo que pensaba a los demás, mucho menos lo que sentía, y no iba a empezar a hacerlo en ese momento. Pero tal vez mover cajas de herramientas lo ayudara a liberar energía.

—Así que me suelta sin más que tiene novio —dijo Travis.

Habían pasado cuatro horas y estaba cubierto de sudor, de polvo y de espuma de embalaje, cuyo inventor debería ir directamente al infierno. Travis le había contado a Joe la historia de cómo conoció a Kim de niño, y una cosa lo llevó a otra, hasta que se encontró contándole más de lo que quería.

Mientras hablaba, descargó sin ayuda lo que se le antojaban cientos de cajas de cartón y de plástico llenas de herramientas y otros suministros. El hecho de que no hubiera estanterías en las que ponerlo todo no parecía molestar a Joe Layton en lo más mínimo. Claro que parecía muy tranquilo sentado en un sillón de cuero, tachando cosas de una lista según Travis abría cajas. Joe le dejó claro su desdén al enterarse de que no sabía distinguir entre un destornillador con punta de estrella de uno plano.

—Mi hija sabe... —dijo Joe de nuevo. Según él, su hija era capaz de dirigir el mundo.

—Vale, pero yo sé contratar a un mecánico para que las máquinas sigan funcionando —lo interrumpió Travis, harto. Eso pareció quebrar algo en su interior y, acto seguido, se puso a hablar de Kim—. No lo entiendo —dijo al sacar una herramienta eléctrica de una caja. Parecía un uómbat de plástico.

—Limadora —dijo Joe—. Mira si están los accesorios.

Travis metió la cabeza en la caja y los trozos de espuma de embalaje se le pegaron al pelo y se le colaron por el cuello de la camiseta. De inmediato, pensó en la película de Frankenstein y quiso gritar «¡Está vivo! ¡Está vivo!».

—¿Qué es lo que no entiendes? —preguntó Joe.

—Vine para ver a Kim. Nos lo pasamos genial de niños. Vamos, ella solo era una niña y yo un preadolescente, pero... La ayudé con sus joyas. Me pregunto si ahora tendría esa tienda de no haber...

—¡Mentiroso! —exclamó Joe.

Travis sacó la cabeza de la caja. Estaba cubierto de trocitos de espuma de embalaje.

—¿Cómo has dicho?

—Viniste para preguntarle a tu madre por mí.

Travis abrió la boca, pero fue incapaz de articular palabra mientras miraba a Joe.

—No pongas esa cara. Te pareces a mi Lucy, hablas como ella. ¿De verdad me creísteis tan tonto como para no ver el parecido?

—Yo... Nosotros...

—Quieres averiguar cómo soy —continuó Joe—. Eso es lo que haría un buen hijo. Lucy merece que la protejan.

Pero te lo advierto, chico, si le dices que sé quién eres, te demostraré lo que puede hacer una sierra mecánica.

Travis parpadeó varias veces. Su madre lo había obligado a prometerle que no le hablaría a Joe de ella y en ese momento Joe quería que no le contase que ya estaba al tanto.

—¿Has encontrado ya los accesorios? —gruñó Joe.

—No... —contestó Travis en voz baja, sin dejar de mirarlo boquiabierto.

—¡Pues ponte a ello! —exclamó Joe—. ¿Quieres que los busque yo?

Travis volvió a meter la cabeza en la caja de cartón, encontró dos cajitas más pequeñas y las sacó. Cuando levantó la cabeza, miró a Joe con expresión interrogante. ¿Cómo iba a ser su relación a partir de ese momento?, se preguntó.

Joe tachó en la lista los accesorios que Travis tenía en las manos.

—Así que has venido para comprobar que tu madre no se había vuelto loca cuando dijo que quería casarse con un don nadie que tenía una tienda de bricolaje.

Dado que eso lo resumía bastante bien, Travis asintió con un gesto brusco de la cabeza.

—Y creías que ya de paso podías ver a Kim, por aquello de que ibais a estar en el mismo sitio.

—Vi a Kim primero —lo rectificó Travis, a la defensiva, mientras abría otra caja.

—Solo por la boda y porque te distrajeron.

—Te he contado demasiado —masculló Travis.

—¿Qué has dicho? —preguntó Joe.

Travis lo miró.

—He dicho que te he contado demasiado. Sabes demasiado. Ves demasiado.

Joe se echó a reír.

—Eso es porque he criado a dos hijos solo. ¡Lo que tuve que pasar con mi hija! Joey no me dio problemas. Cuando empezó a quedarse en el cuarto de baño más tiempo de la cuenta, le di unos condones. No tuve que decirle nada. Pero con Jecca... Me plantó cara a cada paso del camino. Bueno, ¿quién es tu padre?

Travis se mordió la lengua justo antes de contestar. ¿Podía confiar en ese hombre al que apenas conocía? Sin embargo, Joe tenía algo que generaba confianza. La expresión «un hombre decente» la habían creado a su medida.

—Randall Maxwell —respondió Travis.

Por un instante, Joe pareció sorprendido, aterrado, impresionado y espantado... Pero después se recuperó.

—Eso lo explica todo —comentó—. Así que has venido para asegurarte de que un tío de Nueva Jersey no quiere quedarse con el dinero de tu madre.

—Más o menos. Aún siguen casados. —Miró a Joe a los ojos—. El divorcio va a ser brutal. ¿Te crees capaz de soportarlo?

—Si al final consigo a Lucy, sí, puedo soportarlo.

Travis ni intentó contener la sonrisa.

—Soy abogado y...

—Y pensar que empezabas a caerme bien...

Travis gimió al escucharlo.

—No empieces con los chistes de abogados. Me los sé todos. Además, ¿cómo hemos pasado de mis problemas a los tuyos?

—Empezaste a mentirme. Has venido para ver a tu madre, no a Kim. Has dejado sola a esa muchacha todos estos años, y ahora vuelves por otro motivo, ves por casualidad a la niña que dejaste atrás y empiezas a quejarte de que tiene un novio con el que a lo mejor se casa. ¿Qué te esperabas? ¿Que siguiera siendo virgen hasta que volvieras? ¿Tienes hermanos?

—No a todo. ¿Qué es esta cosa? ¿El huevo de una especie extinguida?

—Una lijadora orbital. No pensabas que Kim te esperase, ¿verdad?

—No, claro que no, pero sí sabía... —Volvió a meter la cabeza en la caja para sacar los discos de lija.

—¿Qué sabías?

—Un poco acerca de su vida.

—¿La has estado espiando? —preguntó Joe, con voz espantada.

Travis se negó a contestar. Eso sería dar muchas explicaciones y no quería verse obligado a defender su actitud.

—¿Cuándo vas a comprar las estanterías?

—Están en esas cajas enormes que hay allí y tú vas a montarlas.

—No, de eso nada —replicó Travis—. Si necesitas ayuda y no puedes permitírtela, contrataré a...

—¿Con el dinero de Maxwell?

—Tengo mi propio dinero —respondió Travis, y lo fulminó con la mirada—. ¿De dónde has sacado el dinero para comprar todo esto?

—De treinta años de trabajo duro... y de una hipoteca sobre mi casa de Nueva Jersey. Aunque eso a ti no te importa. Si estás tan enamorado de Kim, ¿por qué estás aquí conmigo? ¿Por qué no estás cortejándola?

—¿Te refieres a conseguir que haga torsiones de espalda en público? —le preguntó, entrecerrando los ojos.

Joe sonrió.

—Así que te has enterado, ¿no? Lucy sabe bailar en barra americana. Te aseguro que es capaz de...

—¡No quiero saberlo! —lo cortó Travis con sequedad.

—De acuerdo —replicó Joe—. Me parece que el problema es que no sabes cómo cortejar a una mujer.

—Estás de coña, tío. He hecho cosas con mujeres de las que tú ni has oído hablar. Una vez...

—¡No me refiero al sexo, chaval! El único sexo que importa es el que hace feliz a la mujer que amas. Aunque hagas un trío con media docena de mujeres guapísimas, si la mujer que quieres no te sonríe en el desayuno, eres un fracasado sexual.

Travis se quedó en silencio mientras meditaba esas palabras y llegó a la conclusión de que tenía sentido. Se inclinó de nuevo sobre la caja, pero se enderezó al punto.

—Para que lo sepas, un trío es con tres personas, no con media docena. —Y se concentró de nuevo en la caja.

—Consigue que te necesite —dijo Joe al cabo de un momento—. No que te desee, sino que te necesite en lo más hondo de su alma. Ya sea un masaje de pies al final del día o que le arregles el grifo del fregadero, encuentra el hueco en su vida y llénalo.

—¿Mi madre te necesita? —preguntó Travis con curiosidad.

—Casi no atina a enhebrar sus máquinas de coser sin mí.

Travis sonrió al escucharlo. Desde que visitaron Edilean por primera vez, su madre había cosido, y jamás había tenido problemas para enhebrar una aguja.

Joe pareció entender su sonrisa.

—Vale, Lucy finge que es incapaz de enhebrar la remalladora o de cambiar las agujas. Pero me explicó cómo rellenar la solicitud de la hipoteca. Incluso me dijo qué ponerme y qué decir cuando fui al banco. Me ayudó a encargar todo lo que hay aquí, y Jecca y ella escogieron el color de la pintura y de los azulejos. Lucy hizo las cortinas.

—Parece que la necesitas más que ella a ti.

—¡Ahí le has dado! —exclamó Joe—. Ella me necesita y yo la necesito a ella. Estamos enredados.

—Os compenetráis —lo corrigió.

Joe entrecerró los ojos.

—Puede que tú tengas más estudios que yo, pero yo soy quien tiene a la mujer que quiere.

—Tienes razón. ¿Qué se supone que tengo que hacer con estos trozos de metal?

—Voy a enseñarte a usar un destornillador.

—Y así mi vida estará completa por fin —murmuró Travis antes de coger una llave de tubo.

8

—Hola —dijo Travis en voz baja mientras abría la puerta de acceso al garaje de Kim. La encontró inclinada sobre una recia mesa de trabajo, observando un objeto que parecía estar hecho de oro a través de una lupa iluminada—. No quiero molestarte, pero me gustaría disculparme contigo por lo de anoche.

—No hace falta —replicó ella sin levantar la cabeza.

—Sí que hace falta. Fui muy grosero y... y supongo que quería protegerte, nada más.

—Igual que Reede —masculló Kim. Lo que le faltaba, dos hermanos...

Travis estaba examinando la enorme estancia y todo lo que contenía. Había tres estanterías llenas de cajas, lo que parecían dos microondas, una enorme caja fuerte en un rincón, una mesa con un ordenador y un enorme montón de archivadores, y tres mesas de trabajo donde había más herramientas que en la tienda de Joe.

—Menudo taller... —comentó—. ¿Necesitas todo esto para diseñar y fabricar joyas?

—Todo lo que ves. De hecho, necesito una mesa para

los esbozos, pero no tengo espacio y acabaría ensuciándose.

En opinión de Travis, lo que necesitaba era luz natural. En la puerta del garaje había tres ventanitas y en la pared opuesta a la puerta había otra más. Aunque era de noche, le gustaría ver las estrellas.

Kim levantó la cabeza y lo miró de arriba abajo.

—¿Qué has estado haciendo?

—Fui a la tienda de Joe Layton y acabé ayudándolo a desembalar el material.

—Tienes... —Se llevó una mano a la cabeza.

Travis levantó una mano para quitarse tres trocitos de espuma de embalaje.

—Estoy lleno de estas cosas. Joe me ha hecho barrer el suelo y almacenar las cajas dobladas antes de irme. —Se acercó a la silla de la mesa del ordenador y se dejó caer en ella—. No estaba tan cansado ni después de escalar el Everest.

—Has tenido una vida muy emocionante. —Kim estaba usando una lima diminuta para pulir lo que parecía un anillo sujeto por un tornillo de banco acolchado. Debajo había extendido un paño negro para recuperar el oro en polvo.

—De momento, las emociones que estoy experimentando en Edilean superan a todas las demás. Entre tu hermano, que vendrá a por mí con una escopeta cuando recuerde dónde me vio; el sheriff, que quiere que me dedique a rescatar turistas; y Joe, que me ridiculiza porque no sé lo que es una limadora orbital, mi padre me parece un santo.

Kim se rio.

—Lijadora orbital. Una limadora es otra cosa.

—*Et tu, Brute?* —replicó Travis al tiempo que se llevaba una mano al corazón.

—Es para ponerte al día de todo —dijo ella con una sonrisa.

Travis estaba observando los papeles y los archivadores que se amontonaban en la mesa.

—Hablando de ponerme al día, ¿qué es todo esto?

Kim gimió.

—Dinero. Facturas. La cruz de mi existencia. Antes tenía una secretaria a media jornada que me llevaba la contabilidad al día, pero se casó y abandonó el trabajo.

—¿Ya se ha quedado embarazada? —le preguntó él—. Esa parece ser la ocupación principal en este pueblo. Deberíais suscribiros a la televisión por cable.

—Deberías dejar de ver la televisión —replicó Kim—. Lo otro es más divertido.

—Tendrás que enseñármelo algún día —susurró Travis.

Kim lo miró, sorprendida, pero él se había colocado los archivadores en el regazo y estaba ojeando las etiquetas.

—¿Te importa si les echo un vistazo? Sé un poco sobre cómo organizar la contabilidad y eso.

—Si no te molesta ver mis increíbles ingresos y todo lo que me gasto en alimentación y diamantes, adelante. —Kim había intentado hablar a la ligera, pero en realidad acababa de contener el aliento. Jamás había permitido que un hombre que no fuera su padre examinara su contabilidad. El éxito de su negocio era el causante de sus rupturas sentimentales.

Sin embargo, Travis era distinto. Eran amigos. La idea estuvo a punto de hacer que se atragantara.

—¿Has dicho algo? —le preguntó él.

—No, nada.

—¿Estas facturas están ya contabilizadas?

—No, hace semanas que no lo actualizo. Mi asesor va a matarme.

—¿Te importa que lo haga yo? —preguntó Travis al tiempo que señalaba el ordenador con un gesto de la cabeza.

Kim se encogió de hombros. Que mirara si quería. Aguzó el oído mientras él se acomodaba en la silla y se ponía manos a la obra con los archivadores. Lo escuchó teclear, y lo vio inclinado sobre los papeles cada vez que alzaba la vista. Estaba segura de que si alguien supiera lo que estaba haciendo, le diría que era idiota por permitir que un hombre al que no había visto desde que era pequeña le pusiera al día la contabilidad, pero al margen de cualquier otra cosa que pudiera pensar de Travis, confiaba en él.

Habían pasado casi dos horas desde que Travis volvió y a esas alturas estaban juntos en la cocina. Travis había usado su programa de contabilidad, aunque había insistido en que ella introdujera la contraseña, y había examinado el trabajo realizado por su antigua secretaria. Después, le había preguntado si podía ponerle la contabilidad al día y ella le había dicho que sí. Tras unas cuantas preguntas sobre algunas empresas y sobre algunas facturas, habían seguido trabajando en silencio.

En resumen, había sido muy agradable trabajar con él en el taller. Tal como sucedía cuando eran niños, parecían formar un buen equipo.

—No me puedo creer que hayas ido hasta Williamsburg para traer carne a la barbacoa —comentó Kim después de sacar la comida del frigorífico.

Como era habitual en ella, no había pensado en la cena. Así que le había sorprendido, y encantado, que Travis dijera que había llevado comida a casa.

Ella sonrió al escucharlo usar la palabra «casa». Como si él también viviera allí.

—Joe me explicó que había una carretera secundaria, así que no he tardado nada —replicó Travis, tras lo cual se miraron y se echaron a reír—. No he superado el límite de velocidad y no me he salido del asfalto. —Miró el reloj. Era tarde.

—Parece que has conectado con Joe.

Travis tardó un rato en replicar mientras se mantenía ocupado sirviendo la ensalada de col en los platos y llevándolos a la mesa.

—Sabe que Lucy es mi madre.

—¡Venga ya! —exclamó ella.

—En serio. Se percató del parecido nada más verme. Pero le he jurado no decirle a mi madre que lo ha descubierto todo.

—Y supongo que ella tampoco quería que se lo dijeras a Joe.

—Exacto. Ahora estoy entre la espada y la pared —dijo Travis mientras la miraba desde el otro lado de la mesa. Le había gustado mucho pasar la tarde en su taller de trabajo, pero prefería pasar más tiempo en el exterior, ya fuera de día o de noche. El garaje reconvertido en taller de joyería era demasiado agobiante para él—. Joe no necesita ese espacio tan grande que tiene en la parte posterior de la tienda. Las ventanas están orientadas al bosque. Dice que Jecca jamás lo usará y que entiende por qué. Admira mucho su habilidad para reparar herramientas eléctricas y la pondría a trabajar sí o sí.

Kim alargó un brazo para quitarle un trocito de espuma de embalar que llevaba enganchado en la camisa.

—Tengo la impresión de que llevo cosas de esas por todos lados. ¿Te importa...? —le preguntó al tiempo que se apartaba la parte posterior del cuello de la camisa.

Kim se levantó y le sostuvo el cuello de la camisa sin llegar a tocar su piel. Al mirar, solo vio su piel bronceada. Y sus músculos.

—Ni uno solo —le dijo.

—¿Estás segura? Me pica todo el cuerpo. Debería haberme duchado antes, pero tenías la luz encendida y quería verte. —La cogió de la mano y le besó la punta de los dedos—. ¡Vaya, lo siento! —exclamó mientras la soltaba—. Vas a casarte pronto así que llevas el cartel de «No tocar».

Kim frunció el ceño y se sentó.

—Qué va. Todavía no me lo han pedido, y aún no he aceptado.

—¿De verdad te gusta ese tío?

—Es buena gente —contestó ella, pero no quería hablar de Dave—. ¿Qué planes tienes para mañana?

—Según Joe, voy a ser su esclavo. Kim, si quieres la tienda que supuestamente iba a ser para Jecca, puedo conseguírtela. Le diré a Joe que te la dé como regalo de boda. Libre de alquiler durante tres meses y a una mensualidad razonable después.

—Mi garaje me va de maravilla. Además, ¿por qué iba a hacerme un regalo si quien va a casarse es él?

—No me refería a su boda, sino a la tuya. A tu boda

con Dave. Es un hombre, y querrá un sitio para guardar el coche. O para guardar una de esas furgonetas que usan las empresas de catering. Vendrá a vivir contigo, ¿no? No creo que gane tanto como para permitirse una casa como esta. Pero, claro, tus ingresos del año pasado fueron bastante buenos. ¡Felicidades! Tu tienda es un éxito.

Lo que Travis decía sonaba maravilloso. Genial. Pero, de algún modo, la irritó. No había pensado en la posibilidad de que Dave llegara con un montón de cosas. Era el dueño de cinco enormes furgonetas y de muchos utensilios de cocina gigantescos. Vivía en un apartamento pequeño y había alquilado una cocina industrial. Sin embargo, también cocinaba en su casa. Un domingo por la tarde que ella fue a recogerlo, acabó ayudándolo a preparar diecisiete kilos de ensalada de atún. Acabó oliendo tan mal que se vio obligada a dejar la ropa en remojo antes de meterla en la lavadora.

—Dave y yo no hemos hablado hasta ese punto —reconoció—. La verdad, es Carla quien dice que voy a recibir una propuesta matrimonial, pero es que ella ve a todos los hombres como maridos en potencia. Incluso sugirió que contigo podría...

—¿Conmigo? —Travis puso los ojos como platos—. ¿Carla y yo? Es mona. ¿Crees que aceptaría salir conmigo?

Kim lo miró con expresión pensativa y de repente tuvo la impresión de que la estaban manipulando, aunque no supo cómo.

—¿Estás tramando algo?

—Solo intento ser tu amigo, nada más. Me lo paso bien a tu lado y quiero echarte una mano para que no me des la patada. Edilean es un lugar aterrador.

Kim no pudo evitar reírse.

—¡Lo será cuando mi hermano recuerde dónde te ha visto antes! En aquel momento, no entendí por qué te tapabas la cara. ¿De verdad estuviste a punto de matarlo?

—Sí —reconoció—. Casi me da un infarto. Allí estaba yo, en Marruecos, intentando recortarle tiempo a Jake Jones con Ernie, mi mecánico, que era quien llevaba el mapa. Tomé una curva cerrada y apareció un tío cruzando la calle con un burro tan cargado de cajas que el pobre tenía las patas dobladas por el peso.

—Típico de Reede, sí —comentó ella.

Travis se levantó y fingió estar sentado tras el volante.

—Antes de tomar la curva, me di cuenta de que había gente gritándonos algo en árabe. No sé tú, pero mi árabe es bastante limitado. Solo sé decir «no» y «gracias». ¿Cómo iba a saber que nos estaban advirtiendo de que un médico estadounidense al que le faltaba un tornillo estaba deambulando por el trazado del rally?

—¿El tuyo era el único coche?

—¡Joder, no! Íbamos detrás de Jake. No había manera de adelantarlo. Le había hecho algo al sistema de inyección, pero no conseguí averiguar qué era exactamente. Cada vez que me acercaba a él, cambiaba de marcha y se alejaba, lanzándonos una lluvia de piedras. Me dejó la luna delantera hecha un desastre. —Travis se inclinó, sin soltar el volante invisible—. En fin, que allí estaba yo gritándole a Ernie, porque en un rally hay que hablar a grito pelado, que qué era lo que nos decía toda esa gente, y él va y me suelta que como no disminuya la velocidad me voy a cargar el sistema de transmisión, cuando de repente, *¡pum!*, aparece ese tío.

—Con un burro —añadió Kim.

—Que se quedó paralizado. El burro tenía dos dedos de frente y supo reconocer el peligro.

—Pero mi hermano no.

—¡Ahí le has dado! Miró hacia el coche que se acercaba a él casi a ciento noventa y...

—Habías aminorado la velocidad para tomar la curva —comentó Kim con solemnidad.

—Sí, lo hice —replicó Travis, que parecía encantado con su suposición—. Si tu hermano estaba asustado, lo disimulaba muy bien. Se limitó a mirarme con el ceño fruncido como si yo fuera una molestia, y después se volvió para tirar de la cuerda del burro.

—¿Cuándo pasó todo esto?

—En el año 2005.

—¡Por Dios! —exclamó Kim—. Eso fue poco después de que su novia de toda la vida lo dejara. Seguro que estaba en la fase aquella en la que su vida le importaba un pimiento.

—Yo me sentiría igual si me echaras de tu vida y me dijeras que no volviera jamás —comentó Travis, aunque se apresuró a retomar el relato—. Cuando grité, Ernie alzó la vista del mapa y se puso a chillar como una nenaza. Yo pegué un volantazo a lo bestia y pisé el freno a tope, vamos, que casi volcamos.

Kim lo escuchaba sin dar crédito a que hubiera dicho que se sentiría fatal si lo echaba de su vida.

—Supongo que... —comentó ella.

—Tu hermano se limitó a quedarse allí plantado, observándolo todo. Durante décimas de segundo nos miramos a los ojos, y tuvimos tiempo para vernos perfectamente. Fue una de esas ocasiones en las que el mundo parece detenerse. El burro se desplomó por el miedo y por eso se rompieron las cajas que llevaba encima.

—Y Reede...

—Cuando conseguí enderezar el coche y ponerlo en la dirección correcta, tu hermano estaba hecho una fiera, despotricando contra nosotros. —Travis se llevó una mano al corazón—. Te juro que es verdad, pero lo que yo quería era bajarme para ver si el burro estaba bien. No sabía que el contenido de las cajas fuera tan importante. Y entonces Ernie dijo: «¡Madre mía, es americano! No te pares o hará que nos detengan. ¡Corre, corre! Písale a fondo, tenemos que largarnos de aquí.» Y eso hice.

—¿Ganaste la carrera?

—Claro que no. La transmisión se fue al suelo ochenta kilómetros más adelante, en mitad de la nada. Estábamos tan alejados de la civilización que fueron a buscarnos en helicóptero.

Kim lo miró mientras él se sentaba de nuevo. No pudo evitar recordar al niño que se subió en su bicicleta.

—Estoy de acuerdo —dijo.

—¿En qué? —quiso saber él.

—Cuando mi hermano recuerde dónde te ha visto, irá a por ti con una escopeta.

—Eso no me sirve de mucho —comentó Travis con una sonrisa—. Quiero que estés de mi parte.

—Lo estoy. Seguro que Reede estaba al tanto del rally y quería pelea. En aquella época, llevaba tanta rabia en su interior por culpa del abandono de su novia que seguro que buscaba una forma de desahogarse.

Travis se puso serio.

—Estuvo en un tris de acabar muerto.

Kim sonrió.

—Gracias por haberlo evitado. Gracias por no atropellarlo y gracias por reponer todos sus suministros. Si no fueras tan buen conductor de coches, los tres podríais haber muerto... sin contar al burro.

Se miraron un instante y Kim experimentó nuevamente la atracción. Era como si su cuerpo la atrajera con una especie de fuerza magnética que pasaba de él a ella, y vuelta a empezar. Kim sentía la atracción, el hormigueo, el deseo que los embargaba.

Su cuerpo se acercó a él de forma inconsciente. Quería que la abrazara y la besara. Vio que Travis le miraba los labios y que sus ojos se oscurecían con una expresión... ardiente.

Sin embargo, al cabo de un segundo, él se apartó y el hechizo desapareció.

—Es tarde —lo oyó murmurar—. Y Joe... en fin, hasta mañana. —Salió de su casa en un abrir y cerrar de ojos.

Kim se sentó en una silla. Se sentía como si fuera un globo al que le hubieran soltado el nudo. Desinflada. Pero lo peor era que se sentía derrotada.

Travis entró en la casa de invitados presa de los temblores. En la vida había deseado a una mujer tanto como deseaba a Kim, pero el problema era que también sentía algo por ella. No quería hacerle daño, no quería...

Se sentó en el borde del colchón y llamó a Penny.

—¿Te he despertado? —preguntó.

Ella titubeó. Travis nunca se había interesado por los hábitos de sueño de su secretaria.

—No —respondió Penny, mintiendo.

—¿Has averiguado algo sobre el dueño de la empresa de catering?

—Solo su nombre, pero he enviado a mi hijo a Edilean para ver qué puede descubrir.

—¿Cómo es tu hijo?

—¿Qué importancia tiene eso? —quiso saber ella.

—Hay una chica, Carla, que trabaja para Kim y que va detrás de cualquier hombre medianamente atractivo que se presente en la tienda. Resulta que sabe algo sobre un zafiro perdido. Creo que está relacionado con el tío de la empresa de catering y quiero llegar al fondo del asunto. ¿Crees que tu hijo podrá encargarse de eso?

—Sin problemas —respondió Penny, que parecía encontrar muy gracioso todo el asunto—. ¿Qué más has averiguado?

—No mucho, solo que a Kim le va muy bien con su tiendecita.

—¿Lo bastante como para que este hombre le haya echado el ojo?

—Sí —contestó Travis. Ambos sabían mucho sobre lo que una persona era capaz de hacer con tal de conseguir un negocio lucrativo.

—¿No te parece posible que el tal Dave esté enamorado de la preciosa Kim?

—Puede que lo esté, pero te aseguro que como la toque, voy a por él.

—Vaya, vaya —replicó Penny.

—¿Cómo va lo de tu familia en Janes Creek?

—Todos están encantados con el fin de semana a gastos pagados. Pero te advierto que ni tu padre sería capaz de pagar los gastos que mi tío Bernie cargará al servicio de habitaciones.

—Tranquila. Me estoy acostumbrando a las relaciones familiares. Mi madre y su nuevo...

—¿Su nuevo qué? —preguntó Penny, maravillada por el hecho de que estuvieran manteniendo una conversación que incluyera su propia vida.

—El hombre con el que planea casarse. He estado trabajando para él.

—¿Te ha ofrecido un buen seguro dental? —preguntó Penny, disimulando la sorpresa.

Travis resopló.

—No me paga con dinero, sino con consejos. Cientos de consejos.

—¿Buenos o malos?

—Depende del resultado, que todavía está en el aire. Tengo que buscar una excusa convincente para acompañar a Kim a Maryland.

—¿Vas a pedirle permiso para ir? —La sorpresa se convirtió en pasmo.

—Sí —respondió Travis—. No puedo seguir hablando. Joe quiere que llegue al trabajo a las siete en punto. Voy a fijar unas estanterías a la pared. Me muero de ganas...

—Yo, bueno... —Penny no sabía qué decir, de modo que le dio las buenas noches y colgó—. Creo que me gusta Edilean —comentó mientras volvía a la cama.

9

—Bueno, ¿cómo es eso de vivir con él? —le preguntó Carla a Kim a la mañana siguiente—. Buen sexo, ¿eh? Porque tiene pinta de ser estupendo en la cama. ¿Cuánto aguanta? ¿Le gusta...?

—¡Carla! —la interrumpió Kim—. ¿Te importaría ser un poquito más profesional?

—Vaya, vaya, veo que no te has comido un rosco. Porque con esa actitud... ¿Te estás reservando para Dave? Pero si cambias de opinión, me sé de un perfume que podría venirte bien. Se llam...

Kim se encerró en su oficina. No había visto a Travis esa mañana, ya que cuando se levantó, él ya se había ido a la tienda de Joe. Le había dejado una nota muy graciosa en la encimera de la cocina diciéndole que estaba ansioso por aprender a taladrar ladrillos. «Deberían darles la vuelta a los ladrillos. En los costados ya tienen agujeros», le había escrito, arrancándole una sonrisa.

Era bonito empezar el día con una sonrisa, pero le habría encantado verlo.

Cuando le sonó el móvil, vio que era un número desconocido.

—¿Comemos juntos? —le preguntó Travis—. ¿Por favor?

De inmediato, su malhumor desapareció.

—¿Dónde? —Se mordió la lengua para no añadir: «¿Cuándo? ¿Cómo? ¿Llevo yo la comida? ¿Y unos cuantos diamantes de pureza grado tres?»

—¿Qué te parece Delmonico's, el restaurante famoso en 1899?

—Me encantaría. Voy a sacar el corsé del baúl.

—¿Te lo puedes poner tú sola?

—A lo mejor necesito un poco de ayuda —respondió Kim, con el corazón en la garganta. ¡Le gustaba esa conversación!

—Me encantaría ofrecerme voluntario, pero ahora mismo tengo un gemelo pegado. Joe no se me despega ni con agua caliente. ¿Te importaría almorzar con los dos?

—Será un placer —le aseguró Kim—. Si vas con Joe, seguro que quiere comer en Al's Diner.

—He visto ese sitio y no creo que sea el adecuado. Joe me ha especificado que quiere pasta *al dente* y brócoli al vapor. Y un mantel y...

—Cubiertos de plata —terminó Kim.

—¡Exacto! ¿Nos vemos en la hamburguesería a mediodía?

—Mis arterias lo están deseando —contestó Kim y regresó a la tienda con una enorme sonrisa.

Carla alzó la vista mientras guardaba una bandeja de pulseras.

—Lo que te haya puesto esa sonrisa en la cara no es ni la mitad de bueno de lo que acaba de pasarme.

—¿En serio? —preguntó Kim con la mirada fija en las bandejas. La pulsera que Travis había admirado ya no estaba, como tampoco estaba el anillo con el enorme diamante rosa—. ¿Una buena venta?

—¡Fabulosa! Un hombre quería algo para su madre. Tenía buen ojo y escogió lo mejor de la tienda sin apenas mirar. Y...

—¿Y qué?

—Me ha invitado a salir esta noche con él.

—¿No te lo pide la mitad de los hombres que entran en la tienda?

—Los babosos lo hacen. Y los amargados casados —continuó Carla—. Los elegantes como él te quieren a ti.

Kim estaba de tan buen humor que no le importaba escuchar a Carla, pero en ese momento se abrió la puerta y entró un hombre guapísimo. No era tan moreno como Travis, y tampoco tenía ese aire de estar de vuelta de todo que Travis solía tener, pero estaba cañón. Y el traje que llevaba debía de costar miles de dólares.

Miró a Kim, la saludó con un breve gesto de cabeza y después se fue derecho hacia Carla.

Kim se mantuvo apartada y los observó. Formaban una pareja muy dispar. Aunque ya había tenido más de una conversación acerca de su forma de vestir, Carla siempre llevaba la blusa con un botón de más desabrochado, la falda siempre era unos cinco centímetros demasiado corta y siempre se maquillaba demasiado. El hombre parecía recién salido de un club exclusivo, mientras que Carla... En fin, había muchas diferencias entre su apariencia.

—Creo que también me llevaré los pendientes de perlas —anunció el hombre con voz aterciopelada mientras miraba a Carla como si quisiera devorarla.

—Claro, señor Pendergast —dijo Carla.

—Ya te he dicho que me llames Russell —replicó él.

—Lo haré —le aseguró Carla, que siguió mirándolo embobada.

Kim se dirigió al mostrador más alejado para sacar sus mejores pendientes de perlas. Dado que había comprado dos piezas caras, supuso que eran los pendientes que quería. Eran una concha curva que abrazaba la perla. Los dejó en el mostrador y los deslizó entre las dos personas que seguían mirándose.

El hombre se volvió hacia ella, y esos ojos casi negros la miraron con una intensidad inusitada, como si la estuviera evaluando. Si Travis no estuviera en el pueblo, pensó, le habría devuelto la mirada a ese hombre. Pero se limitó a sonreírle con profesionalidad.

—¿Usted es la diseñadora? ¿Kimberly Aldredge?

—Así es.

—Me llamo Russell Pendergast. Pasaba por el pueblo y no tenía ni idea de que hubiera una joyería de tanta calidad aquí. Sus diseños son espectaculares.

Tanto su voz como su pronunciación denotaban una educación exquisita. «Al igual que Travis», pensó ella.

Detrás del cliente, Carla la fulminaba con la mirada, diciéndole sin palabras que si Kim se insinuaba, correría la sangre.

—¿Dónde se puede comer por aquí? —preguntó él.

—Yo sé unos cuantos sitios —dijo Carla, detrás de él—. Salgo a la una.

—¿Y qué me dice usted, señorita Aldredge? ¿A qué hora se toma un descanso para almorzar?

Kim retrocedió un paso. Por más guapo que fuera, no le interesaba.

—He quedado con unos amigos para comer en la

hamburguesería local. No se la recomendaría a un forastero. Perdóneme. —Regresó a su oficina.

«Interesante», pensó al coger su cuaderno y concentrarse en el trabajo. Tal vez debería hacer más joyas en forma de conchas. Tenía que crear una línea específica para Neiman Marcus, así que a lo mejor haría algo con temática marina.

Una hora después, salió para almorzar. El señor Layton y Travis ya estaban sentados en un reservado con sus respectivas bebidas. En cuanto la vio, a Travis se le iluminaron los ojos de una manera que le arrancó una sonrisa. Travis se levantó, la besó en la mejilla y después dejó que se sentara ella primero.

—¿Sabes lo que quieres para almorzar? —preguntó Travis, que señaló con la cabeza a Joe—. Aquí nuestro amigo no ha querido esperar para que pidamos.

—Al lo sabe —aseguró ella al tiempo que saludaba con la mano al hombretón que estaba en la cocina. Daba la sensación de que Travis y el señor Layton se estaban conociendo.

—¿A mí no me besas? —preguntó Joe—. ¿Reservas todos los besos para los jovenzuelos?

—Lo siento —se disculpó Kim, y se inclinó sobre la mesa para besarlo en la mejilla. No se percató de que Travis se la comía con los ojos. Ni tampoco vio que el señor Layton le lanzaba una mirada a Travis con la que le estaba diciendo que le debía una.

—¿Qué habéis estado haciendo? —preguntó ella.

—Él nada. Yo lo he hecho todo —contestó Travis.

Lo miró. Tenía la camiseta sucia y serrín en una sien. Extendió el brazo, le quitó la mancha de la frente y, después, se percató de que Joe los miraba fijamente.

Se apartó un poco en el asiento.

—Hemos tenido una mañana increíble.

—¿Mejor que cortar madera para hacer borricos? —preguntó Travis con sarcasmo.

—Borriquetas —lo corrigió Kim. Joe tenía un brillo travieso en los ojos—. Estás siendo muy malo y se lo voy a decir a Jecca. —Miró de nuevo a Travis—. Esta mañana ha venido un hombre joven que ha comprado las tres piezas más caras de la tienda.

—¿En serio? —preguntó Travis.

—Le dijo a Carla que eran para su madre. Su traje se parecía mucho al que llevabas tú cuando te vi en la boda.

—¿Antes de que descubriera las maravillas de las camisetas con logotipos de camiones en la pechera? —quiso saber Travis.

El señor Layton no sonrió.

—¿Cómo se llama?

—Russell Pendergast, y ha invitado a Carla a cenar esta noche.

Travis se atragantó con la bebida.

—¿Pendergast?

—Sí, ¿lo conoces?

—Nunca lo he visto —contestó Travis, que sintió la mirada fija de Joe Layton—. ¿Qué aspecto tiene?

—Es guapísimo —respondió Kim—. Elegante. Destila buena educación y riqueza.

—¿De verdad? —preguntó Travis con curiosidad—. ¿Y ha comprado tus piezas más caras para su madre? Interesante. ¿A qué universidad fue? A lo mejor lo conozco.

—No tengo ni idea. Pero después de su cita con Carla, seguro que me entero de todo. La verdad es que no termino de verlos juntos. Él es...

—¿Se te ha insinuado? —quiso saber Travis, que frunció el ceño.

—No creo que eso sea de tu inc... —comenzó Kim, que empezó a cabrearse.

—¡Ah, estupendo! —exclamó Joe—. Aquí viene nuestra comida. Si preferís discutir a comer, decídmelo para vender entradas.

—No vamos a discutir —le aseguró Kim—. Russell y yo tenemos una cita el sábado por la noche.

—El sábado te vas a un hotel con tu casi prometido —masculló Travis.

—Ah, claro —dijo Kim, que miró a Joe con una sonrisa—. Tengo tantos hombres que me lío.

—Deberías llevarte a Travis.

—¿Adónde? —preguntó Kim.

—Al pueblo al que vas —contestó Joe.

—¿Que me lleve a Travis al pueblo al que voy con mi novio? —preguntó Kim.

A decir verdad, le gustaba la idea, pero no pensaba admitirlo. Si Dave le proponía matrimonio, la presencia de Travis le daría tiempo para pensarse la respuesta. Y si Dave se ponía demasiado... insistente, o demasiado lo que fuera, Travis estaría allí. Sin embargo, prefería probar las cincuenta y siete hamburguesas que Al tenía en la carta y sufrir un infarto fulminante antes de decírselo.

—Sí —contestó Joe, tras lo cual le dio un mordisco a una hamburguesa de medio kilo de carne que le dejó un hilillo de salsa (o de grasa, para ser más exactos) en las muñecas—. Travis me dijo que ibas a trabajar un poco. ¿Cómo vas a hacerlo si andas tonteando con tu novio? Si te llevas a Travis, él podrá hacer todo el trabajo.

Travis le dirigió a Joe una mirada a caballo entre el agradecimiento y las ganas de matarlo.

—No es mala idea —comentó Kim mientras removía con el tenedor lo que Al entendía por «ensalada». Muchísimo pollo frito y poquísima lechuga—. Me lo pensaré —dijo, sin atreverse a mirar a Travis. Sospechaba que él sonreía de oreja a oreja.

Cuando la luz del sol se filtró por las ventanas, Travis ya estaba sentado en el salón de Kim e intentaba concentrarse en el periódico, pero era incapaz. Kim se había ido a trabajar hacía ya una hora, y desde entonces esperaba que apareciera el hijo de Penny.

El día anterior después del almuerzo con Kim y con Joe, Travis fue a ver a su madre. Al entrar en casa de la señora Wingate, escuchó el zumbido de la máquina de coser de su madre y la familiaridad le resultó agradable. Cuando subió a la planta alta, le resultó muy fácil adaptarse a su ritmo y comenzar a cortar patrones. Coser era algo que habían hecho juntos desde que era niño. Nunca hablaban de ello, pero les recordaba a su época pasada en Edilean, un periodo de paz para ambos. Aquellas dos semanas les habían cambiado la vida.

A Travis le preocupaba un poco lo que su madre sabía sobre Joe y sobre él, pero su inquietud se desvaneció pronto. Siempre habían mantenido una estrecha relación y casi siempre eran del mismo parecer. Al principio, temió que le echara otro sermón sobre Kim, pero la rabia que le había mostrado durante su primer encuentro había desaparecido.

En cambio, comenzaron a hablar tranquilamente sobre Joe. Travis se lo contó todo, salvo el hecho de que Joe sabía que era su hijo. Pero le explicó todo lo demás, desde el desembalaje de herramientas hasta la corrección de que los borricos eran en realidad borriquetas, pasando por el anclaje de estanterías de acero a la pared.

Lucy se echó a reír por sus anécdotas y Travis la alejó de las máquinas de coser (trabajaba demasiado), y la llevó a la cocina. Tal como hacían durante su infancia, Travis preparó el té mientras ella preparaba unos sándwiches. Una vez que estuvo todo listo, Lucy lo llevó al invernadero. Paseó entre las plantas un buen rato, admirando las orquídeas. Cuando por fin se sentó, Lucy le preguntó por Kim.

Travis titubeó.

—Puedes contármelo —dijo Lucy en voz baja—. ¿Sigues enamorado de ella?

—Sí —contestó, antes de mirar a su madre con una expresión que proclamaba la profundidad de sus sentimientos—. Más que nunca. Más de lo que creí posible.

A Lucy se le llenaron los ojos de lágrimas. Era una madre que albergaba la esperanza de que su hijo encontrara el amor.

—Es graciosa y perspicaz —continuó Travis mientras cogía un trozo de sándwich. De pequeño, su madre le quitaba las cortezas al pan y cortaba el pan diagonalmente para tener cuatro trozos. Cuando creció, siguió haciéndolo—. Y muy lista. Y deberías ver las joyas que tiene en su tienda. ¡Todo es precioso!

—Las he visto —repuso Lucy—. Cada vez que me entero de que Kim ha salido del pueblo, voy a su tienda. Me gustan las hojas de olivo.

—A mí también —dijo Travis. Se puso en pie y acarició la hoja de una orquídea antes de volverse—. Me siento cómodo con ella. No necesito impresionarla. Aunque lo intento.

—Joe me dijo que condujiste por el camino forestal, pero que no sabía cómo lo conseguiste.

Travis se encogió de hombros.

—Lo hice muchas veces en Hollywood. No fue difícil.

—Y también me contó algo de un globo... —añadió ella.

—No soportaba el llanto del niño, así que trepé al árbol y se lo bajé.

—Siempre has sido un trozo de pan.

—Nadie lo diría en Nueva York —replicó.

—No, supongo que no. Tienes cosas de tu padre y también cosas mías. ¿Qué vas a hacer ahora?

Travis volvió a sentarse.

—Joe se las ha apañado para que pueda pasar el fin de semana con Kim. Estaré en la habitación contigua y ella puede que esté con su novio. Pero aun así... estaré cerca de ella.

—Me lo ha dicho —comentó su madre, sonriéndole. Jamás lo había visto así, y le alegraba el corazón.

—¿En serio? ¿Y qué más te ha estado contando ese viejo chismoso sobre mí?

Lucy sonrió. Desde que se conocieron, Joe solo le hablaba de Travis. Lo que Travis decía, lo que hacía, lo que le preocupaba, lo mucho que quería a Kim, sus sugerencias para la tienda de bricolaje... Todo lo que decía, Joe se lo repetía.

—Deberías haberlo visto con Kim —le había dicho Joe cuando la llamó después del almuerzo en la hamburguesería—. El pobre no podía dejar de mirarla.

—¿Y qué me dices de Kim? —le había preguntado ella—. ¿Qué piensa de mi... de Travis? —Si Joe se percató de su lapsus, no lo mencionó.

—Se comporta como si no le prestara atención, como si fuera cualquier otro, pero si se mueve, ella se da cuenta. Cuando le sugerí que se llevara a Travis con ella a Maryland, se le iluminó la cara como un anuncio de Navidad.

Lucy miró a su hijo en ese momento.

—Le caes muy bien a Joe.

—Pues cualquiera lo diría por como habla —replicó Travis, aunque sonrió—. Según Joe Layton, cualquier hombre incapaz de usar un serrucho como es debido no vale un pimiento. ¿Sabes lo que me soltó cuando le dije que era abogado?

Lucy ya conocía la historia de boca de Joe, pero quería escucharla de nuevo de labios de Travis.

—No tengo ni idea.

—Dijo que...

Travis volvió al presente y fue incapaz de contener una sonrisa. La noche anterior vio a su madre como la recordaba, vio su amabilidad, su buen humor, su dulzura. Se alegraba de no haber tenido que aguantar otra sesión de reproches.

Esa mujer tal vez se mantuviera firme delante de Randall Maxwell en un juzgado.

La noche anterior, cuando Travis volvió a casa, ya que así denominaba a esas alturas el lugar donde vivía Kim, ella estaba a punto de meter dos cenas precocinadas y congeladas en el microondas. En su época de universitario, Travis había pasado más de un verano enrolado en yates privados. Un año, para su más absoluto espanto, le asignaron el puesto de chef. No sabía ni cómo freír un huevo.

Devolvió los platos al congelador y empezó a buscar en el frigorífico mientras le contaba la historia a Kim.

—Allí estaba yo, sin diferenciar un huevo de una castaña, y se suponía que debía pasarme seis semanas preparando tres comidas al día para un viejo rico y su joven esposa.

Kim le dio un mordisco al bastoncillo de zanahoria que él le había preparado.

—¿Qué hiciste?

—Le puse la cara más inocente que pude —contestó, y le hizo una demostración— y le pedí a la esposa que me echara una mano.

—¿Y te la echó?

—Ya te digo —respondió Travis al tiempo que metía unas pechugas de pollo en el microondas para que se descongelaran. Estaba de espaldas a Kim mientras recordaba el viaje. No quería que le viera la cara.

Pero ella lo captó.

—¿Qué más te enseñó?

Travis se echó a reír.

—Un poco de todo. —Luz de luna, estrellas, el viejo roncando bajo cubierta... Tenía diecinueve años por aquel entonces y era inocente. Cuando regresaron a Estados Unidos, no lo era tanto.

Kim y él disfrutaron de una cena que no quería que acabase. Ella le contó más cosas sobre su joyería y lo que esperaba alcanzar.

—Pronto conseguiré un gran encargo y necesito inspiración.

—El viaje a Maryland te sentará bien.

—Esa era mi idea cuando dejé que Joce me convenciera para ir.

—Al principio, no pensaste que te acompañara ese tío, ¿verdad?

—¿Dave? No, no era el plan.

—¿Se invitó él solito? —preguntó Travis.

—Más o menos —contestó Kim—, pero creo que quiere decirme algo importante. Entre Carla y él ya me han dado suficientes pistas.

En ese momento, acudieron a su mente un sinfín de cosas que quería decir, pero Travis decidió que era mejor reservarse su opinión. El hijo de Penny, Russell, tenía una cita con Carla y habían acordado reunirse al día siguiente por la mañana para que le contase lo que había averiguado.

Sin embargo, ya era media mañana y Russell aún no había aparecido. Al pensarlo, sonrió. Comenzaba a acostumbrarse a la mentalidad de un pueblecito. En Nueva York no se levantaba hasta esa hora. Claro que solía acostarse muy tarde. A los clientes les encantaba que les enseñaran Nueva York y los entretenimientos que la ciudad ofrecía.

Cuando sonó el timbre, Travis soltó el periódico y fue a abrir caminando con grandes zancadas. Tenía curiosidad por conocer al hombre que Kim había definido como «guapísimo» y también quería conocer al hijo de la mujer a quien su padre había descrito como su «más fiel empleada». Penny trabajaba para Randall Maxwell desde muy joven, y cuando Travis se vio en la obligación de trabajar para su padre, Randall le pasó a Penny para que «lo cuidara».

Travis abrió la puerta y se encontró mirando a la cara más furiosa que había visto en la vida. Y teniendo en cuenta todo lo que su padre lo había obligado a hacer, había visto unas cuantas.

Eran casi de la misma estatura, parecían tener más o menos la misma edad y ambos eran guapos. Sin embargo, la cara de Travis mostraba los estragos de una vida de lucha, de una vida de soledad. En su mirada se reflejaban todas las ocasiones en las que se había enfrentado a la muerte durante su trabajo y también le pasaba factura la guerra declarada entre sus padres.

La mirada de Russell era furiosa. Había crecido a la sombra de la poderosa familia Maxwell y había llegado a odiar ese apellido porque los deseos de esa familia eran prioridad absoluta. Esa semana no le sorprendió que su madre le pidiera que ayudase a Travis Maxwell. Era un apellido que había aprendido antes que el suyo. Ni siquiera se sorprendió al enterarse de que Travis nunca había oído hablar de él, de que ni siquiera sabía de su existencia. La furia que sentía quedaba patente en su cara, en su postura, como si estuviera deseando que Travis dijera algo para empezar una pelea.

—Eres el hijo de Penny —comentó Travis, de pie en la puerta—. No sabía que tuv... —Se interrumpió al ver la expresión furiosa de esos ojos—. Pasa, por favor —añadió con formalidad mientras Russell lo hacía y se dirigía al salón azul y blanco de Kim.

—Menudo cambio, ¿no?

A su espalda, Travis suspiró. ¡El apellido Maxwell! El hecho de estar en Edilean y, sobre todo, el hecho de relacionarse con Joe casi lo había hecho olvidar las ideas preconcebidas que la gente solía formarse sobre él. Toda la vida había oído «Es hijo de Randall Maxwell, así que es...» y cada cual añadía lo que quería.

Al parecer, el hijo de Penny ya había decidido que era un clon de su padre.

Travis abandonó la expresión agradable que había adoptado durante esa última semana y regresó a la que tenía en Nueva York. Como nadie podía llegar hasta él, nadie podía hacerle daño.

Russell se sentó en el enorme sillón y Travis captó la indirecta: estaba estableciendo quién mandaba.

Travis se sentó en el sofá.

—¿Qué has averiguado? —le preguntó con voz gélida.

—David Borman quiere hacerse con el control del negocio de Kimberly Aldredge.

Travis hizo una mueca.

—Me lo temía. ¡Joder! Esperaba que... —Miró a Russell de nuevo y pensó «¡A la mierda!». Estaba hablando con el hijo de Penny y estaban hablando de Kim. No tenía nada que ver con el apellido Maxwell—. ¿Quieres café? ¿Té? ¿Un chupito de tequila?

Russell lo miró como si intentara saber de qué palo iba... y como si quisiera decidir si aceptar o no su ofrecimiento.

—El café me va bien.

Travis echó a andar hacia la cocina, pero Russell no lo siguió.

—Tengo que prepararlo. ¿Te importa venir a la cocina mientras lo hago?

La cotidianidad de la invitación pareció mitigar la furia de la mirada de Russell, que se levantó para acompañarlo a la cocina. Se sentó en un taburete y observó cómo Travis sacaba la lata de café en grano del frigorífico y colocaba un poco en un molinillo eléctrico.

—Supongo que esperaba verme obligado a luchar con él por Kim —comentó Travis por encima del ruido—. Una especie de duelo o algo así. —Quitó la mano de la tapa del molinillo y el ruido cesó—. A Kim le va a hacer mucho daño enterarse de esto.

Russell tenía los ojos como platos mientras veía a Travis pasar el café molido a un filtro, que procedió a colocar en la cafetera. Parecía incapaz de asimilar que un Maxwell fuera capaz de realizar una tarea tan mundana como la de preparar el café. ¿Dónde estaban los criados? ¿Y el mayordomo?

—Es el tercero.

—¿Cómo que el tercero?

—Que es el tercer hombre más preocupado por su éxito que por ella.

—¿Qué quiere decir eso?

—Según Carla... —Russell se interrumpió mientras se pasaba una mano por la nuca.

—¿Fue mal la cita? —preguntó Travis.

—Es una mujer muy agresiva.

Travis resopló.

—Eso parece, sí. ¿Te hizo trasnochar?

—Hasta las tres —contestó Russell—. Conseguí escapar por los pelos con...

—¿Con tu honor intacto? —Travis esbozó una sonrisilla.

—Exacto —respondió Russell.

—¿Has desayunado ya? Puedo prepararte una tortilla.

—No. Quiero decir que... —Russell seguía mirándolo como si no diera crédito a lo que veía.

—Es lo menos que puedo hacer por el hijo de Penny después de todo lo que ella ha tenido que aguantarme.

—Vale —accedió Russell despacio.

Travis comenzó a sacar cosas del frigorífico.

—Cuéntamelo todo desde el principio.

—¿Te refieres a la vida sexual al completo de Carla, que estuvo encantada de contarme con pelos y señales, o a lo que pude sonsacarle sobre la señorita Aldredge?

Travis soltó una carcajada.

—De Carla nada, pero sí a todo lo de Kim.

—Parece que los hombres afincados en pueblecitos pequeños no llevan bien que una mujer gane más que ellos.

A Travis le gustaría pensar que él sí lo llevaría bien, pero siempre había tenido el problema contrario.

—¿Así que todos la han dejado?

—Sí —contestó Russell mientras observaba cómo Travis le servía una taza de café recién hecho, que después dejó en la encimera junto con un cartón de leche y el azucarero. No le sorprendió comprobar que el café era excelente.

—¿Saint Helena?

—Sí —contestó Travis—. Lo compro en el supermercado de Edilean. ¿Te lo puedes creer? —Se llevó una sorpresa agradable al descubrir que Russell reconocía el sabor del carísimo y exótico café—. Supongo que Dave es distinto a los demás.

—Carla y la ex de Borman son amigas, así que Carla se lo contó todo sobre Kim, incluso el detalle de que los hombres cortan con ella. Carla desconoce por completo el significado de la palabra «discreción».

—Y el de «lealtad» —añadió Travis—. ¿Te apetece cebolla, pimiento y tomate?

—Sí —contestó Russell—. Según pude entender, la novia se lo dijo a Borman y este trazó un plan.

—A ver si lo adivino: corta con la novia y va a por Kim.

Russell se metió la mano en el bolsillo interior de la chaqueta y sacó un fajo de hojas de papel dobladas.

—Aquí están las cuentas de la empresa de Borman de estos dos últimos años.

Travis dejó las verduras rehogando mientras ojeaba las primeras páginas, pero después lo dejó para echar los huevos a la sartén y meter el pan en el tostador.

—¿Te importa...? —le preguntó a Russell.

Russell cogió los papeles y los revisó, aunque hizo una pausa para quitarse la chaqueta, que colocó en el respaldo de una silla. Se aflojó la corbata.

—Para abreviar: David Borman no es un buen cocinero, gasta demasiado y es vago.

Travis sirvió la tortilla en un plato, que dejó delante de Russell, y sacó un cuchillo y un tenedor de un cajón.

—Cortó con su novia para ir a por Kim... o, mejor dicho, para ir a por su negocio —aventuró.

—La cosa empeora —dijo Russell antes de probar la tortilla—. No está mal.

—¿No es malo que empeore?

—No. Digo que lo de Borman empeora, pero que la tortilla no está mal.

—Ah —murmuró Travis mientras observaba comer a Russell.

Tenía cierto parecido con Penny. Había pasado muchas noches con ella y habían compartido muchas comidas. En ese momento, se preguntó por qué no se había interesado por su vida personal. Claro que, de haberlo hecho, seguramente Penny no le habría contestado, pensó.

Russell lo miró como si esperase que dijera algo.

—El anillo —dijo Travis—. ¿Qué pasa con el anillo?

—Borman invitó a Carla a cenar, le contó una historia lacrimógena sobre lo mucho que quería a Kim. Consiguió que Carla le «prestara» un anillo para regalárselo cuando le pidiera matrimonio este fin de semana.

—Y después Carla le contó al pueblo entero que eso era lo que Borman iba a hacer. —Travis le sirvió a Russell la tostada y sacó la mantequilla—. Por eso Borman se invitó a acompañarla a Maryland.

—Carla no ve nada raro en que la señorita Aldredge y tú viváis juntos justo antes de que Borman le proponga matrimonio. Las palabras exactas de Carla fueron: «Creo que hay que aprovechar las oportunidades cuando se presentan.»

—Me quedo en la casa de invitados —explicó Travis sin prestarle demasiada atención, concentrado como estaba en lo que acababa de contarle.

—El pueblo entero cree que Kim y tú...

—Son rumores —le aseguró Travis. Cuando miró a Russell, lo descubrió observándolo con expresión incrédula. Travis hirvió de furia—. Parece que tú te los creíste.

Russell clavó la mirada en la comida.

—No soy quién para juzgar —afirmó.

—Y un Maxwell siempre coge lo que quiere, ¿no? —Sin embargo, Travis se quedó con las ganas de comenzar una discusión, porque Russell apuró el café con tranquilidad.

—Según mi experiencia, sí —contestó.

La honestidad de la respuesta hizo que Travis se calmara. Rellenó la taza de Russell.

—Tal vez sí —convino—. Coger lo que quiere es un credo para mi padre.

—Pero ¿no para ti? —quiso saber Russell.

Travis no se dejó engañar por el tono distendido de la pregunta. En el fondo, el tema era muy serio.

—No, yo no creo en eso.

Russell se comió la tostada y tardó un momento en hablar de nuevo.

—¿Cómo piensas recuperar el anillo?

—Soy abogado, ¿recuerdas? Lo amenazaré con una demanda por latrocinio y con la cárcel.

Russell se limpió la boca con la servilleta que Travis le había dado.

—¿Y qué le dirás a la señorita Aldredge? ¿Que su novio solo la quería por su exitoso negocio?

Travis hizo una mueca.

—Eso la machacará.

—Y este fin de semana tendrás a una mujer acongojada y deprimida en tus manos.

Travis y Russell intercambiaron una mirada comprensiva. Una mujer infeliz no era la mejor compañera.

Russell se puso en pie, cogió la chaqueta y se preparó para marcharse, pero se volvió para mirar a Travis. No había ni rastro de buen humor en sus ojos.

—Si dejas la empresa de tu padre, ¿qué pasará con mi madre? ¿La tirarán a la basura?

Travis estaba acostumbrado a que lo atacaran, estaba habituado a la rabia apenas contenida de las personas que se relacionaban con su padre. Pero ese hombre era distinto. Su resentimiento iba dirigido a él.

—Ha pasado todo tan deprisa que no he tenido tiempo de pensarlo. Supongo que asumí que volvería a trabajar para mi padre.

—No —le aseguró Russell. Su expresión indicaba que no iba a explicar su negación, pero que era algo definitivo.

—Dime lo que ella quiere y me encargaré de que lo consiga.

—Debes sentirte como un emperador al ostentar tanto poder —comentó Russell.

Travis entendía la hostilidad de ese hombre. Estaba al tanto de todas las horas, de todos los fines de semana y de todas las vacaciones que Penny había trabajado para su padre. Y él no había sido mucho mejor. Nunca se lo había pensado a la hora de llamarla un domingo por la tarde... y Penny nunca se había quejado, ni siquiera lo había mencionado. Su hijo debía de haberse pasado casi toda la vida sin la presencia de su madre. Debía de odiar el apellido Maxwell. Y parecía odiarlo a él en especial, al hijo de Randall Maxwell que tenía su misma edad. Aunque... ¿pensaría que había crecido con unos padres que lo adoraban?

—¿Qué haces? Me refiero a qué te dedicas —preguntó Travis.

La camaradería que había surgido entre ellos desapareció. La cara de Russell se convirtió en una máscara impasible y fría.

—No necesito nada de ti ni de tu padre, así que no tienes que fingir interés. Te diré lo que quiere mi madre. Y espero que mantengas tu palabra.

La hostilidad de su voz y de sus ojos hizo que a Travis se le pusiera el pelo de punta. Para aligerar la tensión, dijo:

—Dentro de un límite, por supuesto. No puedo darle el Taj Mahal. No está a la venta.

Russell no sonrió.

—En estas mismas circunstancias, tu padre compraría y despediría a todos los conservadores. ¿Hemos terminado?

—Sí, eso creo.

En cuanto Russell salió de la casa, Travis llamó a Penny, que parecía estar esperando la llamada, porque contestó al primer tono. Lo primero era ocuparse de los negocios y él quería saber dónde se encontraba David Borman en ese preciso momento. Tal como esperaba, Penny le dijo que lo averiguaría y que se lo comunicaría por mensaje.

Esa era su señal para que colgara, pero Travis no lo hizo.

—He conocido a tu hijo —comentó con cierto titubeo—. Él... esto...

Penny sabía lo que intentaba decirle. Unas cuantas semanas antes, no se habría atrevido a decir nada, pero de un tiempo a esa parte Travis parecía haberse descolgado de la autovía que lo llevaba a convertirse en otro Randall Maxwell.

—Odia todo lo que tenga que ver con el apellido Maxwell —terminó por él.

—Exacto. ¿Es reversible?

—Seguramente no.

Travis inspiró hondo.

—Le he prometido que cuando deje la empresa de mi padre, me encargaré de que consigas lo que quieras. Para asegurarme de que no meto la pata, ¿por qué no me dices lo que quieres?

—Que mi hijo sea feliz. Nietos —contestó Penny a toda prisa.

—Te pareces a mi madre.

—Viniendo de ti, es un magnífico halago —replicó ella—. En fin, déjame pensarlo. Por lo que Russ me ha contado de Edilean, creo que me gustaría jubilarme e irme a vivir a ese pueblo.

—No es mala idea. ¿Has visto las joyas que te ha comprado?

Penny soltó una carcajada.

—Pues sí. ¡Son preciosas! Tu Kim tiene mucho talento.

—Lo tiene —convino Travis con una sonrisa.

Se despidieron y colgaron. Antes de que hubiera terminado de recoger la cocina, Penny le mandó por mensaje la dirección del negocio de Borman.

—Voy a matarlo —mascculló Travis antes de abalanzarse hacia la puerta.

10

Travis ni siquiera llegó a la puerta. El instinto masculino lo urgía a salir en busca de ese tío para hacerlo pedazos. Ya se imaginaba dándole un puñetazo en la cara. Pero y después, ¿qué? ¿Hacía lo que le había dicho a Russell y lo amenazaba con denunciarlo? ¿Con mandarlo a la cárcel? ¿Llegaría al extremo de usar el apellido Maxwell para intimidarlo?

¿Qué repercusiones tendría algo así? Un tipo como Borman carecía de principios morales, porque, de lo contrario, no habría planeado casarse por dinero, así que no huiría con el rabo entre las piernas y sin armar jaleo. Buscaría a Kim y... No quería ni imaginarse el daño que podía ocasionar.

De modo que se quedó donde estaba e intentó calmarse lo suficiente para poder pensar con claridad lo que debía hacer. Necesitaba tranquilizarse y trazar un plan para resolver ese embrollo de forma que Kim no sufriera daño alguno.

Comprendió que el encuentro con el tal Borman iba a ser el más importante de su vida. Lo que menos le convenía era aparecer con la escopeta cargada, por así decirlo. Ya había tratado con hombres de su ralea antes, hombres que pensaban que el fin justificaba los medios. Si para conseguir un negocio había que casarse con la dueña, lo hacían encantados de la vida.

Travis también había aprendido que los hombres que perdían a lo grande solían vengarse en la misma medida. Si lo amenazaba y lo obligaba a salir de la vida de Kim, Borman podría ponerse en contacto con ella y volver las tornas de tal forma que él acabara siendo el culpable de todo.

No, era mejor librarse de él de manera que el tipo se creyera el ganador, que creyera incluso que había timado a alguien. De ese modo, no se sentiría en la obligación de vengarse, no querría devolvérsela a Kim, no querría hacerle daño.

Travis llamó de nuevo a Penny, que contestó de inmediato.

—¿Estás replanteándote lo del duelo? —le preguntó.

—Pues sí —contestó él.

—Eso pensaba —replicó Penny, que parecía orgullosa de él—. El Maxwell que llevas dentro suele mantener la cabeza fría.

Travis no estaba seguro de sentirse halagado por sus palabras.

—Quiero que organices un encuentro para hoy con el tal Borman. Necesito que sea en un sitio que impresione. Una biblioteca o algo así. Con un gran escritorio. Muy lujosa. Cuanto más recargada la sala, mejor. Dile que quiero comprar su empresa, que estoy impresionado con sus logros. Halágalo.

—No sé yo si podré mentir hasta ese punto.

—Si trabajaste para mi padre, eres capaz de mentir.

—Si yo te contara... —replicó ella con sorna.

—Necesitaré un contrato donde se constate que todo pasará a mi nombre: el equipamiento, la plantilla de trabajadores, todo. Deja el hueco en blanco para negociar el precio. Estoy planeando darle una cantidad asombrosa de dinero para comprarle esa empresa moribunda. Después, quiero que le digas, en confianza, que te has enterado por casualidad de que su competencia me asusta, así que le convendría abandonar este estado. Hoy. Antes de que anochezca. Que es mejor que ni siquiera recoja las cosas de su apartamento.

—¿Qué apellido quieres que aparezca en el contrato?

Travis frunció el ceño.

—Si ve el apellido Maxwell, volverá a por más.

—¿Y si lo firma un tal Russell Pendergast? Puedo entregarle el dinero a través de su cuenta.

—Perfecto —contestó Travis.

—¿Querrá llamar a Kim para despedirse?

—¡No! Yo me encargo de eso. Avísame cuando lo tengas todo listo. ¿Crees que lo conseguirás para dentro de un par de horas?

Penny ni siquiera se molestó en responder.

—¿Te parece bien a las cuatro de la tarde? Así podrás llegar a casa a tiempo para cenar con Kim.

—¡Penny, te quiero! —exclamó él.

Su secretaria tardó un instante en replicar, y Travis pensó que tal vez se había excedido un poco.

—Voy a pedirle información sobre Edilean a un agente inmobiliario. Creo que es un lugar mágico.

—A mi padre le encantará comprarte una casa.

Por algún motivo que Travis no alcanzó a entender, a

Penny le hizo tanta gracia el comentario que cortó la llamada entre carcajadas.

A las cuatro menos cuarto, Travis llegó a la fastuosa propiedad de un hombre que había obtenido unos pingües beneficios tras hacer negocios con Randall Maxwell. La propiedad se encontraba a una hora de distancia de Williamsburg y Travis había hablado tres veces con Penny durante el trayecto. La idea era que se familiarizara con la estancia en la que se iba a celebrar el encuentro con Borman a fin de dar la impresión de ser el dueño del lugar.

—El contrato estará en la mesa —le aseguró Penny—. Tanto Russell como yo hemos hablado ya con Borman. Está muy interesado en vender y cree que te asusta tanto la competencia de su empresa que serás capaz de pagarle lo que te pida con tal de librarte de él.

—Justo lo que pienso hacer —replicó Travis—. Pero no por la razón que él cree. ¿Cuál es el precio justo?

—Russ asegura que unos doscientos mil dólares, tirando al alza. Tiene demasiado material y pocos encargos. La semana pasada utilizó pescado barato en lugar de cangrejo para un pedido. Le dijo a un empleado que no lo distinguirían, pero la madre de la novia se percató. El padre se negó a pagarle.

—Me alegra saberlo —comentó—. Deséame suerte.

—Suerte y, aunque no te lo creas, Russ también te la desea. No sé qué habrás hecho esta mañana, pero está más suave que un guante, algo que yo no he conseguido en la vida.

Travis sonrió.

—Aunque me ha mirado en un par de ocasiones como si ardiera en deseos de empalarme, me cae bien. Me recuerda a ti.

—¿Ah, sí? —preguntó Penny, encantada—. Nos vemos mañana en Janes Creek.

—Me muero de ganas —replicó él antes de colgar.

Si las cosas salían bien, a la noche siguiente se encontraría en la acogedora habitación de un bed & breakfast con una puerta que lo llevaría directamente a la habitación de Kim.

Unos minutos después, llegó a la mansión Westwood y aparcó delante de la fachada principal, tras lo cual le entregó las llaves a un chico que lo estaba esperando. Si la propiedad se parecía a la de su padre, cuando se marchara le habrían lavado el coche, lo habrían encerado y le habrían pasado la aspiradora por el interior.

Antes de que llegara a la puerta principal, vio que la abría un mayordomo de uniforme.

—El señor Pendergast lo espera en el salón sur —anunció mientras conducía a Travis a una espaciosa y bonita estancia con paneles de madera de castaño y una alfombra azul y beige.

Los muebles habían sido diseñados de forma que parecían llevar años en ese lugar. Como si fueran el legado de una antigua fortuna. Sin embargo, el buen ojo de Travis le dijo que todo era nuevo.

—Este ambiente te pega más —le comentó Russell mientras se acercaba a él.

—Corta el rollo o se lo diré a tu madre.

Russell contuvo una sonrisa.

—Me han dicho que te diga que Borman aceptará doscientos mil o doscientos cincuenta mil como mucho. Pero es demasiado. Las furgonetas no valen casi nada y les debe varios meses de sueldo a sus trabajadores.

Travis asintió con la cabeza.

—¿Dónde está?

—En la biblioteca. Ha llegado con veinte minutos de adelanto.

—Está ansioso por deshacerse de todo, ¿verdad? ¿Se le han comunicado las condiciones?

—Debe largarse del pueblo lo antes posible. Para ayudarlo, he usado la tarjeta de crédito de mi madre y le he comprado un billete de avión a Costa Rica. Ya te pasarán la factura.

—Esa parte te ha gustado, ¿verdad?

—No sabes cuánto.

Travis meneó la cabeza y le echó un vistazo al reloj. Se había puesto su mejor traje y una corbata negra con rayas doradas. Aún faltaban tres minutos para las cuatro.

—Tu madre quiere mudarse a Edilean cuando se jubile.

—Eso me ha dicho.

—¿Y tú? ¿Dónde vives?

Russell no contestó a la pregunta.

—Creo que ha llegado el momento de que entres. ¿Quieres que te lleve los documentos?

—Puedo arreglármelas solo. —Mientras caminaba hacia la puerta de la biblioteca, recordó que Penny le había dicho que el contrato estaría sobre el escritorio. Sin embargo, Russell acababa de decirle que si quería los documentos. Lo que significaba que estaba presente a espaldas de su madre. Interesante—. ¿Te gusta escalar? ¿Esquiar? ¿Navegar?

—Sí —contestó Russell, al tiempo que señalaba la puerta con un gesto de la cabeza. Al parecer, no pensaba revelar más datos sobre su persona—. Te gustará saber que he rebajado las expectativas de Borman a ciento setenta y cinco mil.

Travis parpadeó varias veces. No estaba acostumbrado a que negociaran por él, pero en ese caso estaba agradecido.

—Gracias —replicó—. Aprecio tu...

Russell lo interrumpió.

—Son las cuatro.

Travis respiró hondo y abrió la puerta. David Borman estaba sentado en un sillón de cuero tan grande que lo empequeñecía hasta el punto de parecer insignificante. Nada más verlo, comprendió que Russell había colocado dicho sillón a propósito. Era difícil no sonreír. Pese a la hostilidad y la renuencia de Russell para responder preguntas, a Travis empezaba a caerle bien. Nada más ver al hombre que lo esperaba sentado en el sillón, pensó que Kim merecía algo mucho mejor. Borman no era alto, estaba delgado y su pelo era tan rubio que resultaba casi invisible. No resultó sencillo reconciliar los datos que sabía de ese hombre con la persona que tenía delante. A simple vista, no parecía un embaucador.

—¿Es usted Westwood, el dueño de este lugar? —le preguntó Borman, con los ojos como platos a causa del asombro, que era la reacción que buscaba Travis.

En vez de contestarle, lo contempló con lo que la gente denominaba «la mirada furiosa de los Maxwell».

Borman se echó hacia atrás en el sillón, un gesto que traicionó lo nervioso que se encontraba.

Travis se sentó y se tomó su tiempo leyendo el contrato. Era muy simple. Compraba Catering Borman con todos sus activos. Adquiría el nombre, el equipo e incluso la plantilla de trabajadores.

El documento estaba firmado por Russell Pendergast. Travis se fijó más en la firma que en el contrato en sí. Era una firma de trazo seguro y decidido. Y le recordó algo, pero no supo qué.

Cuando alzó la vista, Borman se estaba mordiendo la uña de un pulgar y tenía sudor sobre el labio superior.

—Señor Borman —dijo Travis mientras unía las manos sobre el contrato—, acaban de informarme de cierta circunstancia que podría causar un sinfín de problemas difíciles de resolver.

Broman respiró hondo y murmuró:

—¿Qué ocurre?

—Me han informado de la desaparición de un anillo. No quiero tener el menor problema con las autoridades.

Borman suspiró, aliviado, y se levantó un poco para sacarse la cartera de un bolsillo del pantalón.

—Eso es algo personal, no está relacionado con mi empresa. —Sacó un trozo de papel de la cartera y se inclinó hacia delante para dejarlo en el escritorio—. Debo decir que ha hecho usted sus deberes muy bien. ¿Dónde tengo que firmar?

—Es el recibo de una casa de empeños —señaló Travis, consciente de lo que significaba.

La empleada en la que Kim confiaba le había entregado un anillo a Borman, que a su vez lo había empeñado. Sin embargo, Travis había aprendido hacía mucho tiempo que no debía sacar conclusiones precipitadas, que no debía analizar una situación basándose en rumores. Al fin y al cabo, solo conocía la versión de Russell acerca de lo que tramaba ese tipo.

Y pese a sus deseos de librarse de ese hombre, quería pruebas fehacientes que procedieran de él y que demostraran lo que había hecho. Se acomodó en el sillón y clavó la mirada en el recibo que descansaba sobre el escritorio.

—Señor Borman, mis negocios son transparentes. No firmo contratos si están de por medio la policía o las casas de empeños.

—¿La policía? No sé de qué está hablando. Tengo una pequeña deuda, con mis proveedores y eso, pero jamás he hecho nada ilegal.

—Según tengo entendido, ese anillo vale varios miles de dólares. No quiero recuperarlo de la casa de empeño para descubrir que ha sido robado.

Borman apoyó la espalda en el respaldo del sillón, miró el contrato sin firmar que seguía sobre el escritorio y después volvió a mirar a Travis. Parecía muy molesto.

—No tiene la menor importancia —le aseguró—. Es un asunto personal con una mujer, nada más. Puede recuperar el anillo y devolvérselo. No habrá denuncia alguna.

La expresión de Travis era muy seria, la que solía lucir cuando trabajaba para su padre.

—Quizá debería explicarme a fondo este asunto. O quizá yo deba suspender el trato. —Cogió el contrato e hizo ademán de romperlo en dos.

—¡No! —gritó Borman, aunque después se calmó—. Es un lío de faldas, nada más. —Al ver que Travis no se contentaba con eso, siguió—: Una mujer, una pelirroja muy mona. Tiene una joyería cerca de aquí. Un negocio pequeño, nada del otro mundo. El problema es que se trata de una mujer. ¿Me entiende?

—No estoy seguro de hacerlo. —Travis soltó el contrato sobre el escritorio para centrarse por completo en Borman.

—El problema es que ella trabaja a pequeña escala cuando debería pensar a lo grande. Intenté hablar con ella al respecto, por su bien. Pero se negó a escucharme. Yo pretendía extender su negocio al ámbito nacional, quería que lo convirtiera en una cadena de joyerías. Mi idea era llamarlo «Las joyas del pecado». ¿Lo pilla?

—Lo pillo —contestó Travis, que había apretado los puños bajo el escritorio.

—Pero ella se rio de mí. No le dije exactamente que lo del nombre iba en serio, porque puede ser un poco santurrona. Es el tipo de mujer que va todos los domingos a misa. El caso es que se negaba a expandirse, así que decidí que lo mejor sería casarme con ella, porque así podría ayudarla mejor. Mi interés era solo ese, ayudarla. ¿Me entiende?

—Sí, lo entiendo. —Travis respiró hondo—. ¿Ella está al tanto de los motivos por los que quería casarse con ella?

—¡Joder, no! Es muy lista, así que he tenido que avanzar con tiento. He sido muy cariñoso con ella, el hombre más atento del mundo. La he tratado con el máximo respeto. Hasta en la cama. Todo muy básico, no sé si me entiende.

Travis tuvo que hacer un gran esfuerzo para no lanzarse sobre el escritorio y estrangularlo.

—¿Y el anillo? ¿Dónde encaja en todo esto?

Borman se encogió de hombros, y su expresión dejó claro que estaba encantado con el interés que Travis demostraba.

—Para pedirle que se casara conmigo necesitaba un anillo, ¿no? Pero ¿por qué comprar uno cuando ella tenía una joyería? Había un montón de anillos en su tienda, unos cincuenta y todos eran gratis para mí... o lo serían después de que nos casáramos. —Se inclinó hacia delante, como si estuviera a punto de revelarle un secreto a Travis—. Tiene una caja fuerte en el garaje llena de... No tengo ni idea de lo que puede tener. Vive en un mundo de oro y joyas. La cueva de Alí Babá, llena de diamantes y perlas. Le encantan las perlas. Una vez incluso intentó darme una charla sobre los distintos tipos de perlas que existen. Como si me interesara el tema, vamos...

—¿Ha visto lo que guarda en la caja fuerte?

—Qué va —contestó Borman al tiempo que se encogía de hombros—. En una ocasión intenté convencerla de que la abriera, pero no lo conseguí. Incluso traté de sonsacarle la combinación para abrirla, pero no hubo manera.

Travis no se había sentido tan furioso en la vida, ni había sentido un odio tan grande por otra persona.

—Entiende usted las condiciones del contrato, ¿verdad?

—Por supuesto. —Miró a Travis como si compartieran un secreto—. Usted no quiere competencia. Es como yo. Somos hombres de negocios y nos entendemos mutuamente. Es una lástima que las mujeres no lo hagan.

Travis ni siquiera se dignó a replicar, ya que no se fiaba de lo que pudiera decir dado lo que sentía en ese momento. Esbozó una sonrisa falsa, como si pensara que ese tío era un genio, y después anotó en el contrato la exorbitante cifra que Russell había negociado. Él le habría dado más. Fingió firmar en el lugar donde ya estaba la firma de Russell.

Borman se puso en pie de un salto, ansioso por firmar. Lo hizo en la parte inferior, sin leer nada. Travis le entregó la copia que le correspondía.

—¿Ha planeado llamarla para despedirse de ella? —le preguntó Travis, a pesar de que aún le temblaban las manos por el deseo de asestarle un puñetazo.

—No tengo tiempo —respondió Borman mientras se

volvía hacia la puerta—. Tengo cosas importantes que hacer. Entre ellas, ir en busca de mi ex novia. Esa mujer sí que sabe satisfacer a un hombre en la cama. No sé si me entiende.

—Perfectamente —replicó Travis, que siguió donde estaba, observando cómo Borman salía de la biblioteca. Necesitaba darse una ducha con un desinfectante.

No supo cuánto tiempo estuvo de pie antes de que Russell entrara por una puerta lateral.

—¿Ha aceptado?

Travis titubeó.

—¿Te refieres al dinero? Por supuesto.

—¿Qué es esto? —Al ver que Travis no se volvía para mirarlo, Russell siguió sosteniendo el papel en la mano.

Cuando Travis se volvió por fin para mirarlo, se percató de lo que era.

—El recibo de una casa de empeños.

—Ya lo veo. ¿Qué ha empeñado? ¡Ah, ya! El anillo. —Russell leyó la dirección del recibo—. ¿Qué planes tenía para este fin de semana cuando le pidiera matrimonio a la señorita Aldredge sin anillo que entregarle?

—Creo que pensaba decirle que desconocía que hubiera desaparecido un anillo de la joyería.

—Su palabra contra la de Carla, como si ella fuera la que lo había robado.

—Eso creo —dijo Travis mientras extendía el brazo para que le devolviera el recibo—. Iré a la tienda de empeños para recuperarlo.

—¿Llevas dinero encima? —le preguntó Russell.

—En efectivo no me llega, pero llevo tarjetas de crédito.

—¿Una casa de empeños que acepta tarjetas de crédito? Además, no puedes usar las tuyas. —Russell enarcó una ceja.

Travis desconocía por completo cómo operaban las casas de empeño y qué tipo de pago aceptaban.

—Yo recuperaré el anillo, tú puedes acompañarme si quieres. Además, tu coche tiene dos ruedas pinchadas.

—¿Que mi coc...? —protestó, pero guardó silencio al caer en la cuenta de que Russell estaba mintiendo sobre el coche. No le importó. En ese momento, necesitaba compañía, necesitaba algo que lo librara del hedor de Dave Borman—. De acuerdo —claudicó—. Pero conduzco yo.

Russell resopló por la nariz.

Dos horas después, habían recuperado el anillo y casi habían llegado a Edilean. Russell conducía. En su mayor parte, había sido un trayecto tranquilo, y Travis ya no sentía la hostilidad que antes percibía por parte de Russell.

—¿Cómo cree la señorita Aldredge que te apellidas? —le preguntó Russell.

—No me ha preguntado y yo no se lo he dicho.

—Estupendo. Buenos cimientos —murmuró Russell.

—¿Tu vida es mejor? —le soltó Travis.

—No tan complicada como la tuya, la verdad —replicó Russell con tranquilidad.

Travis miró por la ventana.

—Sí, creo que ha llegado el momento de decírselo.

—¿Vas a decirle por qué no va a aparecer Borman en Janes Creek? ¿Vas a contarle el teatrillo que has interpretado en la biblioteca? ¿Y si añades que ahora eres el dueño de Catering Borman?

—¿Qué pasa contigo, vas de juez de un tribunal federal o qué? ¿Quieres todos los detalles?

—Me resulta curioso ver cómo lleva su vida el hijo del gran Maxwell.

Travis estuvo a punto de replicar, pero habían llegado a casa de Kim y había un coche desconocido en el camino de entrada.

—No será Borman, ¿verdad?

—No creo —respondió Russell—, pero yo no me fiaría.

—Aparca al doblar la esquina. Entraré por la puerta trasera. —Al cabo de unos minutos, Travis caminaba hacia la casa de Kim con Russell pisándole los talones—. ¿Adónde vas?

—Mi madre me ha dicho que te ayude en todo lo que sea necesario. Si se trata de Borman, necesitarás apoyo.

Travis sabía que si llegaban a un enfrentamiento, no necesitaría ayuda para lidiar con Borman. Claro que no sabía cómo iba a reaccionar Kim cuando escuchara todo lo que tenía que decirle. Además, ¿hasta qué punto debía contarle? Si iba a decirle la verdad sobre su identidad, también debería hablarle de Borman y del anillo. O quizá debía posponer la parte sobre cómo habían manipulado a Borman para comprar su empresa y...

—Veo que te está entrando el canguelo... —comentó Russell.

—Penny debería haber pasado más tiempo contigo para enseñarte mejores modales.

—Lo intentó, pero estaba demasiado ocupada trabajando para tu familia como para ocuparse de mí.

—Si alguna vez te apetece comparar nuestras infancias, por mí encantado —replicó Travis.

—Tú por lo menos tuviste... —dijo Russell, pero guardó silencio al escuchar una furiosa voz masculina que hablaba a gritos.

Travis corrió hacia la puerta trasera. Como siempre, estaba abierta. Entró con Russell justo detrás.

Tan pronto como Travis escuchó su nombre, supo que debía marcharse, pero fue incapaz de moverse. Sintió la presencia de Russell tras él, que también estaba sorprendido y como si lo hubieran plantado en el suelo.

—¡Kim! ¿Estás loca? —gritaba el doctor Reede Aldredge, dirigiéndose a su hermana—. Ni siquiera sabes quién es ese tío.

—Vaya tontería. Lo conozco desde que tenía ocho años. Es Travis... —No estaba segura de cuál era su apellido, si era Cooper o Merritt o algún otro.

—Es John Travis Maxwell y su padre es Randall Maxwell.

—¿Y qué? Me suena ese nombre, pero...

—Deberías leer otra cosa aparte de revistas de joyería. Busca en la web de Forbes. Randall Maxwell es uno de los hombres más ricos del mundo. Y su hijo Travis es su mano derecha. Maxwell es un especialista en adquirir las empresas de otros. Cuando descubre que una empresa va mal, aparece y la compra por una minucia, y después envía a su equipo para levantarla de nuevo. Despide a miles de personas, las echa de su trabajo. ¿Y sabes quién lo hace posible? Su brillante hijo, Travis, el abogado... el tío que vive en tu casa de invitados.

Kim apretó los dientes.

—Existen ciertas circunstancias atenuantes que tú ignoras.

—Pues habla.

—No puedo. Le prometí a Travis que...

—¿Insinúas que soy incapaz de guardar un secreto? ¿Sabes cuántas intrigas y cuántos secretos conozco de la gente de este pueblo? Quiero saber qué hace este Travis Maxwell en Edilean. Si está planeando comprar alguna empresa para su padre, creo que deberíamos avisar a la gente.

—No es eso —le aseguró Kim—. Travis solo trabaja para su padre porque quiere proteger a su madre.

—Eso no tiene sentido. ¿Te ha estado contando esas tonterías?

Kim apretó los puños.

—Su madre es Lucy Cooper, la mujer que se ha estado escondiendo de mí durante cuatro años. Tenía miedo de que yo la reconociera, porque la vi cuando era pequeña.

Reede respiró hondo para calmarse. Era consciente de que estaba enfadando a su hermana, y cuando Kim se enfadaba, no atendía a razones.

—Tal vez —replicó Reede—. Quizás el tal Travis ha venido por su madre. Pero ¿qué tiene eso que ver contigo?

—Nada, supongo —contestó Kim—. Salvo que lo estoy ayudando. Estamos planeando qué hacer. Estamos...

—¿Crees que lo estás ayudando a trazar un plan? —la interrumpió Reede con voz desdeñosa—. Kim, no me gustaría romper tu burbuja, pero Travis Maxwell es un reconocido playboy. Y ahora te está utilizando.

—¿Para qué?

—¡Pues para lo que quieren todos los hombres! —respondió, exasperado—. Ya te ha manipulado para que le des la casa de invitados que me prometiste a mí.

Kim lo miró un instante, sorprendida, y después no pudo evitar echarse a reír.

—Estás hablando de sexo, ¿verdad? Crees que Travis me ha engañado para que le permita usar la casita de invitados que tú no quieres y solo para acostarse conmigo.

Reede la miró furioso, pero guardó silencio.

—¿Sabes una cosa, Reede? En la vida me he sentido tan halagada. Que un hombre llegue a tal extremo solo para llevarme a la cama es lo mejor que he escuchado jamás. Los hombres de hoy en día no se esfuerzan en absoluto para conquistar a una chica. Si te invitan a salir, se limitan a decirte la hora y el lugar. Siempre y cuando superes sus expectativas de belleza y ganes menos dinero que ellos, claro. De lo contrario, se largarán y te dejarán plantada. Ni siquiera te llevan a casa en coche porque para eso tienes el tuyo.

—No todos los hombres somos así —le dijo Reede—. Y te has ido por las ramas. El tipo este con el que estás tonteando no es como Paul, el del catering. Maxwell es...

—¡Dave! —exclamó Kim—. Se llama Dave, llevo seis meses saliendo con él y no existe un hombre más aburrido que él en la cama. Alguien debería decirle a David Borman que hay más de una postura.

—Preferiría no escuchar...

—¿No escuchar que tu hermana pequeña no es virgen?

—Nunca he... —dijo Reede, que acabó levantando las manos—. Sabía que no me escucharías. Nunca lo haces. Eres mi hermana y no quiero que te hagan daño. Sea cual sea el motivo por el que ha venido Maxwell, se irá cuando acabe y te abandonará. —Apartó la mirada un instante—. Kim, sé lo que se siente cuando te arrancan el corazón. No quiero verte pasar por eso.

Kim se percató del dolor de su mirada. Reede se había pasado todos los años del instituto y gran parte de su periodo universitario enamorado de una chica del pueblo. Nunca miró a otra mujer. Después, ella lo abandonó de repente y dijo que iba a casarse con otro. Reede había tardado años en superarlo.

—Lo sé —susurró ella—. Entiendo que estés molesto. Pero, Reede, sé lo que estoy haciendo. Sé que Travis está muy por encima de la gente de Edilean. No ha venido para casarse, instalarse en una casa de tres dormitorios y dos cuartos de baño, y tener niños.

—Pero eso es lo que tú quieres —protestó Reede—. Lo sé. Te pasaste llorando toda la boda de Jecca y Tris.

—Pues sí —reconoció Kim en voz baja—. Es lo que quiero. Lo deseo con toda mi alma. ¿Crees que compré esta casa tan grande solo por el dichoso garaje? La verdad... —Tuvo que contener las lágrimas porque lo que iba a decir era una verdad como un templo, pero admitirlo era doloroso—. A veces, creo que la compré como cebo. Para atraer a algún hombre agradable, para facilitarle la idea de mudarse...

Reede la abrazó, pegó su cabeza contra su torso y le acarició el pelo.

—No digas esas cosas. Cualquier hombre estaría honrado de tenerte a su lado. Eres lista, graciosa, cariñosa y...

—¿Y dónde está ese hombre? —replicó Kim mientras abrazaba a su hermano—. ¿Dónde está ese hombre capaz de ver mis virtudes y de pasar por alto mis defectos? He pasado seis meses con David, el del catering, y no me he quejado ni una sola vez de lo aburrido que es. —Se apartó de su hermano y se limpió las lágrimas—. Al menos Travis se esfuerza.

—Sí, pero ¿para qué? —le preguntó Reede mientras le ofrecía un pañuelo de papel.

Ella se sonó la nariz.

—Espero que quiera una noche de sexo loco y salvaje.

—¡Kim! —exclamó su hermano, espantado como si fuera un padre del siglo XIX.

—A ver, sé que Travis se irá algún día. Cuando de verdad compruebe que Joe Layton es un buen hombre que está coladito por Lucy, Travis se irá tan inesperadamente como vino. Cuando éramos pequeños pasó eso, desapareció de un día para otro. Sin dejar una nota ni nada. Y ha vuelto de la misma manera, sin avisar. Sé que aparece y desaparece a su antojo, sin pensar en los demás.

—Estoy de acuerdo —dijo Reede—. Volverá al imperio de su padre y... Kim, algún día Travis Maxwell será igual que su padre. Y tú no querrás formar parte de eso, ¿verdad?

—No —contestó Kim, que miró a su hermano por encima del borde del pañuelo de papel—. Pero mientras esté aquí, quiero darme un atracón de sexo. Días enteros. O semanas. Si fueran meses, por mí genial.

—Eso es... —replicó Reede con seriedad, pero acabó meneando la cabeza—. Es difícil para mí pensar en mi hermanita haciendo... —Ni siquiera fue capaz de encontrar las palabras que explicaran sus sentimientos. De modo que miró su reloj—. Tengo que irme. Ya voy tarde. Quiero que me prometas que buscarás en Internet a Travis Maxwell para enterarte de cómo es ese tío. Ha estado saliendo con una modelo llamada Leslie que es guapísima.

—No como yo, ¿verdad?

Reede gimió al comprender que había metido la pata.

—Eso no es lo que quería decir y lo sabes muy bien. No quiero que te hagan daño. ¿Tan malo es eso por mi parte?

—Por supuesto que no. Es mejor que te vayas. Tus pacientes te necesitan.

—Luego te llamo —le dijo su hermano mientras la besaba en una mejilla.

—Te acompaño hasta el coche —se ofreció ella, que lo siguió al exterior.

Travis siguió donde estaba incluso después de escuchar que se cerraba la puerta principal. Siguió quieto y con la vista clavada en la puerta del salón. No le había gustado lo que había escuchado sobre sí mismo.

—Será mejor que nos vayamos —dijo Russell en voz baja—. A ella no le sentará bien saber que has escuchado todo eso.

La mente de Travis parecía trabajar a marchas forzadas, pero también parecía paralizada. Era incapaz de decidir qué hacer. ¿Hablar con ella? ¿Huir? ¿Quedarse para defenderse? ¿Convencerla de que no era el hombre que le habían asegurado que era?

Russell le colocó una mano en un brazo y lo instó a volverse hacia la puerta.

—Es irónico, ¿verdad? —comentó Travis—. Yo busco amor y ella quiere sexo.

Russell soltó una carcajada y empujó a Travis hacia la puerta. Sin embargo, se habían demorado demasiado.

—No os mováis de ahí —dijo Kim, que estaba detrás de ellos.

11

Russell apartó la mano del brazo de Travis y se alejó de él.

—¿Cuándo me lo ibas a contar? —preguntó Kim, con la vista clavada en Travis. Si pensaba en todo lo que acababa de decirle a su hermano, y que Travis había escuchado en su totalidad, se moriría de la vergüenza.

Travis se tomó su tiempo para volverse y, cuando lo hizo, deseó haberse escabullido sin verla. Jamás había visto una mirada tan furiosa en una mujer. «Es la segunda persona que me odia», pensó. Russell esa mañana y en ese momento Kim, que lo miraba como si fuera un engendro del infierno.

—He venido para contarte la verdad sobre mí.

—Qué conveniente —replicó Kim—. ¿Por qué no me la has contado antes? Me contaste que tu madre se escondía de tu padre, que quería casarse con Joe Layton, pero no se te ocurrió mencionar que eres abogado y que te apellidas Maxwell. ¿Creías que me convertiría en una arpía avariciosa y que iría tras la fortuna familiar?

—Claro que no —le aseguró Travis. No sabía por dónde empezar—. Pero es que... Yo... Esto...

—Perdonadme, pero tengo un poco de hambre —terció Russell—. ¿Te importa si...? —preguntó al tiempo que señalaba el frigorífico.

—Sírvete tú mismo —contestó Kim con la vista clavada en Travis.

—Kim, preciosa —dijo él. Cuando se percató de que los ojos de Kim estaban a punto de echar chispas, cambió de táctica—. No era mi intención que...

—Le daba miedo que lo odiaras por la reputación de los Maxwell —explicó Russell desde el otro lado de la puerta del frigorífico.

—Sí —convino Travis—. El apellido Maxwell saca lo peor de mucha gente.

—A mí me pasa —aseguró Russell—. ¿Hay mostaza? Ah, sí, ya la veo.

Kim se volvió hacia él.

—Eres el de la joyería. El que invitó a cenar a Carla.

—Russell Pendergast —se presentó el aludido con una sonrisa—. Te daría la mano, pero... —Tenía los brazos llenos de comida y de pan—. ¿A alguien le apetece un sándwich?

—¡No! —exclamaron Travis y Kim al unísono.

—Es el hijo de mi secretaria —dijo Travis—. Lo he conocido esta misma mañana. Ni siquiera sabía de su existencia hasta hace un par de días, cuando Penny me dijo que su hijo me ayudaría. En aquel momento, me pareció que estaba hablando de un crío de seis años. Pero es su madre. Tú y yo hemos hablado de cómo nos ven nuestros padres. ¿Te acuerdas, Kim?

Ella seguía fulminándolo con la mirada.

—¿De qué forma te ha ayudado el hijo de tu secretaria y por qué tiene que ver con mi joyería y con mi empleada?

Travis inspiró hondo. Parecía que su intento por distraerla no había funcionado.

Russell no lo ayudó al echarse a reír.

—¿Te importa dejarnos solos? —le preguntó Travis con el ceño fruncido.

—Pues la verdad es que sí me importa —contestó Russell—. Ninguna obra de Broadway me ha gustado tanto, pero me iré si la señorita Aldredge quiere que lo haga.

—No quiero volver a estar a solas con este hombre en la vida. Y, por favor, llámame Kim.

—Encantado —replicó al tiempo que la miraba con admiración.

—¡Russell! —masculló Travis—. Te juro que como se te ocurra...

—¿¡Que como se le ocurra qué!? —exclamó Kim—. Travis, espero tu respuesta.

Jamás se había encontrado en una situación en la que no pudiera usar su piquito de oro para salir airoso. Sin embargo, había demasiadas cosas en juego y no podía pensar con coherencia.

—Yo... —titubeó, sin saber qué decir. Acto seguido, se metió una mano en el bolsillo del pantalón y sacó el enorme anillo de zafiros que Borman había robado.

»He recuperado esto —dijo con un deje esperanzado.

Al ver que Kim no hacía ademán de cogerlo, dejó el anillo en la encimera.

—Ya veo. El anillo desaparecido. —Kim meditó un momento—. Si tú tienes el anillo, eso quiere decir que hayáis hecho lo que hayáis hecho, tiene que ver con mi novio, Dave. Quiere decir que lo habéis conocido.

Travis se puso serio.

—Sí, lo hemos conocido y, Kim, tú no lo conoces en absoluto. No es como crees que es. La verdad es que va detrás de...

—Quiere que extienda la joyería al ámbito nacional y llamarla Las joyas del pecado. Me lo tomé como el chiste que es. No lo de la expansión, sino lo del nombre.

Los dos se quedaron tan sorprendidos por sus palabras que Russell dejó de comer y Travis la miró boquiabierto.

Kim se dio la vuelta. Estaba tan furiosa que le costaba respirar. Su amiga Gemma era boxeadora. En ese preciso momento, si Kim supiera cómo, habría golpeado a Travis tan fuerte que le habría arrancado la cabeza y la habría visto rodar por el suelo.

Lo miró de nuevo.

—¿Por qué diste por supuesto que no sabía qué quería Dave? ¿Te pareció un hombre sutil? ¿Misterioso?

—No —contestó Travis—. Pero si sabías la verdad, ¿por qué estabas pensando en casarte con él?

Kim estaba casi segura de que si Dave le hubiera propuesto matrimonio, lo habría rechazado. Antes de que Travis apareciera, tal vez lo hubiera aceptado, pero lo achacaba a la reciente boda de su amiga Jecca. Por supuesto, una vez recuperado el buen juicio, no habría seguido adelante. ¡Pero de ninguna de las maneras se lo iba a decir a Travis!

—¿Hay algún hombre sobre la faz de la tierra que no contempla el matrimonio con segundas intenciones? Al menos Dave fue sincero conmigo. Me dijo que estaba interesado en mi empresa y que tenía algunas ideas.

—Pero... —comenzó Travis.

—Pero ¿qué? ¿Debería esperar a un hombre como tú?

Comparado con todas las mentiras que me has contado y con lo que me has manipulado, Dave es casi un santo.

Kim quería concentrarse en el tema principal. Quería hablar de él, de Travis, de lo que había hecho, no de David Borman. Porque eso no era asunto de Travis.

—A ver si me entero bien. Eres un Maxwell, el hijo de uno de los hombres más ricos del mundo. —Como Travis se limitó a guardar silencio, Kim miró a Russell, que asintió con la cabeza para confirmar sus palabras—. Viniste a Edilean cuando tenías doce años, pasaste dos semanas conmigo y luego te marchaste sin dejarme una nota siquiera.

—Kim, por favor, tenía doce años —le recordó Travis—. Hice lo que mi madre me dijo.

—Podrías haber escrito —comentó Russell con la boca llena.

Travis lo fulminó con la mirada.

—¿Sabes que llevo dieciocho años buscándote? Me colaba en el dormitorio de mi hermano para usar su conexión a Internet e intentar encontrarte.

—Pero no pudiste encontrarlo porque no sabías cómo se apellidaba de verdad —señaló Russell—. ¿Te importa que coja una cerveza?

—Sírvete tú mismo —contestó Kim—. Dieciocho años sin noticias. Me olvidaste por completo.

—Eso no es del todo cierto. Siempre supe dónde... —comenzó Travis, pero después cerró la boca.

Kim miró a Russell con expresión interrogante.

—Mi madre me contó que nunca te perdía de vista. Me dijo que Travis solía...

—Iba a tus exposiciones —se apresuró a confesar Travis, antes de que Russell le contara más cosas.

Kim puso los ojos como platos.

—¡Tú! ¡Eras tú! Jecca te vio. Te puso el mote de Desconocido AMG. Incluso hizo un retrato tuyo, pero no tenía ni idea de quién eras.

—¿AMG? —preguntó Travis.

—Alto, moreno y guapo —suplió Russell—. La cerveza está buena. Nunca la había probado. —Miró a Travis—. ¿Quieres una?

—Solo si no tiene cicuta —masculló Travis mientras un sonriente Russell sacaba otra cerveza, la abría y se la ofrecía.

Travis se bebió media cerveza de un trago antes de dejarse caer en un taburete. Volvió a mirar a Kim como diciéndole que estaba preparado para recibir más pullas.

—Creía que te estaba vigilando —dijo.

—¡Vaya, qué galante! Me estabas vigilando. Me estabas cuidando... ¿Es eso?

—Eso creía —respondió Travis, que dio otro sorbo.

Russell empezó a hacerle un sándwich a Travis. Ninguno de los dos había comido desde el desayuno.

—Y ahora has vuelto a Edilean, no por mí... desde luego que no has vuelto por mí. Has vuelto porque tu madre te ha llamado.

—En realidad, su madre llamó a mi madre para informarla de todo —precisó Russell mientras cortaba el pan.

—Mejor me lo pones —dijo Kim—. Lucy Merritt, o Cooper, o Maxwell... llamó a... ¿Cómo se llama? —le preguntó a Russell.

—Cooper y Merritt son pseudónimos. Se llama Lucy Jane Travis Maxwell, de los Travis de Boston. Tiene el apellido y la educación, pero no el dinero de la familia. Mi madre se llama Barbara Pendergast, sin dinero y sin apellido deslumbrante. Solo trabajo duro.

—Gracias —dijo Kim. Volvió a mirar a Travis mientras este le daba un bocado al sándwich que Russell le había preparado. Parecía un hombre a punto de subir al cadalso—. Se llame como se llame, la cuestión es que no volviste por mí, sino por tu madre.

Travis se puso en pie y sacó dos cervezas más.

—Me viste de casualidad en la boda de Jecca y... y una cosa llevó a la otra.

Russell miró a Travis con expresión interrogante.

—Se refiere a que me invitó a quedarme aquí —explicó Travis.

Russell asintió con la cabeza y miró de nuevo a Kim, dejándole saber que ella volvía a tener la palabra.

—Te mudaste a mi casa de invitados y empezaste a hablarme tanto de amistad que temí que fueras homosexual. Y tú...

Russell soltó una carcajada.

—Nunca fue mi intención... —comenzó Travis.

—¿Cómo está Leslie? —preguntó Kim, mostrándole toda la rabia que sentía.

Travis clavó la mirada en su sándwich.

Kim cogió el anillo y miró a Russell.

—Cuando le dije que tenía novio, tuvo un ataque de celos impresionante.

—No es verdad —la corrigió Travis, defendiéndose. Pero todo lo que decía Kim era verdad—. Es que me sorprendiste, nada más —masculló.

—¿Te sorprendió que tuviera novio? —preguntó Kim—. Eres... —Puso los ojos como platos, sin dar crédito a lo que estaba oyendo—. Me has controlado... me has vigilado... lo bastante como para saber si tenía novio o no. —Era una afirmación, no una pregunta.

Travis no habría replicado ni aunque le fuera la vida en ello. El hecho de que su madre se hubiera enterado de todos los cotilleos que circulaban por Edilean y le hubiera hablado de Kim en casi todas las llamadas telefónicas no era importante. De repente, se preguntó si era una coincidencia que lo hubiera llamado justo cuando parecía que Kim mantenía una relación seria con un hombre. Además, lo había llamado cuando se iba a celebrar una boda junto a la casa de Kim, una boda en la que ella era dama de honor. Su madre había llamado a Penny (a quien siempre había detestado) y fue su secretaria quien le dijo que fuera a Edilean lo antes posible. Si hubiera sido por él, habría pospuesto el viaje a Edilean, pero Penny lo había organizado todo. En ese preciso momento, tenía la sensación de que las dos mujeres se habían puesto de acuerdo para que Travis llegara a Edilean en el momento clave a fin de que viera a Kim de nuevo. Claro que eso no podía ser. Seguro que solo era una coincidencia.

Kim tenía los puños apretados y les daba la espalda mientras intentaba recuperar el aliento.

—Creíste que... —dijo en voz baja—. Creíste que como eres un gran abogado de una gran ciudad y naciste con una cuchara de plata en la boca, sabrías más de la vida que yo.

—Kim, yo nunca he pensado eso —le aseguró Travis al tiempo que soltaba el sándwich—. Nada más lejos de la realidad.

—Supusiste que era una pueblerina tonta e inocentona tan desesperada por casarse que no me daría cuenta de la verdadera personalidad del hombre con quien salía.

—Kim, estás siendo injusta —dijo Travis, que se puso en pie—. Borman era un cabrón. Engañó a Carla para que le diera el anillo diciéndole que iba a regalártelo cuando te pidiera matrimonio. Pero después lo empeñó. Yo... nosotros creemos que iba a decirte que no sabía nada del anillo y que iba a dejar que Carla cargara con la culpa.

Kim no dejó que la sorpresa suscitada por esa información se reflejara en su rostro.

—¿Cómo lo conseguiste?

Travis volvió a sentarse y clavó la vista en el plato.

—Ha comprado Catering Borman —explicó Russell.

Travis le lanzó una mirada asesina.

—¿Que has hecho qué? —preguntó Kim, alucinada.

—Ha pagado ciento setenta y cinco mil dólares por la empresa —continuó Russell. Se había comido el sándwich y estaba a punto de terminar la segunda cerveza—. Iba a pagarle más, pero yo conseguí que Borman redujera la cifra. Y sigue siendo mucho dinero.

—Y tanto quc lo es —repuso Kim—. Las furgonetas están para el arrastre y Dave ha perdido muchas comisiones porque no entrega lo que promete.

—Yo también pensé que era una cantidad excesiva —comentó Russell—, pero teníamos una fecha topc muy justa.

Travis le dirigió una mirada asqueada a Russell por irse de la lengua.

—Kim, creo que nos estamos desviando del tema principal. Borman iba a proponerte matrimonio y yo temía que aceptaras.

—Y cuando me lo propusiera, ¡habría recuperado mi anillo! —replicó Kim. Levantó los brazos—. ¡Hombres! Me tenéis hasta la coronilla esta semana. Hoy he tenido que amenazar a Carla con despedirla por lo que ha hecho.

—Deberías despedirla —dijo Travis con seriedad—. Lo que ha hecho es un delito.

—¡La engañó un hombre! Es uno de los peligros de ser mujer. Y para tu información, en Edilean no nos deshacemos de alguien por cometer un error.

—Eso es lo que me ha pasado a mí —replicó Travis en voz baja mientras le suplicaba perdón con la mirada.

—Tú has cometido miles de errores. ¡Y no me mires con esa cara! Ya me la has enseñado, ¿recuerdas? La usaste para conseguir que la esposa de aquel viejo te enseñara a cocinar... entre otras cosas.

Russell soltó una carcajada.

—Te tiene calado.

—Kim, nunca quise...

—¡Lo sé! —lo cortó a voz en grito—. Estoy segura de que desde tu punto de vista viniste a rescatarme montado a lomos de un blanco corcel. Pero yo no necesitaba que me rescatasen. No necesitaba que me hicieran sentir como una tonta, que me hicieran sentir como una imbécil incapaz de organizar su propia vida. Lo que necesito es... —Ya no aguantaba más—. ¡Fuera! Los dos. Quiero que salgáis de mi casa y de mi vida. No quiero volver a veros en la vida.

Los dos se pusieron en pie y echaron a andar hacia la puerta. Al pasar junto a ella, Travis le dijo:

—¿Nunca se te ha ocurrido pensar que no es el apellido Maxwell lo que saca lo peor de la gente? ¿Nunca se te ha ocurrido pensar que eres tú?

Travis no tenía respuesta.

Kim cerró de un portazo y echó la llave antes de apoyarse en la puerta.

—Para tu información, John Travis Maxwell, yo también quiero amor.

Dos minutos después, llamó a la persona con la que quería desahogarse. El hombre en cuestión contestó al primer tono y le dijo que estaba disponible para verla. Veinte minutos más tarde, Kim aparcaba en el estacionamiento de la tienda de Joe Layton.

12

La solución de Joe Layton para cualquier problema era siempre la misma: comida y trabajo. Después de escuchar durante media hora las casi incoherentes palabras que Kim balbuceó entre abundantes lágrimas y después de darle de comer, la puso a trabajar. Mientras le pedía que lo ayudara a colocar todo lo que Travis había desembalado en las estanterías que el mismo Travis había instalado, Joe cayó en la cuenta de que la turbulenta vida amorosa de la pareja le estaba reportando mano de obra gratis.

—No lo entiendo —dijo Kim mientras colocaba cajas de taladros eléctricos en las estanterías—. ¿Por qué se esfuerza tanto para alejar a un hombre de mí si solo planea dejarme y volver a... adondequiera que viva?

—A Nueva York —suplió Joe—. Vive en el ático de no sé qué rascacielos.

—¿Te lo ha dicho?

—No, lo he buscado yo.

—Eso significa que sabes cuál es su apellido y que has buscado en Internet —dijo Kim con un suspiro—. Reede dice que encontraré toda la información que quiera, pero él me puso al tanto de unas cuantas cosas. ¿A quién le apetece buscar información sobre otra persona en Internet? Pero claro, ¿por qué todo lo que me ha dicho Travis tiene que ser mentira? ¿O por qué tienen que ser evasivas? ¿Qué ha pasado en su vida para que piense que hasta las cosas más normales deben mantenerse en secreto?

—No lo sé —contestó Joe, que también se hacía las mismas preguntas. Le había ofrecido a Lucy todas las oportunidades posibles para que le hablara de su hijo, pero ella no lo había hecho. En tres ocasiones distintas, había estado a punto de decir «mi hijo», pero se había contenido a tiempo. Joe intentaba con todas sus fuerzas no enfadarse, pero era difícil—. ¿Estás enamorada de Travis? —le soltó.

Kim, que estaba a punto de colocar una caja en una estantería, se detuvo.

—¿Cómo voy a estarlo? Creía conocer al niño que fue, pero Travis de adulto... no sé quién es. Al parecer, se cree con el derecho a controlar mi vida. Toma lo que quiere, pero no me da nada a cambio. —Sabía que eso no era cierto, pero la rabia le impedía razonar.

La luz roja volvió a parpadear en el móvil de Joe. Lo tenía solo en vibración, para que Kim no pudiera escuchar las llamadas, pero sabía que Travis lo había llamado ocho veces desde que ella llegó a la tienda. También sabía que tendría que hablar con él, porque, de lo contrario, acabaría apareciendo en la puerta. Y con el estado de ánimo de Kim, igual le tiraba un yunque a la cabeza.

—¿No ibas a hacer algo especial este fin de semana? —le preguntó.

Kim gimió. Por más enfadada que estuviera, su ojo artístico no pudo evitar fijarse en la forma de colocar las cajas en las estanterías. Las dispuso con toda la elegancia con la que mostraba las joyas en su joyería.

—Jocelyn, la mujer de mi primo, quiere que vaya a un pueblo de Maryland para ver si puedo descubrir algo sobre una antepasada mía. Joce está haciendo el árbol genealógico de la familia, y esta mujer tuvo un hijo, pero no se sabe quién es el padre. Eso sucedió en 1890 más o menos. No sé qué pretende que haga. De cualquier forma, Dave quería acompañarme e íbamos a tomárnoslo como unas minivacaciones. Iba a... —Agitó la mano en el aire. Si seguía hablando, empezaría a llorar otra vez—. Creo que será mejor que anule la reserva.

No dejaba de pensar en lo que podía haber sido. ¿Qué habría hecho si Dave le hubiera pedido que se casara con él? Le había dicho a Travis que estaba al tanto de todo sobre él, pero escuchar que había empeñado el anillo que Carla le había dado después de que él la engatusara le había revuelto el estómago. Nada de lo que había visto en Dave la había alertado sobre la posibilidad de que cometiera semejante robo. Siempre le había parecido una buena persona, muy aburrido, sí, pero agradable y simpático. Le había expresado la idea de extender el negocio al ámbito nacional de forma respetuosa, recalcando que la decisión era suya y que él se limitaba a ofrecerle ideas. Y ella siempre había pensado que el nombre propuesto para el negocio era ridículo.

Se enteró del mal momento por el que pasaba la empresa de Dave la víspera de la boda de Jecca, el día anterior a que Travis apareciera en su vida. Se había percatado de que dos de sus furgonetas estaban en las últimas, pero él se había reído y le había asegurado que el trabajo le robaba demasiado tiempo y que por eso no podía comprar otras.

Claro que, por aquel entonces, Kim carecía de motivos para no creer en su palabra.

Sin embargo, la víspera de la boda, entre el caos y la gente, Kim escuchó decir a una mujer que le alegraba que Jecca no hubiera contratado los espantosos servicios de Catering Borman. Kim había intentado que fuese Dave el encargado de servir el banquete de boda, pero él ya tenía reservado ese día para otro acontecimiento. Kim le preguntó a la mujer el motivo de que no le gustara la empresa y ella le contó la historia del cambio de los ingredientes. Además, le dijo que mucha gente estaba anulando sus compromisos con la empresa. En aquel momento, Kim estaba tan ocupada ayudando a Jecca que no se detuvo a pensar en lo que eso significaba. Cuando rememoró el momento al cabo del tiempo, comprendió que se negaba a aceptar que el negocio de Dave iba a pique. Y tampoco quería analizar ese detalle, sumado a la costumbre de Dave de pedirle la combinación de su caja fuerte.

¿Sería Dave otro hombre más incapaz de mirar más allá de su éxito empresarial?

Colocó la caja de un destornillador lo más artísticamente que pudo, y después comenzó a ordenar las cajas de brocas.

En un momento dado, Joe se alejó aduciendo que debía hacer una llamada y ella siguió trabajando, y pensando.

Sí, en el fondo era cierto que no conocía a Dave tan bien como le había asegurado a Travis, pero ¿eso le otorgaba a Travis el derecho de hacerse con el control de la situación?

Analizó la idea de que Travis hubiera comprado Catering Borman. ¿Por qué lo había hecho? Sin embargo, conocía la respuesta. Había pagado todo ese dinero para que Dave desapareciera. De camino a la tienda de Joe, había llamado a una clienta que vivía en el mismo edificio de Dave y así se había enterado de que su ex se había marchado con seis maletas, después de decirle a su casero que no pensaba volver.

—El casero estaba furioso —le dijo la mujer—. Dave ha dejado muchos trastos en el piso y ahora le toca a él deshacerse de todo. Pero después llamó un hombre y le dijo que lo dejara en sus manos. Es la comidilla de todo el edificio. ¿Tú sabes algo más?

—Nada —contestó Kim, que se despidió de forma educada antes de colgar.

Aunque le había dicho a Travis que detestaba su forma de hacerse con el control de la situación, una parte de ella le agradecía que la hubiera librado de Dave. En ese momento, se preguntó si habría accedido a casarse con él. ¿Tanta envidia le provocaba la boda de Jecca y la felicidad de su amiga que habría sido capaz de decirle que sí a Dave solo para...? No quería pensar en lo que podría haber pasado.

Antes de llegar al aparcamiento de la tienda de Joe, había recibido un mensaje de correo electrónico en el móvil. Era su hermano, que le había enviado un archivo adjunto. Kim titubeó antes de abrirlo, porque sabía de lo que se trataba. Sin embargo, también era consciente de que necesitaba saber la verdad. Pulsó el botón y lo primero que vio fue la foto de una mujer guapísima llamada Leslie. El titular rezaba: «¿Campanas de boda para un Maxwell?» El artículo afirmaba que la bellísima modelo llevaba meses saliendo en serio con el hijo multimillonario de Randall Maxwell. «El riquísimo y guapísimo Travis jamás sale con la misma durante más de mes y medio. Sin embargo, lleva casi un año con la explosiva Leslie. ¿Nos atrevemos a soñar con la que será la boda del siglo?», continuaba la columna.

Kim no fue capaz de leer el resto de los documentos que su hermano le había enviado. Con ese artículo le bastó.

Cuando salió del coche, vio que Joe estaba en la puerta y la recibió con los brazos abiertos. Si su padre hubiera estado en casa, habría ido a verlo, pero el padre de Jecca era casi tan bueno como el suyo.

Lloró a moco tendido un buen rato, y después Joe pidió una pizza, dos refrescos grandes de cola y bollitos de canela para alimentar a un regimiento. Kim lloró y comió, y después lloró un poco más.

—No entiendo por qué me ha mentido —dijo.

—¿Te refieres a Borman o a Travis? —le preguntó Joe.

—A Travis —respondió ella—. Dave es... es una persona real, así que es normal que mienta.

Joe enarcó las cejas, pero no dijo ni pío sobre semejante afirmación. Mientras lidiaba con sus dos hijos, había aprendido algo muy revelador. Si Joey lo buscaba porque tenía un problema, le pedía ayuda a fin de encontrar una solución. Sin embargo, si era Jecca la que tenía el problema, solo quería que la escuchara. No quería consejos. Mientras que con Travis se había sentido libre para decirle lo que pensaba, Joe no se atrevía a hacerle a Kim ni una sola sugerencia.

—Me ha mentido en todo. Yo fui sincera desde el primer día, pero él solo me ha contado mentiras.

Joe tuvo que contenerse para no poner los ojos en blanco. Eso era casi lo mismo que le había dicho Travis sobre Kim. Le había asegurado que ella había ocultado el hecho de que tenía novio y que había pasado por alto el detalle del anillo desaparecido. Sin embargo, Joe se abstuvo de comentar nada. En ese momento, comenzó a parpadear otra vez la luz roja de su móvil y al mirar, vio que se trataba de Travis. Puesto que era la novena llamada que le hacía, Joe decidió contestarle, de modo que salió de la tienda con la excusa de ir al baño.

Volvió al cabo de unos minutos. Kim seguía rezongando.

Joe quería ayudarla, pero no sabía cómo. Había hablado con Travis y el pobre estaba hecho polvo. Le había dicho que solo quería asegurarse de que Kim se encontraba bien.

—Estaba tan enfadada que me asustaba que cogiera el coche.

—Supongo que la has seguido —aventuró Joe, que no necesitó más confirmación que el silencio de Travis—. ¿Qué has pensado respecto a lo del fin de semana?

—¿Lo del fin de semana? —preguntó Travis a su vez, como si ni siquiera hubiera caído en ese detalle—. ¿Te refieres a lo de Janes Creek?

—¡Ni se te ocurra hacerte el tonto! ¿Qué es lo que has planeado?

Travis le contó con recelo que había reservado todas las habitaciones disponibles en los dos pequeños establecimientos hoteleros del pueblecito.

Joe silbó por lo bajo.

—¿Te ha enseñado tu padre a controlar las vidas de los demás?

—Creo que más que aprenderlo, nací con ese impulso —reconoció Travis, apesadumbrado.

Joe estuvo a punto de echarse a reír, pero se contuvo.

—Voy a convencer a Kim de que vaya a ese pueblo, pero tú vas a tener que ocuparte del resto. ¿Crees que podrás hacerlo?

—Pero dice que no quiere volver a verme —replicó Travis, con un deje desesperado en la voz.

Joe resopló, exasperado.

—¿Y eso va a detenerte? ¿Es que ninguna mujer te ha dicho que la dejes tranquila alguna vez? —Para él era una pregunta retórica que no requería respuesta. Por supuesto que se lo habían dicho a Travis, lo mismo que al resto de los hombres.

—No. La verdad es que no —contestó—. En la vida.

—¡Menudo mundo el tuyo! —murmuró Joe, que añadió en voz alta—: Eso es porque Kim te ve a ti, no al apellido Maxwell. Intenta ser tú mismo con ella.

—Pero... —protestó Travis, aunque después guardó silencio—. ¿Te encargarás de que llegue a casa sana y salva?

—Por supuesto —contestó Joe antes de colgar. Respiró hondo y tras pasar unos minutos contemplando las estrellas y deseando poder estar acurrucado con Lucy, volvió al interior de la tienda. Tendría que pronunciar las palabras que toda mujer quería escuchar. Aunque el cromosoma Y se rebeló contra la idea, tenía que hacerlo—. Kimberly —dijo al entrar—, creo que necesitas hacer algo por ti misma. Cuidarte un poco. Darte un capricho, un fin de semana de descanso. Hacerte la manicura, comprarte unos zapatos nuevos... —Aguardó un instante mientras se preguntaba si Kim se lo tragaría o no. Jecca sabría que estaba tramando algo, pero ¿lo pillaría Kim?

De repente, parte de la tristeza que ensombrecía el rostro de Kim desapareció.

—Creo que tienes razón —dijo—. No voy a anular la reserva. Iré a Janes Creek y pasaré todo el fin de semana pensando en mis joyas y en mis antepasados. Nada de hombres. —Se acercó a Joe y le dio un beso en una mejilla—. Entiendo perfectamente por qué te quiere tanto Jecca. —Aunque tenía los ojos rojos, estaba sonriendo—. Gracias por todo.

Se marchó por la puerta principal y Joe se dejó caer en su enorme sillón. ¿Desde cuándo se había convertido en un hombre que resolvía los problemas amorosos de los demás? Ni siquiera era capaz de solucionar los suyos. Al cabo de un segundo, cogió el teléfono y usó la marcación automática para llamar a Lucy.

—¿Dónde estás? —le preguntó ella—. Acabo de salir de la bañera y solo llevo...

—Lucy —la interrumpió Joe antes de poder echarse atrás—, creo que ya va siendo hora de que hablemos de tu hijo. Y de tu marido.

Ella titubeó.

—De acuerdo —claudicó en voz baja—. Te espero.

Joe soltó el aire despacio y la tensión abandonó su enorme cuerpo.

—¿Qué me decías sobre lo que llevas puesto?

Esa noche, Kim hizo todo lo posible por dormir, pero tenía demasiadas cosas en la cabeza. Soñó varias veces con Travis y en todas las ocasiones él acabó abandonándola. Se limitaba a desaparecer como hizo tantos años antes.

Se levantó a las dos de la madrugada y estaba a punto de servirse un vaso de leche cuando cambió de opinión y se sirvió un whisky. Intentó ver una película, pero su mente se distraía con facilidad. Se dijo que era ridículo comparar a un niño de doce años que se vio obligado a ocultarse con su madre para evitar la furia de un padre maltratador con el hombre en el que se había convertido. Y puestos a pensarlo, Travis tenía todo el derecho del mundo a mantener su apellido en secreto. Ella jamás se había relacionado con una persona que se viera obligada a lidiar con los paparazzi, así que ¿cómo iba a juzgarlo por eso?

De todas formas, con independencia del rumbo de sus pensamientos o de lo racionales que estos fueran, se sentía traicionada.

Cuando volvió de la tienda de Joe, se percató de que Travis se había mudado y ya no estaba en la casa de invitados. Había cerrado la puerta con llave, que había dejado en la encimera de su cocina.

Kim miró la llave, pero no la tocó. Tocarla convertiría su marcha en algo real.

Se duchó, se lavó el pelo y se dijo que lo que había pasado era lo mejor. Travis había descubierto lo rastrero que era Dave. Ella había descubierto que Travis... En el fondo, no estaba segura de lo que había descubierto sobre él. Porque enterarse de que era el hijo de un hombre rico y poderoso no la había sorprendido en absoluto.

A las cuatro de la madrugada, volvió a la cama y consiguió dormir hasta las ocho. Cuando se despertó, se sentía mejor y supo que lo último que le apetecía era ponerse a trabajar. Más que nada porque no quería ni ver a Carla. Tardaría un tiempo en confiar de nuevo en ella. La mañana anterior le confesó lo que había hecho; y como defensa, argumentó que Dave se había mostrado muy persuasivo al afirmar que quería mucho a Kim. De modo que Carla se lo tragó. Sacó el anillo de su expositor y se lo entregó a

Dave porque él le dijo que pensaba regalárselo a Kim durante el fin de semana. Añadió que lo haría a la luz de las velas y con una rodilla hincada en el suelo. La escena era tan romántica que Carla se había sentido abrumada.

Y fue precisamente su cita con Russell Pendergast el miércoles por la noche lo que hizo que meditara sobre lo ocurrido. Russell se inclinó sobre la mesa, la miró con esos preciosos ojos oscuros y le sonsacó la verdad. Después, le dejó claro que lo que había hecho no era en absoluto romántico. De hecho, le dijo que si no quería ir a la cárcel, más le valía confesarle la verdad a Kim.

Le costó trabajo reunir el valor necesario, pero a la mañana siguiente habló con ella.

En aquel momento, Kim estaba enfadada, si bien sus sospechas sobre lo ocurrido se vieron confirmadas. De ahí que no quisiera darle más importancia al asunto. Ella tampoco había pensado que Dave quisiera robar el anillo. Al igual que Carla, se había tragado las insinuaciones de un futuro con Dave, de un futuro en el que estarían felizmente casados. El problema era la respuesta que iba a darle a Dave. Travis había demostrado indicios de sentirse celoso, así que tal vez quisiera intentar algo con ella.

Sin embargo, Kim no se permitió analizar más a fondo la cuestión. Se recordó que Travis era más escurridizo que una anguila, y que no permanecía mucho tiempo en el mismo sitio.

Se pasó todo el día nerviosa, preguntándose dónde estaría Travis y qué estaría haciendo. Al ver que no la llamaba a la hora del almuerzo, pensó en volver a casa temprano. Tal vez Travis estuviera nadando en la piscina. Sin embargo, varios clientes la mantuvieron ocupada y llegó a su casa al mismo tiempo que lo hacía Reede. Nada más verle la cara, supo lo que iba a decirle. Había recordado por fin de qué conocía a Travis: del rally en el que estuvo a punto de atropellarlos a él y a su burro.

Mientras caminaba hacia la puerta principal, reflexionó sobre la mejor forma de defender a Travis. Señalaría que Reede se encontraba en mitad del recorrido, que no debería haber estado en plena calzada. En el fondo, estaba de parte de Travis.

Lo que no esperaba era que a su hermano le importara un pimiento lo que sucedió en Marruecos. De hecho, admitió que el episodio fue culpa suya.

—Eso no importa —dijo Reede, que procedió a contarle la verdad sobre Travis.

A Kim le daba igual que Travis fuera rico o pobre, pero sí le preocupaba que le hubiera ocultado una información tan relevante sobre sí mismo.

¿Por qué? ¿No la creía capaz de lidiar con algo así? ¿Tan cateta la creía que pensaba que se abrumaría al descubrir que él había pasado toda la vida en un ambiente tan distinto al suyo? ¿O más bien pensaba que la verdad sobre sí mismo cambiaría lo que existía entre ellos?

Carecía de respuestas para esas preguntas.

La escena con Reede fue bastante desagradable, pero cuando regresó a la cocina y vio a Travis y al tío con el que había quedado Carla allí plantados, se le fue la pinza. Travis estaba tan blanco, por la sorpresa y por el dolor que le había causado lo que había escuchado, que de no haberse enfadado con él, se habría muerto de la vergüenza. Habría deseado que se la tragara la tierra.

Aunque no supo cómo, consiguió mantenerse lo bastante compuesta como para decirle a Travis lo que pensaba de él. No obstante, cuando recordó que le había dicho a su hermano lo mucho que deseaba pasar varios días en la cama con Travis, la furia fue reemplazada por el bochorno. Sabía que como siguieran en su cocina, acabaría llorando a mares, de modo que les dijo que se fueran. Pero como no soportaba estar sola, fue a ver a Joe.

En ese momento, la luz del día entraba a raudales por la ventana de su cocina, y ella intentaba enfrentarse al fin de semana con toda la alegría posible. Sola. Trató de encontrar algún refrán popular que se ajustara a la situación y le diera ánimos, pero no recordó ninguno. Ya había llamado a Carla y le había dicho que debía ocuparse de la tienda el viernes y el sábado. La ayudaría otra chica, pero le dijo que ella estaría fuera. Carla no discutió ni pidió que le pagara las horas extra.

Kim preparó muy poco equipaje y a las diez de la mañana se puso en camino. Tardaría cuatro horas en llegar a Janes Creek, y pensaba emplear ese tiempo pensando en su nueva colección de joyas. Necesitaba algo distinto, algo fuera de lo habitual.

Y también le urgía pensar sobre la tarea que Joce le había encomendado. Su búsqueda estaría basada en las pocas frases que Gemma, la mujer de Colin, había encontrado en una carta escrita a finales del siglo XIX.

—Por favor, decidme que no intentáis encontrar más parientes —les dijo Kim a Joce y a Gemma el día que le pidieron que se encargara de ese proyecto.

Ambas la miraron con una expresión que dejó bien claro que querían hacer precisamente eso, y que no les entraba en la cabeza que Kim no las entendiera.

Más tarde, se vio obligada a recordarse que ninguna de ellas había crecido en Edilean, rodeadas por un centenar de parientes. Joce y Gemma procedían de familias pequeñas que apenas se relacionaban con sus tíos y tías, mucho menos con sus primos lejanos. Esa falta de relación familiar, sumada al amor que ambas sentían por la Historia, las convirtió en un par de hachas para descubrir todo lo que hubiera que saber de los demás, dentro de unos límites, claro estaba.

—¿Por qué yo? —preguntó Kim el día que la invitaron a comer a casa de Joce.

Su primo y su esposa vivían en la grandiosa y antigua Edilean Manor, el lugar que Kim tanto odiaba cuando era pequeña. Joce había trabajado mucho en ella, y en la actualidad era un lugar precioso, aunque Kim no la habría aceptado ni regalada. Prefería su casa nueva, con su única planta, sus ventanales y sus suelos de madera, que no crujían por los años.

En respuesta a su pregunta, Gemma se colocó una mano en el abultado vientre y Joce echó un vistazo a los juguetes desperdigados por el suelo. Tenía gemelos.

Kim hizo una mueca.

—¿Si me quedo embarazada en los próximos quince días, me libraré de esta?

—¡No! —exclamaron ambas al unísono.

Joce se había encargado de todo. Hizo la reserva en el bed & breakfast de Janes Creek y preparó una carpeta con toda la información que habían encontrado sobre Clarissa Aldredge, la antepasada en cuestión.

Gemma había redactado todo un dosier con los lugares donde Kim podía buscar los datos que necesitaban. Kim echó un vistazo a la lista, y en cuanto vio la palabra «cementerios», cerró la carpeta. No entendía por qué a Gemma y a Jocelyn les gustaba hacer ese tipo de cosas.

Kim casi se sintió agradecida cuando Dave se invitó a

pasar el fin de semana con ella. No parecía interesado en recabar información sobre una antepasada muerta, pero al menos podrían comer juntos.

Después, Carla empezó a reírse tontamente sobre el fin de semana y a decir que había guardado un anillo en la caja fuerte antes de la hora de cierre, de modo que Kim sumó dos más dos. Justo el fin de semana anterior, Dave había elogiado ese anillo en concreto y había bromeado con el hecho de que a Kim le quedara perfecto. Su mirada dejó bien claro todo lo demás.

Sin embargo, las circunstancias habían dado un giro total. Unos días después, apareció Travis... Maxwell (aún no se había acostumbrado a usar ese apellido) y puso su vida patas arriba.

—Pero ya lo he superado —se dijo mientras aparcaba frente al bed & breakfast Sweet River.

Eran las dos de la tarde y el aparcamiento estaba lleno de coches con matrículas del noreste. Aunque no había visto el pueblo, supuso que tenía el mismo tamaño que Edilean. Tal vez se celebrara alguna festividad local, de ahí que el establecimiento estuviera tan lleno.

Sacó la bolsa de viaje del maletero, se colocó la carpeta bajo el brazo y entró. Era una casa antigua que había sido remodelada de forma que pareciera un hotel. Escuchó voces en la parte posterior, pero no vio a nadie. Pensó que debería sacar la cámara y hacer unas cuantas fotos para Gemma y Jocelyn, de modo que pudieran ver cómo era el lugar. Había molduras por todos lados y la barandilla de la escalera era de madera tallada, al igual que el enorme armario emplazado en una de las paredes. Aunque estaba segura de que a muchas personas les encantaría ese tipo de casa, a ella le parecía oscura y triste.

—Como yo —dijo en voz alta. En ese instante, escuchó un ruido y se volvió.

—Usted debe de ser la señorita Aldredge —dijo una chica rubia, delgada y muy guapa, que miraba a Kim como si la hubiera estado esperando.

—Sí, soy Kim. Llego pronto, pero ¿está lista mi habitación?

—Por supuesto —contestó la chica—. Ahora lo está, pero...

—¿Qué?

—Nada.

Kim sacó su tarjeta de crédito, pero la chica no la aceptó.

—Ya está todo pagado —le explicó—. La comida, los extra, todo se ha pagado por adelantado.

«Ha sido Luke», pensó. El marido de Joce, que era un escritor muy rico, había pagado su estancia completa.

—Muy bien —replicó Kim, que intentó sonreír, si bien no lo consiguió.

—Su habitación está en la planta alta —le informó la chica, que cogió la bolsa de Kim y procedió a subir la escalera.

La habitación era muy bonita. Grande, espaciosa y decorada en tonos melocotón y verde, con estampados florales y cortinas de rayas. De haber estado de mejor humor, la habría apreciado como se merecía.

Kim hizo ademán de darle una propina a la chica, pero ella no la aceptó. Al cabo de unos segundos, estaba sola.

Se dejó caer en un sillón. «¿Y ahora qué?», se preguntó. «¿Deshago el equipaje y me dispongo a visitar cementerios?»

—Qué vida más divertida la mía —musitó.

Sabía que se estaba regodeando en la tristeza. Todos

los libros de autoayuda enfatizaban que había que concentrarse en lo positivo, no en lo negativo. Sin embargo, en ese momento solo podía pensar en que había perdido a dos hombres el mismo día.

¡Joyas!, decidió de repente. «Piensa en joyas», se dijo. No obstante, recordó el collar que le había hecho a Travis tantos años antes. Le había asegurado que todavía lo conservaba.

Esa idea la llevó a pensar que jamás lo vería de nuevo. ¿Por qué los hombres acostumbraban a no hacer caso cuando se les pedía que condujeran más despacio, por ejemplo? Ya se les podía repetir mil veces, que hacían oídos sordos. Sin embargo, solo había que decirles una sola vez que se marcharan y no volvieran, y obedecían al punto. Sin más dilación. Sin que hubiera que repetírselo.

Kim se dijo que debía controlarse. Los dos hombres que había perdido no merecían que estuviera tan angustiada. Dave era... No sabía cómo describirlo. De hecho, apenas lo recordaba. En menos de una semana, Travis se había adueñado por completo de su mente.

—Pero no de mi cuerpo —se recordó mientras se ponía en pie de un brinco.

Lo que necesitaba hacer era «sumergirse en el trabajo», una expresión que se repetía a menudo en los libros.

Pero eso era más fácil de hacer cuando se trabajaba en una oficina. Los compañeros y el ruido serían motivo de distracción. Sin embargo, su trabajo era creativo. Diseñaba a solas, con una pieza de arcilla o cera, o con papel y lápiz. No había más personas que la ayudaran a pensar en otra cosa que no fuera lo que había perdido. No había un jefe que le exigiera el informe que le había pedido, lo que la obligaría a concentrarse en otra cosa.

Kim miró hacia la pared que tenía enfrente y vio tres puertas blancas. Supuso que una correspondía al armario, otra al baño, pero ¿qué había tras la tercera?

—Pito, pito, gorgorito... —murmuró mientras elegía la puerta del centro y giraba el pomo.

Al otro lado de la puerta, se encontraba la habitación contigua. Una estancia tan grande y tan bonita como la suya. Y allí, en el otro extremo de una cama con dosel, estaba Travis. Llevaba unos pantalones de deporte de cintura baja y tenía el torso desnudo, dejando a la vista sus músculos y su piel bronceada, tan radiante y apetecible.

Kim se quedó paralizada, mirándolo sin hablar. En el fondo de su mente, aún era capaz de pensar de forma racional. Si Travis estaba en ese lugar, significaba que la había manipulado de nuevo a su conveniencia.

Sin embargo, dichos pensamientos se encontraban en el fondo de su mente en un momento en el que Kim solo podía sentir. Todas y cada una de las moléculas de su cuerpo cobraron vida. El deseo se apoderó de ella, dejándola temblorosa y enfebrecida.

Travis no dijo ni una palabra, se limitó a volverse hacia ella y extendió los brazos.

Kim corrió hacia él, le echó los brazos al cuello y lo besó en la boca. Fue un beso voraz, tan ansioso como el deseo que la embargaba. Sus labios se apoderaron de los suyos con ferocidad, y después la besaron en las mejillas y en el cuello.

Ella echó la cabeza hacia atrás y dejó que esos labios y esas manos hicieran con ella lo que quisieran.

De repente, se encontró desnuda. No supo muy bien cómo había sucedido, porque no recordaba que Travis le hubiera desabrochado la ropa ni tampoco que se la hubiera arrancado. En un abrir y cerrar de ojos, pasó de estar vestida a estar desnuda.

Soltó una carcajada cuando él la levantó en brazos y la arrojó sobre el colchón. El cobertor y los almohadones cayeron sobre ella, que rio de nuevo. Nada de sexo contenido y respetuoso. Allí había pura pasión.

Travis se colocó sobre ella y por un instante se limitó a contemplar su cuerpo desnudo, tras lo cual esbozó una sonrisa tan maliciosa que Kim se recostó sobre los almohadones y extendió los brazos para recibirlo.

Él le pasó un brazo bajo los hombros y le levantó el torso mientras enterraba en su pelo los dedos de la mano libre, a fin de echarle la cabeza hacia atrás.

Cuando la besó de nuevo, lo hizo con toda la pasión que lo inundaba.

Al cabo de un instante, sus pantalones cayeron al suelo, y a Kim no le sorprendió comprobar que debajo estaba desnudo. Acarició su musculosa espalda a placer. Después, bajó las manos hasta su trasero y descendió hacia sus muslos. Travis seguía besándola de forma abrasadora, avivando con cada segundo el deseo que los embargaba. Kim se demoró un instante acariciándole los muslos, tras lo cual trasladó las manos allí donde el deseo era más evidente. Su erección hizo que se derritiera por la urgencia de que la hiciera suya. Tenía la impresión de que llevaba toda la vida esperándolo.

Travis le besó el cuello y ella hizo ademán de tumbarse en la cama para ofrecerse por entero. Sin embargo, él no se lo permitió. Como si no pesara nada, la levantó con un brazo mientras que con el otro la instaba a rodearle la cintura con las piernas.

Acto seguido, se introdujo en ella con una puntería de lo más certera.

—Encajamos a la perfección —murmuró Kim.

—¿Lo dudabas? —replicó él, con la boca pegada a su cuello.

Travis la mantuvo pegada a su cuerpo, soportando su peso. Kim estaba encantada por poder tocarlo por entero. Esas manos grandes y fuertes la habían aferrado por el trasero y se encargaban de subirla y bajarla.

De modo que se limitó a echar la cabeza hacia atrás mientras él la movía despacio y se hundía en ella hasta el fondo, como ningún otro hombre lo había hecho antes.

Cuando pensó que estaba a punto de explotar, Travis se dejó caer sobre el colchón sin apartarse de ella. La apoyó sobre los almohadones y siguió moviéndose cada vez más rápido.

Kim ardía en deseos de gritar. Jamás había experimentado una intensidad semejante, ni la sensación de que no solo había entregado su cuerpo, sino también su corazón y su alma.

Cuando se corrió, lo estrechó tan fuerte con las piernas que temió partirlo en dos. Sin embargo, Travis también estaba en pleno orgasmo, como atestiguaban sus estremecimientos.

Se desplomó sobre la cama, a su lado y tiró de ella para abrazarla. Kim le pasó una pierna sobre los muslos, y sintió la humedad de ese cuerpo que le parecía familiar y, al mismo tiempo, desconocido. Era el niño que conocía tan bien y el hombre al que no conocía en absoluto.

—¿Qué quieres saber sobre mí? —susurró Travis, que le colocó una mano en la mejilla y comenzó a acariciarle el pelo con la yema de los dedos.

—¿Qué hacías para...? —comentó Kim, pero se interrumpió.

¿De verdad quería que hablara de su padre mientras estaban en la cama? ¿De verdad quería saber más cosas sobre la solitaria infancia que había tenido? ¿O debería ser como esas mujeres que les exigían a los hombres un relato completo sobre sus relaciones sexuales pasadas? En definitiva, ¿de verdad era apetecible preguntarle sobre la guapísima Leslie mientras estaba acostada con él?

—Kim —dijo Travis—, te contaré cualquier cosa que quieras saber. Confieso que he reservado todas las habitaciones de este sitio, porque no soportaba pensar que estuvieras aquí con otro hombre. Te contaré cómo conseguí que Borman desembuchara lo que tramaba. Te diré...

Kim se incorporó para besarlo, y sus pechos le rozaron el torso.

—¿Se te da bien investigar?

—De maravilla —contestó él con solemnidad—. Cuando quiero saber algo, llamo a Penny y le digo que lo haga. Es capaz de encontrar todo tipo de información.

—¡Oh! —exclamó Kim, que se apartó de él y se tumbó de espaldas, con una mano sobre la frente—. ¿Cómo voy a lidiar con un hombre tan mimado?

Travis se colocó de costado y le pasó una mano por los pechos.

—Penny es una necesidad. Me libera de muchas cosas para que pueda pasar el tiempo dirigiendo las malévolas operaciones de mi padre. —Se inclinó para acariciar con los labios un pezón rosado—. Eres tan bonita como las rosas silvestres por la mañana. Rosa y blanca, en contraste con tu pelo caoba. En la vida he visto nada tan bonito como tú.

El significado de sus palabras y su forma de decirlas le robaron el aliento. Pero al mismo tiempo recordó a otra mujer.

—Eso no es lo que dice mi hermano sobre las... sobre las otras —replicó a la ligera, aunque el tema era muy serio para ella.

—¿Tu hermano? ¿Te refieres al tío que se plantó en mitad del trazado de un rally con un burro aterrorizado?

La imagen le arrancó a Kim una carcajada e hizo que su hermano pareciera lo bastante tonto como para no tener en cuenta su opinión.

Travis comenzó a besarla en el cuello. Notaba la aspereza de su barba. Le encantaba el olor masculino de su cuerpo. Cerró los ojos y dejó que sus sentidos se hicieran con el control.

—Me encanta oírte reír —susurró Travis mientras dejaba un reguero de besos sobre uno de sus hombros—. Cuando éramos pequeños, sabía que jamás conocería a otra persona tan alegre como tú. —La besó en la clavícula al tiempo que le acariciaba los pechos y después alzó la mirada—. Tu amor por la vida, lo que aprendí de ti, me ha sustentado a lo largo de los años.

Kim estaba a punto de preguntarle por qué no se había puesto en contacto con ella mientras estaba en la universidad, pero en ese momento Travis la besó en los labios y se le quedó la mente en blanco.

Al instante, comenzó a acariciarla por todos lados, por las piernas, entre los muslos. Y cuando la tocó en el lugar más sensible de todos, jadeó. La acarició con cuidado y Kim cerró los ojos, dejándose llevar por las sensaciones, por el placer que le provocaban sus manos.

Se colocó despacio sobre ella. Su peso era maravilloso y le recordó su masculinidad.

La penetró despacio, llenándola por completo, y comenzó a moverse lentamente. Se tomó su tiempo mientras la observaba, sonriendo al ver el placer que se reflejaba en su cara.

Al cabo de unos minutos, Kim abrió los ojos y lo miró sorprendida. Sentía las oleadas de placer cada vez más intensas. Jamás había experimentado nada igual, jamás...

—Travis —susurró.

—Estoy contigo, nena —replicó él al tiempo que la hacía girar para dejarla sentada a horcajadas sobre su cuerpo. La aferró por las caderas.

Kim le colocó las manos en los hombros y le clavó los dedos mientras subía y bajaba con un ritmo frenético.

Cuando notó que ya no podía soportarlo más, Travis giró sobre el colchón y la llevó consigo. Una vez sobre ella, siguió moviéndose con el mismo frenesí que lo había hecho ella. Kim le rodeó las caderas con las piernas y al cabo de un instante ambos yacían saciados, exhaustos y rebosantes de amor. Travis la abrazó como si temiera que pudiese desaparecer.

Kim pensó por un minuto que estaba dormido, pero al mover un pie, él aflojó la fuerza de su abrazo.

—¿Te estoy haciendo daño?

—Todo lo contrario —contestó ella.

Travis levantó el torso, apoyó el peso sobre un codo y la cabeza, sobre una mano. La miró en silencio un instante.

—Bueno, ¿qué quieres hacer? —le preguntó por fin.

—Preguntarte cosas sobre tus ex novias —respondió Kim con total seriedad.

Sus palabras fueron recompensadas con una expresión de puro terror que apenas duró una décima de segundo antes de que Travis sonriera.

—Vas a castigarme, ¿verdad?

—Sí —contestó Kim al tiempo que levantaba una mano para acariciarle el pelo. Ansiaba acariciárselo desde que apareció en la boda de Jecca, a la luz de la luna—. Voy a hacer que tc arrepientas de haberme mentido.

—En realidad, no te he mentido.

—¿No hay alguna ley que dice que las evasivas son tan condenables como las mentiras?

—¿Qué voy a saber yo de leyes? —replicó él con un brillo alegre en los ojos al tiempo que se apartaba de ella y se tumbaba de espaldas en el colchón, con las manos detrás de la cabeza.

Kim hizo ademán de apartarse, pero él se lo impidió y la instó a colocar la cabeza en su hombro. En esa postura, ella empezó a acariciarle el vello del pecho.

—¿Le has echado un vistazo a este sitio? —le preguntó Travis.

Su piel la tenía tan distraída que al principio no supo de qué estaba hablando. Se incorporó sobre una mano para mirarle el torso.

—¿De qué son todas estas cicatrices? —Tenía tres en las costillas y una en un costado.

—De mi trabajo en Hollywood —contestó él, que no parecía interesado en seguir hablando del tema—. El pueblo.

—¿Qué pasa con el pueblo?

Travis se colocó de costado para mirarla.

—¿Lo has visto?

Kim se alzó un poco para invitarlo a que la besara, cosa que él hizo.

—No —contestó ella al final.

Travis volvió a tumbarse de espaldas.

Al ver que no hablaba, Kim lo miró y le preguntó:

—¿Estás insinuando algo o qué?

—¿No has venido por un motivo concreto? Además de para comprometerte con un cerdo rastrero, quiero decir.

—No me habría... —No pensaba dejarse enzarzar en una discusión—. Menos mal que le pagaste para que me dejara, ¿eh? ¿No vas a aprender a cocinar para poder encargarte de tu nueva empresa de catering?

—Voy a regalársela a Russell.

—Para haberos conocido hace dos días, os veo muy compenetrados —comentó ella.

—Verme hecho polvo parece alegrarle el día.

—¿Por qué estabas mal? —preguntó Kim antes de recordarlo.

Travis la miró y ella le devolvió la mirada con los ojos entrecerrados.

—Si intentas que me apiade de ti, empezaré a preguntarte por qué aparecías en mis exposiciones a escondidas.

Travis pareció ofendido un instante, pero acabó esbozando una sonrisa torcida.

—Estamos empatados. ¿Crees que habrá comida en esta habitación?

—Si no la hay, puedes comprar el establecimiento y usar tu propio catering. Podrías establecer una sucursal de Industrias Maxwell aquí en Janes Creek.

Travis meneó la cabeza.

—Mi padre y tú os vais a llevar genial. De hecho, creo que incluso puede que lo asustes.

—¡Qué bien! —exclamó Kim, aunque estaba encantada por el comentario ya que insinuaba que pensaba presentársela a su padre. Quizás incluso a su madre. Otra vez.

Travis rodó hacia el borde de la cama y se levantó, mientras Kim se colocaba las manos detrás de la cabeza y lo observaba. Se había arropado con la sábana y le parecía maravilloso, incluso erótico, estar cubierta cuando él estaba desnudo.

Todas las actividades deportivas que Travis había realizado le habían dejado un cuerpo musculoso y proporcionado. Tenía unas cuantas cicatrices que añadían un toque aún más viril a su belleza.

—¿He pasado el examen? —le preguntó él con voz ronca mientras la miraba.

—Sí —respondió Kim con una sonrisa.

Él se la devolvió al tiempo que se ponía de nuevo los pantalones. Echó un vistazo por la habitación antes de entrar en la de Kim y volvió con la carpeta que Gemma le había entregado.

—¿Qué es esto?

—El motivo por el que estoy aquí.

—¿Te importa si...?

—En absoluto, mira lo que quieras. Yo no lo he leído.

Mientras Kim observaba cómo Travis regresaba de nuevo a la cama y se tumbaba a su lado para empezar a leer, pensó en lo poco que sabía de él. Aunque tal vez también lo conociera por completo. El hombre que tenía cicatrices provocadas por los riesgos de su trabajo era el mismo niño que había aprendido a montar en bici y que una hora después ya estaba haciendo caballitos. El niño que se sentaba en un árbol para leer sobre Alicia y el Sombrerero era el mismo que leía en ese momento unos documentos históricos con total atención.

—¿De verdad no has leído esto? —le preguntó Travis al tiempo que dejaba los papeles en su regazo y la pegaba a su costado.

—En cuanto vi la palabra «cementerio» cerré la carpeta. ¿Me he perdido algo?

—Veamos... ¿quieres los hechos como si fuera un cuento o como un alegato judicial?

La idea del alegato le resultó tentadora. Le encantaría verlo dirigiéndose a un jurado. Claro que en ese caso seguro que usaba su físico para engatusarlos a todos y eso no le gustaría ni un pelo.

—Como un cuento —respondió.

—Muy bien —dijo él con una sonrisa—. Érase una vez una joven que vivía en Edilean, un pueblo de Virginia, llamada Clarissa Aldredge que quería pasar el verano de 1893 en un pueblo de Maryland, llamado Janes Creek.

—¿Por qué? —preguntó Kim—. ¿Por qué se fue de Edilean? —Sabía que su voz delataba algo más que la simple curiosidad.

Travis la besó en la frente.

—No me cabe en la cabeza que quisiera irse de un pueblo donde todo el mundo lo sabe todo sobre los demás.

—Menos quién es la madre de quién —murmuró Kim.

—¿Vas a escucharme o a lanzarme pullas?

—Me lo pensaré —contestó. Al ver que Travis seguía mirándola, le indicó que continuara.

—¿Por dónde iba? Ah, sí. La señorita Clarissa Aldredge vino a Janes Creek, Maryland, durante el verano de 1893. Nadie sabe por qué lo hizo, pero supongo que tenía amigos en el pueblecito y quería pasar el verano con ellos. ¿Estás de acuerdo?

Kim asintió con la cabeza.

—Fuera cual fuese el motivo por el que abandonó Edilean, lo único que se sabe es que cuando volvió, en septiembre del mismo año, lo hizo embarazada. Jamás dijo nada sobre el padre, de modo que la gente del pueblo (que no hace asco a algún que otro cotilleo) supuso que se había casado. Clarissa jamás corrigió dicha suposición. Pero el problema era que cuando volvió, había cambiado. Estaba melancólica. Deprimida.

—Lógico —replicó Kim—. ¿Una mujer soltera y embarazada en 1893? Me extraña que no la lapidaran.

—Creo que eso se hacía en otra época bastante anterior a la que nos atañe. En todo caso, parece que la pobre Clarissa murió poco después de que su hijo naciera.

—¡Oh! —exclamó Kim—. Gemma y Joce no me lo habían dicho.

—Posiblemente para no entristecerte. En su lecho de muerte, Clarissa le dijo a su hermano Patrick: «Llámalo Tristan y reza para que sea un médico como su padre.» —Travis soltó los documentos y miró a Kim—. ¿No siguen llamándose Tristan los médicos de la familia Aldredge?

—Ese nombre se reserva para el heredero de Aldredge Manor —lo corrigió ella, aunque era evidente que estaba distraída.

—¿Tú no perteneces a esa rama de la familia?

—No, por eso mi hermano se llama Reede.

—Ah, sí, lo recuerdo —replicó Travis mientras se tumbaba de espaldas, a su lado—. ¿Qué te pasa?

Kim no podía decirle lo que estaba pensando. Que Clarissa y ella tenían mucho en común. Entre ella y Travis todo era temporal. Él había ido a Edilean para ayudar a su madre y pronto estaría envuelto en un polémico proceso de divorcio. Volvería a ser un abogado y retomaría su glamurosa vida neoyorquina. Kim y el aburrido pueblecito de Edilean serían solo un recuerdo. Cuando pasaran los años y Travis rememorara su etapa con ella, ¿lo haría con una sonrisa? Intentó librarse de esos pensamientos. De momento, estaban juntos y eso era lo único que importaba. Volvió a prestarle atención a Travis.

—Estoy bien —contestó—. Sigue con la historia.

—Creo que si Clarissa confesó que el padre era médico y que se llamaba Tristan, ¿no facilita eso la labor de investigación de tus amigas? ¿No podían haber buscado el nombre en Internet?

—En realidad, lo hicieron —respondió Kim—. Me dijeron que encontraron a un médico llamado Tristan Janes...

—Como el nombre del pueblo.

—Sí. —Kim suspiró—. Murió en 1893.

—Entiendo —dijo Travis, que comenzó a ensamblar la historia completa—. Clarissa viene a Janes Creek, se enamora del médico del pueblo y se dan un revolcón en el pajar, pero antes de que puedan casarse, ella se queda embarazada y él muere. Clarissa vuelve a Edilean, da a luz a su hijo, y después...

—Se reúne con Tristan —concluyó ella.

—Esperemos que la historia sea así. —Travis guardó silencio un instante—. Si tus amigas sabían todo esto, ¿por qué te han hecho venir?

—Joce y Gemma son recién llegadas.

Travis esperó a que le explicara el extraño comentario.

—No nacieron en Edilean. Quieren que averigüe si el doctor Tristan estaba casado y en caso de que fuera así, que descubra si tuvo otros hijos.

—Primos —dijo Travis—. ¿Todo esto va de encontrar más parientes?

—Eso me temo —contestó Kim—. Si encuentro algún descendiente, seguro que Joce lo adopta y Gemma querrá investigar toda esa rama de la familia.

—¿Y tú diseñarás joyas para todos?

Kim gimió.

—Si se me ocurren ideas nuevas, sí. No he creado ni un solo diseño nuevo desde que te conocí. De hecho, ni siquiera recuerdo cómo me gano la vida.

Travis la miró con seriedad.

—Kim, si querías que...

Ella desconocía lo que había estado a punto de decir, pero sospechaba que era algo relacionado con su capacidad monetaria para comprar cosas. Como no quiso escucharlo, lo interrumpió cambiando de tema.

—Bueno, ¿cuándo interrogamos a los vecinos y les preguntamos si hay alguien lo bastante mayor como para que recuerde qué sucedió en 1893?

—Si el doctor Tristan murió en el pueblo, deberíamos buscar su tumba y hacerle una foto. A lo mejor tiene alguna inscripción, o tal vez haya alguien más enterrado con él. Si estaba casado, su mujer estará con él.

—A lo mejor tenemos suerte y se llamaba Leslie —dijo Kim sin pensar. En realidad, no tenía intención de hacer ese tipo de comentarios. Quería ser elegante y sofisticada. En cambio, parecía una... en fin, una pueblerina sureña—. Será mejor que me vista —dijo al tiempo que hacía ademán de levantarse de la cama.

Travis se lo impidió aferrándole un brazo.

—Creo que debería decirte la verdad.

Kim se mantuvo de espaldas a él, con la sábana en el

torso. Tenía la impresión de que no solo estaba desnuda físicamente, porque sus palabras habían sido muy reveladoras.

—Tu vida te pertenece. Yo solo estoy en ella por... —Kim quería decir «por el sexo», pero no fue capaz.

Con sus otras parejas, siempre había conseguido que las cosas parecieran poco serias. Uno de ellos le había comentado que lo convertía todo en una broma. Sin embargo, se trataba de Travis. El día después de que él regresara al pueblo, Kim le había enviado un mensaje de correo electrónico a Jecca diciéndole que el hombre del que estaba enamorada desde los ocho años había vuelto. Aunque fuera su amante, no podía hacer una broma sobre su guapísima ex.

Al ver que no se volvía para mirarlo, Travis la soltó.

—He tardado tanto en volver a tu lado porque antes quería descubrir quién era —confesó en voz baja—. Siempre he sido el hijo de un multimillonario y necesitaba saber si era capaz de buscarme la vida yo solo. No quería ser uno de esos niños ricachones con un fondo fiduciario que viven a costa de sus padres. ¿Qué clase de hombre sería si me hubiera acercado a ti ofreciéndote eso? —Kim siguió sin moverse, de modo que continuó tras inspirar hondo—. Una vez que conseguí la licencia para ejercer de abogado en Nueva York, mi padre me ofreció un puesto de trabajo importante y muy bien remunerado, pero lo rechacé. ¡Se puso furioso! Canceló la mensualidad que recibía del fondo fiduciario y me dejó a dos velas. Me dijo que no sería capaz de buscarme la vida y, la verdad, me asustó que tuviera razón.

Kim se volvió para mirarlo.

—Quería alejarme de él todo lo posible, así que le pedí

a una persona —dijo antes de esbozar una media sonrisa— que me llevara en su avión privado a Los Ángeles. Me quedé con un colega de la universidad mientras buscaba trabajo. Estaba tan enfadado que cuando oí que necesitaban dobles para las escenas de acción, me lancé de cabeza. Conseguí el trabajo porque tengo la misma altura y corpulencia que Ben Affleck. Me dispararon dos veces en su nombre. —Miró a Kim con una sonrisa—. Tuve éxito y demostré que era capaz de sobrevivir por mi cuenta. Pero mi trabajo consistía en arriesgar la vida en las escenas de acción. Se me daba bien, pero era consciente de que mi cuerpo no lo soportaría mucho, así que lo dejé. Además, no era una vida adecuada para... para ti.

—¿Para mí? —Kim parpadeó varias veces.

—Sí, claro, para ti. Te dije que mi vida siempre ha girado a tu alrededor.

—Pero... —En realidad, ella pensó que se trataba del típico comentario que hacían todos los hombres. No se lo había tomado al pie de la letra—. ¿Y qué hiciste?

—Mi plan era conseguir un puesto en algún bufete de abogados. Me contrataron en uno bastante decente y conservador, emplazado en el norte de California. Pensé que podía trabajar con ellos un par de años y después volver a Edilean para verte otra vez. Quería saber si podía haber algo... algo entre nosotros siendo adultos. Creí que con un par de años de experiencia en el mundo de la abogacía, podría encontrar algún trabajo en Edilean o en los alrededores.

Kim contuvo el aliento, pero guardó silencio.

—Todo iba según lo previsto, hasta que mi madre robó unos cuantos millones de una de las cuentas de mi padre, que vino a buscarme hecho una furia, diciendo que iba a matarla.

Kim jadeó.

—No lo dijo de forma literal, pero sabía que le haría la vida imposible hasta el punto de que ella deseara estar muerta. Yo tenía muy claro dónde estaba: en el pueblo donde habíamos pasado los días más felices de nuestras vidas.

—En Edilean.

—Exacto. Y eso echó por tierra mis esperanzas de verte de nuevo. Conozco muy bien a mi padre. Sé que me habría seguido y habría localizado a mi madre.

—Por eso empezaste a trabajar para él.

—Sí.

—No planeabas seguir en su empresa toda la vida, ¿verdad?

—No llegué a plantearme las cosas a tan largo plazo. Cuando estaba a punto de conseguir el sueño que me acompañaba desde los doce años, casi toda la vida, me encontré trabajando ochenta horas a la semana para mi padre. No tenía tiempo para dormir, mucho menos para pensar.

—Pero sí tuviste tiempo para visitar mis exposiciones —replicó Kim sin poder evitarlo, y lo hizo con un deje furioso en la voz—. Si tanto significaba para ti, ¿por qué no me hablaste jamás? Podías haberme saludado: «¡Hola, Kim! ¿Te acuerdas de mí?» Podrías haber hecho algo. Yo no sabía tu apellido y me pasé años buscándote en Internet.

Travis extendió una mano y la pegó a él para abrazarla y acariciarle el pelo.

—¿Cómo me iba a acercar a ti? Lo estabas haciendo fenomenal. Eras una promesa en el mundo del diseño de joyas. Seguía tu carrera por Internet, y parecía que todos los días conseguías algo nuevo. Mientras que yo... yo solo era la marioneta de mi padre. Necesitaba demostrarme a mí mismo que era un hombre.

—¿En la cama también? —le soltó ella, con más veneno del que pretendía.

—Sí —reconoció Travis—. También en ese terreno. Una cosa es que una chica te enseñe a montar en bici, y otra muy distinta que te enseñe qué hacer en la cama. ¿Y ahora dónde meto esta cosa tan grande? —dijo con voz aguda.

Kim fue incapaz de contener una carcajada. Después, se alejó de él para mirarlo a los ojos.

—¿Has intervenido para que mis otros novios cortaran conmigo?

—No, pero les eché un ojo a todos.

—¿Qué significa eso?

Travis se encogió de hombros.

—¿Qué hiciste? —exigió saber Kim.

—Los investigué por encima. Nada ilegal. Cuando comprobaba que ganaban menos que tú, me tranquilizaba. Porque sabía que huirían de ti, aterrados.

—Muchas gracias —replicó ella—. Dicho así parece que llevo una espada y que monto a pelo a caballo.

—Me gusta esa imagen —dijo Travis con una mirada risueña.

—¡Manda narices! —exclamó—. Me las has hecho pasar canutas durante años. Te he echado de menos, y no podía encontrarte y tú...

Travis la interrumpió con un beso.

—Te compensaré. —La besó en la nariz—. Quiero pasar años y años compensándote.

Aunque le gustaba mucho lo que Travis le estaba haciendo, Kim se apartó de él para mirarlo.

—¿Qué significa eso? Exactamente.

—Que te quiero y que quiero casarme contigo. Si me aceptas, claro.

Kim se quedó muda de repente.

—Pero...

—Pero ¿qué?

—Pero apenas nos conocemos. Hace solo una semana que has regresado y antes de eso...

Travis la besó de nuevo.

—A ver qué te parece esta idea. Te daré todo el tiempo del mundo para que me conozcas y, entre tanto, te pediré todos los días que te cases conmigo. Cuando creas que me conoces lo suficiente, me dices que sí y vamos en busca de un cura. ¿Cómo lo ves? —Se volvió y puso los pies en el suelo—. Me muero de hambre. ¿Y tú? Penny dice que uno de sus tíos come tanto que va a arruinarme. Me gustaría verlo, ¿a ti no?

—Yo... bueno... —Kim seguía sin poder hilar dos pensamientos después de escuchar lo que él había dicho—. ¿Dónde vas a vivir? —logró preguntarle.

Travis iba de camino al cuarto de baño.

—Contigo, si te parece bien. Me gusta tu casa, pero creo que deberías trasladar el taller de trabajo al local de Joe. ¿Quieres ducharte conmigo? De esa forma, el garaje quedará libre. Creo firmemente que hay que cuidar bien los automóviles. ¿Hay buenos mecánicos en el pueblo?

Mientras desaparecía detrás de la puerta del cuarto de baño, Kim siguió sentada en la cama. La sábana se deslizó, dejándola desnuda, pero no se dio cuenta.

Travis asomó la cabeza.

—Si sigues así sentada, tendré que volver a la cama para hacerte el amor otra vez y resulta que tengo hambre.

Ten un poco de compasión, ¿vale? —Regresó al cuarto de baño.

Kim siguió donde estaba. No sabía si lo había escuchado bien y tampoco sabía qué estaba sintiendo. Ese fin de semana esperaba recibir una proposición de matrimonio de un hombre al que conocía desde hacía meses. En cambio, acababa de recibir una de... de Travis, pensó con una sonrisa. Lo recordó en la bicicleta, mientras se lanzaba por la pendiente del montón de tierra con las manos, la cara y los dientes sucios, pero más feliz que ninguna otra persona que ella conociera. ¡Ese niño le había pedido que se casara con él!

Escuchó el chorro de agua de la ducha. Se demoró unos segundos más y después corrió al cuarto de baño.

—Me gusta dónde está mi taller —dijo—. No necesito coche para ir al trabajo y puedo trabajar hasta tarde si me apetece. Así que no... —No dijo más porque Travis sacó uno de sus largos brazos de la ducha y le rodeó la cintura. La cortina quedó atrapada entre sus cuerpos.

—Yo te llevaré en coche todos los días —se ofreció, y después la besó—. Soy un gran conductor.

—Sí, si te gustan las montañas rusas sin frenos.

—A ti te encantan —replicó él, que volvió a besarla.

13

Kim estaba sentada fuera del bed & breakfast, esperando a Travis. Cuando por fin terminaron de vestirse (la ducha había sido muy larga), sonó el móvil de Travis.

—Si me llaman a este número, sois Penny, mi madre o tú —dijo al tiempo que se sacaba el móvil del bolsillo del pantalón—. Penny —saludó al descolgar.

Al cabo de unos minutos, le dijo a Kim que «un capullo incompetente llamado Forester» había tenido una crisis y que necesitaba ayuda.

—Lo siento —se disculpó Travis—, pero voy a tardar un poco. Se cargará el trato si no lo llevo de la manita. ¿Te importa?

—Claro que no —contestó Kim—. Te espero fuera.

Al salir de la habitación, cogió el cuaderno de dibujo. A lo mejor se le ocurrían un par de ideas para sus diseños. Aunque lo dudaba mucho, ya que solo podía pensar en lo que Travis le había dicho. ¿De verdad había planeado toda su vida en torno a ella? ¿Era posible? Claro que tuvo que preguntarse si ella no había hecho lo mismo. No de forma consciente, tal como Travis parecía haber hecho, sino de forma inconsciente. Ella lo había estado buscando desde que era pequeña, cuando se colaba en la habitación de su hermano, donde había conexión a Internet sin el férreo control materno. Su búsqueda de Travis fluctuaba en función de su vida personal. Después de cortar con un novio, lloraba, se atiborraba de helado y se pasaba días enteros conectada a Internet.

En ese momento, se dio cuenta de que tal vez había visto fotos del riquísimo Travis Maxwell, pero que no les había prestado atención. Hacía mucho tiempo que se había dado cuenta de que Travis y su madre estaban huyendo de un hombre maltratador. A nadie se le ocurriría pensar que un niño rico recibiera otra cosa que no fuera un trato mimado y consentido. De ahí que se mantuviera lejos de las páginas de sociedad mientras realizaba las búsquedas.

En cuanto a lo que Travis había dicho acerca de casarse, se moría de ganas por arrojarle los brazos al cuello y decirle que sí. Era lo que más deseaba en el mundo. Sin embargo, no podía hacerlo. Todavía tenían que solucionar muchos problemas. Travis seguía demasiado conectado a su vida anterior, al cabrón de su padre. ¿Cómo iban a ser felices a menos que eso se solucionara? Además, su madre iba a necesitar muchísima ayuda. Por mucho que todos quisieran a Joe, era un hombre sencillo; jamás podría enfrentarse al infame padre de Travis. Randall Maxwell era conocido internacionalmente como un hombre capaz de enfrentarse a cualquiera... a lo grande. ¿Cómo soportaría Joe, el dueño de una tiendecita de bricolaje, algo así? Travis tendría que intervenir y ocuparse de todo. ¿Cuánto podía durar el divorcio de un hombre riquísimo que no quería desprenderse de un solo céntimo? ¿Años? ¿Cómo podrían Travis y ella tener vida propia si él estaba embarcado en semejante caos de forma permanente?

Los obstáculos que se les presentaban parecían insuperables. Claro que no pensaba renunciar a él. Jamás. Sin embargo, pasaría bastante tiempo antes de poder vivir a su aire, disfrutar de su hogar, tener sus propios... hijos.

Cuando salió a la fresca brisa vespertina, inspiró hondo. Se recordó que, por más obstáculos que hubiera en el camino, se tenían el uno al otro y que siempre había luz al final del túnel. La idea de tener un futuro en el que no estaría sola (tal como había empezado a temer) la hizo sonreír y al hacerlo, su mente se despejó. Tal como le sucedía desde niña, comenzó a pensar en joyas. A la luz del atardecer, las hojas de un arce cercano parecían feldespato. O tal vez trocitos de cuarzo. Por supuesto, las que quedaban a la sombra eran granates puros. Llevaba bastante tiempo sin usar granates, así que a lo mejor había llegado el momento de empezar de nuevo.

Debajo de los árboles había unos bancos, de modo que se sentó en uno y comenzó a dibujar lo que se iba imaginando. Las piedras, incluso las curvas de las hojas, le recordaban al cuello de una mujer. Podía hacer que el oro se deslizara por la piel antes de curvarlo por encima de una clavícula. Si lo hacía bien, el collar sería muy sensual. Por supuesto, debería hacerse a medida para cada clienta, pero eso sería muy agradable. Detestaba los collares que eran un círculo perfecto y rígido. Nadie tenía un cuello redondo y siempre le parecía que las joyas quedaban en un ángulo extraño.

Estaba tan ensimismada con su dibujo que no vio ni escuchó nada hasta que un hombre estuvo a punto de tropezar con sus pies.

—Lo siento —dijo él—. No era mi intención asustarla.

Kim levantó la vista y vio a un hombre bajito y corpulento, de unos sesenta años, a su derecha, con una escoba en la mano. Llevaba unos vaqueros desgastados y una camisa que parecía haber sido lavada cientos de veces. La miraba con tal sonrisa que le recordó a sus vecinos.

—Por favor, siga con lo que estaba haciendo. —El hombre señaló el cuaderno de dibujo con la cabeza de un modo que la llevó a pensar que sentía curiosidad.

—Me gusta cómo juega la luz con las hojas de esos arces —comentó ella.

—Son bonitas, ¿verdad? —El hombre colocó ambas manos sobre el palo de la escoba y clavó la mirada en las hojas—. ¿Es una de las personas que se hospeda aquí?

—Pues sí.

—No quiero ser cotilla, pero ¿es una reunión familiar? No es habitual tener tantos huéspedes.

Kim contuvo una carcajada al pensar en el verdadero motivo por el que había tantas personas en Janes Creek. Travis había planeado vigilarlos a Dave y a ella. Sin embargo, había acabado espantando a Dave.

—No —contestó—. Solo somos mi... —No estaba segura cómo denominar a Travis. ¿Su prometido? Sin embargo, él no se lo había pedido formalmente, al menos no con un anillo (un detalle que ella consideraba imprescindible para una proposición y así se lo hacía saber a los hombres que iban a su joyería), y desde luego que ella no había aceptado.

—¿Su pretendiente? —aventuró él.

Era un término muy anticuado que parecía encajar con la situación.

—Sí, mi pretendiente invitó a algunas personas.

Se quedaron callados un momento, tras lo cual el hombre miró su cuaderno de dibujo.

—La dejaré que siga con lo que estaba haciendo, pero si necesita ayuda de algún tipo, dígamelo. Solo tiene que preguntar por Red. Ya sabe, porque era pelirrojo en otro tiempo. —Hizo ademán de alejarse.

—Ya tenemos algo en común. A decir verdad —comenzó Kim—, tal vez pueda ayudarnos a encontrar a alguien.

El hombre se detuvo y la miró. Tenía algo que a Kim le gustaba mucho. Una sonrisa muy dulce.

—Me cuesta aclararme con los recién llegados, pero si la persona tiene más de cuarenta años, seguramente pueda ayudarla.

Sonrió al escuchar la expresión «recién llegados». Era la misma que empleaban en Edilean.

—¿Y si la persona murió en 1893?

—En ese caso, seguramente fuéramos compañeros de colegio.

Kim se echó a reír.

—El doctor Tristan Janes. Supongo que el pueblo recibió el nombre por su familia, ¿no?

—Sí, así es —contestó el hombre al tiempo que señalaba hacia una de las sillas vacías que había delante de ella. Le estaba pidiendo permiso para sentarse.

—Por favor —dijo ella.

Mientras se sentaba, el hombre dijo:

—¿No le importará a su pretendiente que mantenga una conversación privada con otro hombre?

—Estoy segura de que los celos lo volverán loco, pero seré capaz de calmar su ansia de sangre.

Red se echó a reír.

—Habla como una mujer enamorada.

Kim no pudo evitar ruborizarse.

—¿Qué me dice del doctor Janes?

—Antes había una biblioteca en el pueblo, pero cuando cerró el molino, podría decirse que el pueblo murió con él. Trasladaron todos los libros y los periódicos a la capital del Estado. De no ser así, ahora podría ir a la biblioteca para leerlo todo. Yo soy un pobre sustituto. De cualquier forma —siguió—, un tal Gustav Janes fundó el pueblo en 1857, tras abrir un molino que molía la harina de todos los productores a cien kilómetros a la redonda. Su único hijo, Tristan, se convirtió en médico. Leí que el viejo Gustav, que no sabía leer ni escribir, estaba orgullosísimo de su hijo.

—Algo muy comprensible —repuso Kim—. Tristan murió joven, ¿no es verdad?

—Pues sí. Estaba rescatando a unos mineros y la mina se le derrumbó encima. Tardaron una semana en encontrar su cadáver. Era muy querido y cientos de personas asistieron a su funeral.

—Estoy segura de que una de esas personas era una antepasada mía —le aseguró Kim—. Parece que estaba embarazada de él, un niño que fue mi... a ver si no me equivoco... que fue el hermano de mi bisabuelo.

—Creo que eso la convierte en una ciudadana honoraria de Janes Creek.

—¿No soy una recién llegada?

—Todo lo contrario. —A lo lejos, escucharon voces que se acercaban a ellos, de modo que Red se puso en pie—. Creo que su pretendiente viene a por usted y que yo debería irme.

—Verá, el asunto es que en mi pueblo todos quieren saber si el doctor Janes estaba casado o no.

—Ah, no. Leí que era el mejor partido del pueblo, un joven muy apuesto, pero que nunca se casó. Estoy seguro de que de haber vivido, se habría casado con su antepasada. Sobre todo si era la mitad de guapa que usted.

—Gracias —dijo Kim mientras Red se alejaba—. ¡Por cierto! —exclamó—. ¿Sabe dónde está enterrado?

—La familia Janes al completo está enterrada en el viejo molino. Si va, tenga cuidado. El lugar se cae a pedazos. Que la acompañe alguien. Alguien bien fuerte.

—Lo haré —dijo ella mientras Red doblaba una esquina y desaparecía de su vista.

A su izquierda, al otro lado del frondoso seto, vio a Travis, que fruncía el ceño mientras hablaba por teléfono. Pero al verla a ella, sonrió y dijo:

—¡Forester, hazlo y punto! —Y colgó. Le tendió el brazo—. ¿Estás lista para la cena?

—Sí —contestó mientras echaban a andar hacia el edificio principal.

Escondido entre los arbustos y con la vista clavada en la pareja, se encontraba Red. Sonreía de oreja a oreja.

—¿Señor? —dijo un hombre trajeado.

—¿Qué pasa? —mascculló Red.

—Tiene una llamada de Hong Kong y el señor Forester necesita...

Red frunció el ceño.

—Mi hijo ya se ha ocupado de Forester. Necesito que envíes a alguien a la capital del Estado. Quiero saberlo todo sobre el doctor Tristan Janes, muerto en 1893.

—Por la mañana iré...

Red miró al hombre con cara de pocos amigos.

—Llamaré al gobernador.

—Eso está mejor —replicó Red mientras se alejaba del bed & breakfast.

El hombre recogió la escoba y siguió a Randall Maxwell hasta el coche que los esperaba.

El sonido de la ducha despertó a Kim, y mientras la asaltaban los recuerdos, se desperezó con lentitud. La noche anterior había sido maravillosa. La cena se la sirvieron a los dos solos en un pequeño porche acristalado, y Travis ya había escogido el menú por adelantado. Disfrutaron de tres vinos distintos, acompañando a seis platos. En el exterior, las estrellas titilaban y la luz de la luna se mezclaba con el suave resplandor de las velas. Cuando llegaron al postre, se estaban dando de comer el uno al otro... y a Kim le costaba la misma vida no abalanzarse sobre Travis y arrancarle la ropa.

—¿Nos vamos a la habitación? —preguntó él antes de acabar el postre.

—Si estás listo... —respondió Kim con su voz más tímida.

—Llevo... listo toda una hora. —Parecía sufrir muchísimo.

Kim soltó una risilla muy infantil.

Consiguieron darle las buenas noches a la persona que los atendió (la misma chica que atendió a Kim en recepción cuando llegó) y no tocarse mientras subían las largas escaleras. Travis abrió la puerta y dejó que Kim entrara primero. A continuación, echó la cadena y se volvió para mirarla.

No necesitaron palabras. Kim dio un salto y acabó

entre sus brazos. La ropa salió volando hacia el otro extremo de la habitación, donde quedó tirada en el suelo. Cuando por fin recorrieron los escasos pasos que los separaban de la cama, estaban desnudos. Se fundieron con toda la pasión que sentían. Y cinco minutos después de alcanzar juntos el orgasmo, comenzaron de nuevo, explorándose lentamente en esa ocasión para descubrir lo que más les gustaba.

—¿Qué tal esto? —susurró Travis, con la mano entre sus piernas.

—Sí, me gusta mucho.

Una parte de ella seguía deseando que hubieran estado juntos desde el principio de su edad adulta. Habría sido muy bonito aprender el uno del otro. Claro que Travis sabía cosas maravillosas acerca del cuerpo de una mujer. Sabía muy bien lo que hacer para que alcanzara nuevas cotas de placer, y para que se quedara allí.

En cuanto a ella, también había aprendido unas cuantas cositas, de modo que cuando comenzó a acariciársela con la boca, la complació al escuchar su jadeo de placer. Veinte minutos después, regresó a su cuello.

—¿Dónde has aprendido a hacer eso? —le preguntó él con expresión maravillada.

—De la tele, de madrugada —respondió muy seria.

Travis le dejó muy claro que no se lo terminaba de creer, pero que le gustaba la idea de que lo hubiera aprendido de la tele y no de otro hombre.

—Me vuelves loco, ¿lo sabes? —dijo él al tiempo que la ponía de espaldas y empezaba a besarla.

No se durmieron hasta las tres de la madrugada. Cayeron rendidos el uno sobre el otro, desnudos y sudorosos, y totalmente exhaustos. En algún momento, Travis se despertó. Cambió de postura a Kim, de modo que ya no estaba cruzada sobre él, sino con la cabeza apoyada en su hombro, y tiró de la sábana para que los cubriera antes de dormirse de nuevo.

En ese momento, ya había amanecido, y Kim escuchaba el agua de la ducha con una sonrisa mientras recordaba la noche pasada.

Travis entró en el dormitorio con una toalla a la cintura, secándose el pelo con otra.

—Si sigues mirándome así, voy a necesitar otra ducha. —La miró con expresión apasionada—. Dentro de una hora más o menos, claro.

Kim se desperezó con una sonrisa.

—Anoche me lo pasé genial.

—¿Sí? —preguntó él al tiempo que se sentaba en la cama junto a ella y le apartaba el pelo de la cara—. Yo también. ¿Y si hoy...?

—¡Ay! —exclamó ella, que se irguió en la cama—. Se me olvidó decirte que sé dónde está enterrado Tristan Janes.

—Eso no es lo que iba a sugerir, pero como es por lo que vinimos...

—Exacto. Para encontrar a más parientes míos —dijo ella mientras Travis se inclinaba para besarle el lóbulo de una oreja—. A lo mejor podríamos llamar por teléfono a todo el que se apellide Janes y preguntar qué sabe.

Travis se puso en pie y regresó al cuarto de baño.

—Ya he comprobado el listín telefónico y he hablado con Penny. No quedan Janes en el pueblo.

—¿Cuándo has hablado con ella? —preguntó Kim.

—Esta mañana, mientras dormías —contestó desde el cuarto de baño.

Kim miró el reloj. Eran algo más de las nueve, y no creía haber dormido hasta tan tarde en toda su vida. Cuando eran niños, Travis y ella habían salido antes de las seis.

—¿Sigues madrugando?

Travis asomó la cabeza por la puerta del cuarto de baño, con la cara cubierta de espuma de afeitar.

—Suelo estar en el despacho a las siete. ¿Y tú?

—Yo estoy en mi taller a las seis.

—Por supuesto, yo desayuno a las cinco —replicó él.

—Yo a las cuatro y media.

—Yo estoy en el gimnasio a las cuatro.

—Yo ni me molesto en dormir —aseguró ella, y ambos se echaron a reír por la competición.

Travis salió del cuarto de baño recién afeitado y desnudo. Al ver la expresión de Kim, demoró la tarea de vestirse, pero después le dio la espalda.

—No sé tú, pero yo me muero de hambre.

Cuando hizo ademán de salir de la cama, Kim se dio cuenta de que también estaba desnuda y titubeó. Travis estaba de espaldas a ella, pero la miraba a través del espejo. Tampoco era como si no la hubiera visto desnuda, pensó al tiempo que apartaba la sábana y atravesaba la estancia con todo el valor que fue capaz de reunir. Se detuvo al llegar a la puerta del cuarto de baño y miró a Travis, que se estaba abrochando la camisa... con una sonrisa de oreja a oreja.

Se duchó y se lavó el pelo, echándose un montón de acondicionador para dejarlo lo más sedoso posible. Cuando salió de la ducha, se envolvió en el albornoz y comenzó a secarse el pelo con el secador. Travis entró, totalmente vestido, y le quitó el secador. Se alegró al comprobar que no manejaba con demasiada soltura el enorme secador de mano, ya que eso era señal de que nunca había realizado una tarea tan doméstica. Mientras estaba echada hacia delante, con sus manos en la nuca y en el pelo, pensó que jamás había sentido nada tan sensual. Lo que estaba haciendo era tan íntimo y tan especial que pensó que era incluso más sexy que el sexo. ¡Menuda idea! ¡Más sexy que el sexo!

—¿A qué ha venido esa carcajada? —le preguntó él cuando apagó el secador.

—Nada, era una tontería. —Se volvió, le echó los brazos al cuello y lo besó—. Gracias —dijo—. Me ha gustado la experiencia.

—A mí también. —Le pasó las manos por la espalda y terminó dándole una palmada en el trasero—. ¡Vístete para que pueda comer! Anoche me dejaste listo. —Salió del cuarto de baño.

—¿Cómo dices? —preguntó ella mientras se maquillaba—. Si te pasaste casi todo el tiempo de espaldas. Yo hice todo el trabajo.

Travis se asomó por la puerta.

—Esto... ¿qué ves por las noches en la tele? Creo que deberíamos ver esos programas juntos.

—Fuera de aquí —replicó ella con una carcajada—. Tengo que arreglarme.

Travis volvió al dormitorio y se puso el reloj.

—Cuéntame cómo te enteraste de dónde está enterrado Janes.

Mientras se rizaba las pestañas, le contó su encuentro con el jardinero, Red, y le hizo un resumen de lo que le había contado. Unos minutos después, terminó de maquillarse y fue al dormitorio para vestirse. Travis se sentó en una silla para disfrutar del espectáculo.

—Así que, ¿quién puede acompañarnos de los que están

aquí? —concluyó ella mientras intentaba ponerse la pulsera, aunque al final se rindió y le tendió el brazo a Travis.

—¿Ese hombre te dijo que nos lleváramos a alguien grande y fuerte? ¿Por si una piedra se nos cae encima y el otro no puede apartarla?

—No sé por qué lo dijo. ¿Crees que Russell está aquí?

—Seguramente. Y dado que yo pago la factura, seguro que se está poniendo morado a trufas y beluga.

—A mí me parece estupendo —repuso Kim—. A lo mejor después de visitar el viejo molino podemos dar un paseo por el pueblo.

—¿Y ver si hay alguna joyería?

—Exacto —contestó ella, complacida por el hecho de que la conociera tan bien.

Travis sonrió al abrir la puerta de la habitación, tras lo cual bajaron la escalera.

—Creo que eso me va a gustar. A lo mejor encontramos un anillo que te guste.

—No copio el trabajo de los demás —le aseguró, tensa. Se encontraban a las puertas del comedor principal, que Kim todavía no había visto.

—Estaba pensando en un anillo que te gustaría llevar el resto de tu vida.

—Yo... —Quería decir algo más, pero se vio interrumpida por un coro de saludos. El comedor contaba con ocho mesas, y todas estaban ocupadas por personas a quienes no había visto en la vida. Sin embargo, todas parecían conocerlos, ya que saludaron a Travis y a «la señorita Aldredge»—. Vas a tener que presentarme.

Travis señaló con la cabeza una mesa de cuatro.

—Ahí está Penny y ya conoces a su hijo. Al resto no lo he visto en la vida.

—Tus huéspedes de relleno —repuso ella con guasa. Cuando Travis quería algo, no había medias tintas, cubría todas las posibilidades. «¿Y yo soy lo que quiere ahora?», se preguntó sin poder evitarlo.

Penny, la señora Pendergast, miró a Kim y señaló con la cabeza las dos sillas vacías que había en su mesa. Era una mujer atractiva, de aspecto más joven de lo que Kim había imaginado. No tenía arrugas en la cara y conservaba una figura esbelta, que quedaba resaltada por los pantalones de lino negros y la camisa blanca. Entre su pelo, que caía en suaves ondas hasta el cuello de la camisa, se veían los pendientes de perlas que Russell había comprado en su joyería.

—Tú decides —dijo Travis.

Kim se dirigió sin titubeos hacia la mesa y se sentó. Tenía la vista clavada en la señora Pendergast.

—He oído cosas maravillosas sobre usted —afirmó—. Parece que Travis es incapaz de vivir sin su ayuda.

—Cuando se mete en líos, mi madre lo saca —comentó Russell.

Penny le lanzó una mirada a su hijo para que dejara de hacer el ganso, pero él se limitó a sonreír.

—Y yo llevo años oyendo hablar de ti —le aseguró la mujer—. Pero, por favor, llámame Penny.

—¿De verdad? —preguntó ella, sorprendida—. No tenía ni idea de que Travis le hubiera hablado de mí a nadie.

—¿Le has enseñado ya la placa?

—Todavía no —contestó Travis, tras lo cual le pidió lo que quería al camarero. Contra la pared había un antiguo aparador lleno de bandejas plateadas, pero parecía querer que le llevaran la comida a la mesa.

Penny se inclinó hacia Kim.

—Si quieres algo del bufet, será mejor que lo cojas ahora, antes de que mi tío Bernie se lo coma todo. —Señaló con la cabeza hacia una mesa situada en un rincón, donde un hombre alto y delgado comía de tres platos rebosantes de comida.

Kim se disculpó y se dirigió al aparador para preparar un plato con huevos revueltos, salchichas y tostadas integrales. Cuando regresó a la mesa, se detuvo para observarlos. Travis y la señora Pendergast tenían las cabezas muy juntas mientras hablaban en voz baja. En realidad, hablaba ella mientras que Travis asentía con seriedad con la cabeza y el ceño fruncido.

La familiaridad entre ellos no la sorprendió, pero sí lo hizo ver a Travis y a Russell tan juntos. La última vez que lo vio, Kim estaba demasiado alterada como para reparar en muchos detalles, pero en ese instante vio el parecido entre ellos. Tenían la misma estatura, el mismo color de pelo y de ojos, y cuando cogieron sus respectivas tazas de café, movieron la mano de la misma forma. Como había vivido siempre en Edilean, Kim sabía mucho de parientes. Le resultó fácil percibir que Travis y Russell compartían un estrecho lazo de sangre.

Con los ojos como platos, miró a Penny y descubrió que la mujer la miraba fijamente. Enarcó las cejas, preguntándole si Travis lo sabía. Penny lo negó con la cabeza, y le dirigió una mirada suplicante. Sus ojos le decían: «Por favor, no se lo digas. Todavía no.»

A Kim no le hacía gracia ocultarle algo a Travis, pero había muchas cosas que ella desconocía de esa historia. Respondió con un gesto brusco de cabeza y se sentó.

Travis y Penny siguieron hablando de lo que el «capullo» de Nueva York estaba haciendo con un trato. Si bien le resultaba interesante ver ese lado de Travis, más le fascinaba el parecido entre Russell y él. Se fijó en los gestos de Travis, en su forma de sujetar el tenedor. Cuando Russell habló con su madre, reparó en su tono. Se parecía muchísimo a la voz grave de Travis.

Tras unos momentos de manifiesto escrutinio, Kim sintió la mirada de Russ sobre ella, de modo que desvió la vista hacia él. La miraba con una sonrisa, como si compartieran un secreto... y parecía que así era. Un secreto enorme.

Cuando lo miró a la cara, Russell levantó su vaso de zumo de naranja, como si la saludara. Fue incapaz de contener una risilla tonta. A menos que se equivocara mucho, Travis tenía un hermanastro.

—Lo siento —dijo Travis al tiempo que se apartaba de Penny y miraba a Kim—. Te estamos dejando al margen.

—Ni hablar —le aseguró—. De hecho, me lo estoy pasando en grande. —Se volvió hacia Penny—. Antes trabajabas para el padre de Travis, ¿no es verdad?

—Durante muchos años. —A Penny le brillaban los ojos, como si se estuviera preguntando qué iba a decir Kim a continuación. ¿Anunciaría lo que acababa de descubrir?

Sin embargo, a Kim ni se le había pasado por la cabeza. Enterarse de que tenía un hermano iba a cambiar el mundo de Travis, y no le correspondía a ella decírselo. Debía enterarse por Russell o por Penny... e iban a tener que explicar muchas cosas.

—A lo mejor Russell podría acompañarnos hoy —comentó Kim.

—¿Adónde? —El aludido la miraba como si esperase que contara lo que acababa de descubrir.

—A un edificio medio en ruinas —contestó Travis—. Anoche, mientras trabajaba, el amor de mi vida se puso a coquetear con otro hombre, que le dijo adónde tenía que ir hoy. También le dijo que necesitaba la ayuda de alguien grande y fuerte. Parece que Kim cree que ese eres tú. —Lo dijo con voz cantarina y burlona.

Las palabras «el amor de mi vida» hicieron que Penny y Russell la miraran con atención. Penny miró la mano izquierda de Kim, percatándose al punto de que no llevaba anillo de compromiso.

Kim sabía que el silencio era más elocuente que las palabras que había dicho.

—En caso de que se os haya olvidado, estoy aquí para encontrar a mi antepasado.

—Y a sus posibles descendientes —añadió Travis.

—Parece que hay un panteón cerca de un antiguo molino, así que Travis y yo vamos a echarle un vistazo. —Kim miró a Russell a los ojos—. Creo que deberías acompañarnos. Si este lugar está en ruinas, será muy tranquilo. Allí se puede pensar. O hablar.

Russell esbozó una sonrisilla.

—Yo me he quedado sin saliva —replicó, mirando a su madre—. ¿Y tú? ¿Has terminado con el asunto de Nueva York?

—Totalmente —aseguró su madre.

—Penny se va a jubilar —le dijo Travis a Kim— y está pensando en mudarse a Edilean. ¿Hay alguna casa buena a la venta?

—¿Nueva o antigua? —quiso saber Kim.

—Antigua, pequeña, con una parcela mínina de cinco mil metros. Pero no quiero que esté muy lejos del pueblo.

—Conozco algo así. Era la casa de un guardabosques.

Necesitará reformas. —Kim miró a Russell—. ¿Qué me dices de ti? ¿Dónde vives?

—En Edilean no —contestó al tiempo que soltaba la servilleta en la mesa y se ponía en pie—. ¿Cuándo queréis ir a ese edificio en ruinas? ¿Alguien tiene una cámara? ¿Un cuaderno y un boli?

Travis se levantó y se puso al lado de Russell. Tenían la misma complexión y lucían la misma expresión desafiante en sus apuestos rostros.

Kim miró a Penny. ¿Travis no veía el parecido? Una vez más, Penny la miró con expresión suplicante. «No se lo digas», parecían decirle sus ojos.

Kim no había alcanzado el éxito dejándose intimidar por nadie, con independencia de para quién trabajara.

—Mañana —dijo en voz baja, y Penny asintió con la cabeza.

La mujer tenía veinticuatro horas para contarle la verdad a Travis, y si no lo hacía, lo haría ella.

Travis la esperaba junto a la puerta.

—Russ ha alquilado un Jeep y ha ido a preguntar el camino. —Bajó la voz—. Kim, si prefieres que pasemos tiempo a solas, puedo encargarle a Penny que lo resuelva ella. Lo averiguará todo sobre el doctor Janes.

—No —contestó Kim—. Creo que deberías... —Estuvo a punto de decirle que debería conocer mejor a su hermano, pero se mordió la lengua. Se preguntó cómo reaccionaría Travis cuando se enterase de que su adorada ayudante había tenido una aventura con su padre. Ya tenía bastantes problemas con Randall Maxwell, no le hacían falta más.

—¿Qué crees que debería hacer?

—Nada. Aquí viene Russ. ¿Nos vamos?

Travis quería conducir, pero Russell no se lo permitió.

—Mi coche, mis manos al volante —adujo.

Kim se montó delante. Travis fue detrás, leyendo las instrucciones que Russell había escrito.

—Parece que suspendiste caligrafía —dijo Travis—. Soy incapaz de leer esto.

—Quizá deberías haber asistido a mejores colegios para desarrollar la comprensión lectora —replicó Russ—. Ah, espera. Si fuimos al mismo colegio.

—¿Aprobaste alguna asignatura? —mascculló Travis.

Kim miró por la ventana para disimular la sonrisa. Parecían Reede y ella.

El antiguo molino era precioso. Se trataba de un edificio amplio y bajo, con forma de U; la parte central contaba con una sola planta, mientras que los laterales eran de dos. En la parte delantera había un murete de piedra, creando un patio en el centro de la U.

Los tres se quedaron un momento de pie, contemplando ese maravilloso y antiguo edificio. A una parte le faltaba el tejado, y una bandada de palomas salió volando al oírlos. Sin embargo, el ala izquierda de dos plantas tenía tejas nuevas. El murete de piedra parecía estar a medio derrumbar, pero habían reemplazado piedras en algunas partes.

—Alguien ha estado trabajando en el edificio —comentó Travis.

—Es perfecto —dijo Kim, señalando la zona derecha del patio. Allí, tras otro murete de piedra, se encontraba un jardincito perfecto... salvo que parecía sacado de un libro de jardinería del siglo XVIII. Tenía senderos de gravilla dispuestos en dos círculos concéntricos, atravesados por una X. En cada una de las secciones, crecían plantas que parecían malas hierbas, todas de diferentes colores, alturas y texturas. Y todas habían sido cuidadas con esmero—. A menos que me equivoque, son hierbas medicinales —continuó con una sonrisa—. Y eso quiere decir que todavía hay un Tristan por estos lares.

Travis y Russ intercambiaron una mirada antes de desviar la vista hacia ella.

—¿Qué quieres decir? —preguntó Russ.

—Los Tristan son médicos, así que... —dijo Kim.

—Hierbas medicinales —concluyó Travis por ella.

—Todos los Tristan son unos hachas con las plantas. Cuando éramos niños, hacíamos que Tris plantara cosas para nosotros. Si las plantaba él, arraigaban seguro. Cuando los demás plantábamos algo, la mitad de las veces se marchitaba.

—Así que a lo mejor un descendiente es el dueño de este lugar —comentó Russ.

Una teja se deslizó por el tejado, haciéndose añicos al caer al suelo.

—Uno que no puede permitirse la restauración —añadió Travis, mirándola—. Creo que vas a encontrar a algunos parientes aquí.

Kim miró a Russ.

—Encontrar parientes, sobre todo si desconocías su existencia, puede ser muy gratificante, ¿no crees? —le dijo ella.

—También puede ser aterrador —replicó el aludido en voz baja—. Y traumático.

—A lo mejor. Pero a mí me parece que saber la verdad es muchísimo mejor que guardar un secreto.

—Depende de cuál sea la verdad —repuso Russ. Tenía una expresión risueña, como si estuviera disfrutando de lo lindo de la conversación.

Travis echó a andar hacia el centro del edificio y abrió una puerta.

—¿Vais a quedaros todo el día ahí plantados con vuestro debate misterioso y filosofal o vamos a echar un vistazo?

—Voto porque escales el muro y andes por el caballete. Demuéstranos lo que aprendiste en Hollywood —dijo Russ.

—Solo si tú nos demuestras que sabes hacer algo —replicó Travis mientras cruzaba el umbral.

Russ echó a andar hacia la puerta, pero se volvió hacia Kim.

—¿Vienes?

—Yo... —El jardín medicinal tenía algo que le gustaba. Quizá fuera su forma o la luz reflejada en las hojas amarillentas de una de las plantas, pero se alegraba de llevar consigo el cuaderno de dibujo.

Travis apareció por la puerta y se acercó a ella.

—¿Por qué no te quedas aquí y dibujas? El chaval y yo encontraremos el cementerio y lo grabaremos todo. —Le dio un beso en la coronilla.

Kim agradeció su comprensión. Cuando la asaltaba el afán creativo, tenía que prestarle toda su atención. Si lo relegaba a un segundo plano, podía desaparecer. Además, a diferencia de sus primos, que eran amantes de la Historia, Kim no soportaba los cementerios.

—Gracias —dijo.

—No te alejes, no hables con desconocidos y...

—Y no te comas ninguna de esas plantas —terminó Russ.

—Intentaré comportarme —replicó Kim mientras les indicaba que se fueran. Se moría por dibujar esas formas.

Travis volvió a besarla, en esa ocasión en la mejilla, y echó a andar hacia la puerta.

—Creía que eras un donjuán —escuchó Kim que decía Russell—, pero ni siquiera sabes dónde besarla.

—Podría enseñarte muchas cosas sobre... —escuchó que comenzaba Travis antes de que sus voces se perdieran en la distancia.

Kim se sentó en una piedra plana cerca de las plantas que más le habían llamado la atención. Eran altas, con flores llenas de semillas que parecían tan delicadas como los rayos del sol. Sacó el móvil, les hizo una foto y se la envió a su primo Tristan.

«¿Qué es esto?», le preguntó por mensaje.

Kim empezó a dibujar, convirtiendo las formas en joyas. La cadena estaría formada por largos y delicados zarcillos, como las hojas de la planta. Trazó una forma curva con delicadas espirales en el interior, que se engarzarían en un extremo de la cadena. Pondría una perla en el centro de cada una. Los pendientes serían una fina hoja que se curvaría sobre la oreja.

El móvil vibró, era Tristan.

«Angélica. ¿Dónde la has visto?», le preguntó su primo.

Se puso de pie y retrocedió para obtener una vista completa del jardín. Al comprobar que no podía encontrar el ángulo adecuado para captar el diseño del jardín, se subió al murete de piedra, hizo la foto y se la envió a Tris.

Cuando intentó bajarse, las piedras sueltas se escurrieron bajo sus pies, haciéndole perder el equilibrio. Se habría caído de no ser por el fuerte brazo que la sujetó.

Era Red, el jardinero.

—¿Se encuentra bien? —le preguntó él mientras la ayudaba a bajar.

—Sí, y gracias.

—Le dije que este lugar era peligroso —la reprendió con voz seria—. El año pasado una mujer estuvo a punto de romperse una pierna.

Kim se sentó a la sombra, en un antiguo umbral.

—No se apoye en la puerta —le dijo él—. No parece que esté bien sujeta a las bisagras.

Se limpió el polvo de los pantalones y se quitó un poco de arena del pelo.

—¿Es usted el guarda del pueblo?

—Más o menos —respondió él—. Iba de camino al garaje, pero di un rodeo y me pasé por aquí. Parece que mi preocupación no era en vano. ¿Ha venido sola?

—No. Me acompañan dos hombres grandes y fuertes.

Red soltó una carcajada.

—Su pretendiente ¿y...?

—Su... —Titubeó—. Su amigo.

—Pero ¿el suyo no? —Red se inclinó para recoger su cuaderno de dibujo—. ¿Puedo?

Kim le hizo un gesto para indicarle que no le importaba que viese lo que había dibujado.

—Son bonitos —dijo él mientras le quitaba un poco de polvo—. ¿Los transforma en joyas?

—Sí. Tengo una joyería en Edilean. Está en...

—¡Virginia! —terminó él—. Solía ir a pescar a ese lugar. Bonito pueblo. Me gustan las casas antiguas. No recuerdo una joyería, pero sí recuerdo una tienda que vendía ropa de bebé. —Red se sentó en el murete—. ¿Por qué me acuerdo de eso?

—Porque la ropa es maravillosa —contestó Kim—.

La tienda se llama Ayer y la dueña es una mujer encantadora, la señora Olivia Wingate.

—¿Ella confecciona la ropa?

—No. Lucy la hace casi toda.

—¿Lucy Wingate?

—No. Se lla... —Kim se interrumpió. Todo lo relacionado con Lucy era un secreto demasiado importante como para ir contándolo por ahí—. ¿Sabe quién es el dueño de este sitio? —Abarcó el antiguo molino con un gesto de la mano.

—No estoy seguro —contestó él—. He visto a una joven por aquí, pero no sé quién es.

—¿Tiene menos de cuarenta años?

Red sonrió por su buena memoria.

—Pues sí, los tiene. Estoy seguro de que podría averiguar de quién se trata si consulta el registro de la propiedad que hay en el juzgado del condado.

—¿Hoy sábado?

—Ah, claro —dijo—. En fin, en ese caso, no creo que quiera perder el tiempo con su pretendiente en un polvoriento juzgado, ¿verdad?

—No —contestó Kim—. Sobre todo porque no nos queda mucho tiempo antes de que... —Agitó una mano.

Red la miró, preocupado.

—Parece que esté enfermo. Vaya por Dios, querida, por favor, dígame que no es el caso.

—No, no —le aseguró Kim—. Es que...

—¿Está en el ejército? ¿Lo envían al frente?

—No —respondió Kim—. Tiene que encargarse de un asunto muy importante, así que tiene que marcharse.

Red suspiró, aliviado.

—Eso no suena tan malo.

Kim resopló.

—Tiene que ver con su padre, y por lo que me han contado... —Agitó una mano de nuevo—. Es algo...

—Lo entiendo. Privado. Pero en el pueblo me consideran el abuelo de todos por algo. Se me da bien escuchar.

Kim sonrió.

—Así se describió Travis.

—¿Y es verdad?

—Sí, se le da muy bien escuchar.

—¿Tiene otras cualidades?

—Por supuesto. Muchísimas.

—En ese caso, a lo mejor... —Se interrumpió.

—A lo mejor ¿qué?

—En ocasiones, los hijos no ven a sus padres con claridad. Recuerdan que su madre no los dejaba comer lo que ellos querían. Pero no recuerdan que querían comer pintura con plomo que habían rascado de una pared vieja.

Según tenía entendido, el padre de Travis no había estado a su lado el tiempo suficiente para saber qué comía su hijo. ¿Habría tenido una aventura con la señora Pendergast todos esos años? Sin embargo, no podía decírselo a nadie, mucho menos a un desconocido.

Red se puso en pie.

—Creo que sus hombres vuelven, así que será mejor que me vaya.

Kim también se puso en pie.

—Quédese y se los presento.

—A lo mejor esta noche —se apresuró a decir mientras se alejaba—. Acabo de recordar que tengo unos cuantos kilos de hielo en el cajón de la camioneta.

—Seguramente ya se habrá derretido —le gritó mientras Red se perdía de vista a toda prisa.

—¿Hablabas con alguien? —le preguntó Travis al salir al patio, seguido de Russ.

—El jardinero del hotel ha pasado por aquí. Es... —Se interrumpió porque le vibró el móvil. Era un mensaje de Tristan.

«Precioso jardín. Quiero conocer a quien lo haya diseñado. Veo consuelda. ¿Consuelda rusa, tal vez? Necesito un poco para hacer té de compost.»

Le pasó el teléfono a Travis para que lo leyera y, después, se lo dio a Russ.

Los tres miraron el jardín medicinal. Para alguien que no tenía ni idea de plantas, todas parecían iguales. ¿Cómo podía su primo distinguir una en concreto a partir de una foto hecha con un móvil?

—Os lo dije —se jactó Kim—. Aquí hay un Tristan. Bueno, ¿qué habéis averiguado?

Travis fue el primero en hablar:

—Doctor Tristan Janes, nacido en 1861 y muerto en 1893, a la edad de treinta y dos años. —Se volvió hacia Russell—. ¿Qué decía la lápida?

—«Un hombre querido» —contestó Russ—. No es malo que los demás digan eso de ti. Lo siento, pero no hay pruebas de una mujer ni de hijos.

—Su padre se llamaba...

—Gustav —suplió Kim.

—Eso —dijo Travis—. Sin duda alguna, te lo dijo tu misterioso hombre llamado Red.

—¿Qué tiene de misterioso?

—Que desaparece cada vez que nosotros aparecemos —contestó Travis.

—Seguramente se ha enterado de que eres un Maxwell y sale huyendo —adujo Russ—. Muy listo.

Kim miró a Russell con los ojos entrecerrados. Él era tan Maxwell como Travis.

Russ esbozó una sonrisa torcida. Había captado la expresión de Kim a la perfección.

—Bueno, ¿qué hacemos ahora?

—No vamos a hacer nada —contestó Travis—. Tú vas a darte una vuelta por el pueblo haciendo preguntas hasta que encuentres al dueño de este sitio. Kim y yo nos vamos a ver joyerías.

—¿En serio? —preguntó Russ con una ceja enarcada.

—Por los diseños —se apresuró a aclarar Kim.

Travis se colocó su mano en el brazo.

—Las llaves —le dijo a Russell con la mano extendida.

—Tengo que...

—¡Las llaves! —exigió Travis con una voz que no admitía una negativa.

Russ soltó una carcajada.

—El herma... un Maxwell ordena. —Le lanzó las llaves a Travis.

Kim estaba segura de que Russ había estado a punto de decir que «el hermano mayor» ordenaba.

Russ sonrió y le guiñó un ojo.

Se lo estaba pasando en grande, pensó Kim. Y se lo iba a pasar mejor todavía cuando dejara caer la bomba de que era su hermano.

Una vez en el coche, Kim quiso saber de qué habían hablado Russ y Travis mientras estaban solos.

—De poca cosa. ¿Por qué?

—¿Habéis discutido todo el tiempo que habéis pasado dentro?

—Qué va —le aseguró él con una sonrisa—. Eso lo hacemos porque tú estás delante. La verdad es que me ha echado una mano. Solo hay seis lápidas en el cementerio, yo hice las fotos mientras Russ anotaba los nombres y las fechas. Supuse que tus amigas querrían la información.

—Seguro que sí.

—Bueno, ¿qué has hecho aparte de reunirte con otro hombre en secreto?

Kim pasó del comentario mientras abría el cuaderno de dibujo. Habían llegado al centro del pueblo y Travis aparcó en línea sin problemas, apagó el motor y cogió el cuaderno para ver sus diseños.

—¿Se desliza alrededor del cuello? —preguntó él.

—Sí, y los pendientes suben.

—¿No van hacia abajo? ¿No le rozan los hombros?

—No me gustan mucho los pendientes largos.

—A mí tampoco. Estorban. —Se inclinó sobre el asiento y le besó el lóbulo de la oreja. Kim llevaba unos diminutos pendientes de oro con citrinos un poco descentrados.

Lo miró con una sonrisa y se alegró de que hubiera entendido sus dibujos. La mayoría de las personas les echaba un vistazo y le decía que eran muy bonitos, pero no captaban realmente sus diseños.

—¿Quieres deambular por todas las tiendas o prefieres ir directa a la única joyería del pueblo?

Lo miró sin dar crédito.

—No me digas que eres de esos hombres a los que les gusta ir de tiendas con las mujeres. A los que les gusta entrar y salir de cada tienda, reparando en todos y cada uno de los artículos.

—En fin... —Clavó la vista en la luna delantera.

—Ya veo. Solo estabas siendo amable. Has añadido lo de la joyería al final para que vayamos concretamente a ella.

—Me alegro de que no presidas ningún juzgado, porque de lo contrario jamás sería capaz de colarte una. Te lo diré claramente: hoy soy todo tuyo. Entraré y saldré de todas y cada una de esas insufribles y perfectas tiendecitas, pero en el futuro...

—¿Me las tendré que apañar sola? ¿Tú te tomarás una cerveza mientras yo voy de tienda en tienda?

—Básicamente —contestó él, y se sonrieron. Hablaban como si su futuro en común fuera algo seguro, una certeza, una seguridad, y eso los complacía a ambos.

Salieron del coche y se quedaron en la acera, cogidos de la mano. «Tan normal —pensó Kim—. Tan... tan satisfactoria y plenamente normal.»

—¿Adónde vamos primero? —preguntó Travis.

—Allí. —Kim señaló una librería de segunda mano situada al otro lado de la calle. El escaparate estaba cubierto por años de polvo y los pocos libros que se veían tenían las tapas dobladas y descoloridas.

—Historia local, ¿no? —quiso saber Travis. Cuando Kim asintió con la cabeza, se llevó una mano a los labios y la besó—. ¿La joyería para el final? ¿Para disfrutarla a placer?

—Exacto —contestó ella.

Una vez en la librería, a Kim le agradó comprobar que a Travis no le importaba revisar las cajas polvorientas para sacar libros descatalogados y panfletos locales. Descubrió un libro de cocina editado en los años veinte por las mujeres de la iglesia local.

Lo hojearon y al ver que no había contribuido nadie apellidado Janes, Kim dijo que no les servía. Sin embargo, Travis replicó que una persona nunca sabía de dónde iban a salir sus parientes. Kim hizo ademán de preguntarle a qué se refería, pero Travis se alejó. Se fue a hablar con el propietario de la librería mientras ella revisaba los estantes con los libros dedicados a la historia de la joyería. Escogió uno bien grande que versaba sobre Peter Carl Fabergé.

Salieron de la librería con una caja llena de libros, que Travis dejó en el Jeep que le había requisado a Russell.

—¿Crees que ha tenido que andar?

—¿Quién? —preguntó Travis.

—Russell. Lo dejaste en el antiguo molino sin medio de transporte. ¿Crees que ha tenido que volver andando... adonde sea que haya ido?

—Seguramente ha llamado a Penny para que lo recogiera —contestó Travis.

—¿Cuánto tiempo lleva trabajando para ti? —Volvían a cruzar la calle.

—Desde que empecé a trabajar para mi padre.

—¿Y tu padre renunció a ella para que trabajara para ti?

—¿A qué vienen todas estas preguntas?

—Solo quiero saber cómo es tu vida, nada más.

Travis se detuvo delante de una tiendecita con ropa muy mona en el escaparate.

—Cuando mi padre me obligó a trabajar para él, Penny dijo que iba a ayudarme. Mi padre no quería renunciar a sus servicios, pero ella amenazó con dimitir si no la dejaba, y como ella sabe más del negocio que él, eso sí que no podía permitirlo.

—¿Por qué insistió tanto en trabajar para ti?

—Supongo que me tenía lástima. Acababa de llegar de Hollywood y me enfrentaba a todo con métodos físicos. Me costaba recordar lo que había aprendido en Derecho.

—¿Y la señora Pendergast te tomó bajo el ala y te cuidó como una madre?

Travis resopló.

—Me daba tirones de orejas a todas horas. Me hacía pensar. De hecho, hizo que me olvidara de la rabia que sentía hacia mi padre para poder cumplir con el trabajo. El primer año fue infernal. ¿Te gusta?

—¿Que tu primer año fuera malo?

—No. Me refiero a la camisa. Y a los pantalones. Creo que te quedarían genial.

—Y si me los pruebo, no podría interrogarte, ¿no?

—No quiero tener que enfrentarme contigo en un tribunal. —Le puso la mano en la espalda y la instó a ir hacia la puerta.

Pasaron dos horas yendo de tienda en tienda. Aunque Travis había dicho que no le gustaba ese tipo de actividad, era maravilloso comprar con él. Se sentaba y esperaba mientras Kim se probaba la ropa, y le daba su opinión sobre cada prenda.

Sin embargo, aunque parecía prestarle toda su atención, en dos ocasiones lo pilló hablando por el móvil, y en ambos casos la miraba con el ceño fruncido. Le preguntó qué pasaba.

—Estoy cerrando un trato. ¿Estás lista ya para comer?

Cuando Kim se volvió, recordó todo lo que se les avecinaba, sobre todo el juicio por el divorcio.

—Claro —contestó mientras Travis le abría la puerta y la sujetaba para que pasara.

No obstante, nada más salir a la calle, el móvil de Travis volvió a sonar.

—¡Joder! —masculló al mirar la pantalla—. Es Penny. Tengo que... —La miró, como si le pidiera permiso.

—Cógelo —le dijo ella—. Nos vemos en el restaurante.

Sin embargo, vio algo en el escaparate de una tienda

de antigüedades al otro lado de la calle que le llamó la atención. Era el brazo de la señora Pendergast, que le hacía señas con una mano mientras que con la otra sujetaba el móvil contra la oreja.

Kim miró la espalda de Travis y después volvió a mirar a la señora Pendergast. Le hacía señas para que entrara en la tienda. Necesitaban hablar.

—Nos vemos dentro de media hora en el restaurante —le dijo a Travis, y este asintió con la cabeza mientras respondía el teléfono con el ceño fruncido.

Kim cruzó la calle a toda prisa.

Joe Layton inspiró hondo un par de veces mientras levantaba el auricular del teléfono de su despacho. Era un fiel seguidor de los teléfonos con cable. Tenían mejores conexiones y menos probabilidades de interferencias, y dado que la llamada que estaba a punto de hacer cambiaría su vida, y también la de Lucy, quería escuchar todas y cada una de las palabras.

Había sido muy sencillo conseguir el número del cuartel general de Industrias Maxwell; sin embargo, no resultaría tan sencillo conseguir que el jefe en persona se pusiera al aparato. Joe sopesó la idea de decirle a quienquiera que cogiese el teléfono que era un asunto de vida o muerte. Así mantendrían la verdad entre Maxwell y él. No obstante, la estirada que acabó contestando el teléfono tras una larga sucesión de secretarias hizo que mascullara la verdad.

—No puede llamar y esperar que le pasemos con el señor Maxwell —le dijo con superioridad y con un deje burlón. Era evidente que se consideraba una mujer cultivada mientras que él solo era un paleto.

Joe ya estaba harto de toda esa gente.

—Dígale que soy el hombre que quiere casarse con su mujer.

La secretaria guardó silencio un instante, pero después adoptó un tono seco y eficiente.

—Veré si está disponible.

En un abrir y cerrar de ojos, Randall Maxwell se puso al teléfono.

—Así que tú eres Joe Layton.

—Parece que es imposible guardar un secreto —repuso Joe.

—Si quiero saber qué se cuece, nadie es capaz de ocultarme nada. Bueno, ¿qué trama Lucy ahora?

—Quiero zanjar este asunto entre tú y yo.

—¿Con lo de «asunto» te refieres a un divorcio? —preguntó Randall.

—Sí, me refiero a eso.

—Layton, no te has caído de un guindo —masculló Randall con un tono que solía intimidar a los demás—. Estamos hablando de algo más que calderilla.

Joe no se sintió intimidado en lo más mínimo.

—Quédate tu dinero —gruñó—. Quédate hasta el último centavo.

—Una idea interesante. ¿Y qué pasa con el dinero que me robó?

—¿Te refieres al dinero que de forma tan conveniente dejaste a la vista para que ella lo encontrara?

Randall soltó una carcajada.

—A Lucy siempre le han gustado los hombres listos.

Joe no replicó. Cuando Lucy le contó que había visto «accidentalmente» el portátil de su marido conectado a su cuenta bancaria, Joe supo que Maxwell quiso que ella lo viera. Lucy dijo que había cinco millones en la cuenta y que ella se llevó tres y medio. Joe admiraba su contención. También le dijo que era muy raro que Randall dejara el portátil donde ella pudiera verlo. «Debía de estar muy estresado», comentó ella en su momento. Y lo dijo con voz culpable, indicando que se sentía mal por lo que había hecho. La idea de que la mitad de la fortuna de Maxwell le pertenecía no parecía ni habérsele pasado por la cabeza.

Si Maxwell había dejado el portátil conectado a su cuenta, lo hizo por un motivo concreto. Si Lucy fuera otra clase de mujer, Joe habría pensado que Maxwell sospechaba que tenía una aventura y que quería saber adónde iba con el dinero. Sin embargo, conforme Joe se enteraba de más cosas acerca de Lucy, pensó que cabía la posibilidad de que Maxwell le estuviera dando la libertad a su mujer.

Tal vez Maxwell creía que había fracasado con su hijo, de modo que ya no necesitaba a Lucy para controlarlo. Si había algo en lo que Joe era un experto, era en el dolor y el placer que ofrecía la familia. Quería a su hijo con toda el alma, pero a veces su nuera lograba que ardiera en deseos de desheredarlo.

—Bueno, ¿cómo está Travis? —preguntó Randall, rompiendo el silencio. El deje de su voz le comunicó muchas cosas a Joe. Ese hombre quería mucho a su hijo.

—Es un buen chico —contestó—. Lo has criado bien.

En ese momento fue Randall quien guardó silencio antes de decir:

—Lucy puede quedarse el dinero y le concederé el divorcio... y seré justo con ella.

Joe inspiró hondo.

—Si con eso te refieres a darle más millones, ¡ni se te ocurra! Resérvalos para Travis... y para ese otro hijo tuyo que he visto por el pueblo. Parece que su madre es tu antigua secretaria. Debió de ser un arreglo muy conveniente para ti.

Randall soltó una carcajada.

—Layton, si alguna vez quieres un trabajo, es tuyo.

—No, gracias —replicó Joe, que colgó con una sonrisa.

14

—Bueno, ¿qué quieres preguntarme? —dijo Penny, dirigiéndose a Kim.

Estaban sentadas a una mesa oxidada, situada detrás de la tienda de antigüedades. Una valla alta de madera rodeaba el patio trasero, y apoyados en ella descansaban un buen número de carteles viejos. El anuncio de aceite Mobil Pegasus quedaba justo detrás de la cabeza de Penny con su elegante peinado.

Lo primero que percibió Kim fue que la señora Pendergast se había colocado en la posición que denotaba más autoridad. Se encontraba de espaldas a la valla, conformando una barrera sólida, mientras que ella estaba de espaldas a la puerta y a las ventanas de la tienda, una posición más vulnerable. Sin embargo, lo más relevante era que la pregunta que acababa de hacerle la colocaba a ella como la interesada en obtener respuestas que tal vez obtuviera o tal vez no.

Kim no pensaba dejarse embaucar. Así que colocó la silla en otra posición para no encontrarse de espaldas a la puerta de la tienda y después miró a Penny a los ojos.

—Quiero que me lo cuentes todo.

Penny alabó la reacción de Kim con una sonrisa y se encogió de hombros.

—Una noche con el jefe celebrando con champán un acuerdo de negocios el mismo día que me había peleado con mi novio. Un cúmulo de circunstancias.

—¿Y después? —preguntó Kim.

Penny tardó un momento en contestar y Kim dudaba de que le hubiera contado a alguien la historia con anterioridad. La señora Pendergast no parecía el tipo de mujer dispuesta a compartir los detalles íntimos de su vida con otra persona.

—Eso no fue tan fácil. Descubrí el embarazo cuando estaba de cuatro meses. Para entonces, mi novio se había largado y, además, Randall estaba...

—Casado.

—Sí. Con una mujer a quien le importaban un comino él, su empresa, sus sueños y cualquier cosa relacionada con su marido —afirmó Penny con un deje amargo en la voz.

—¿Y eso justifica que te metieras en la cama con él? —quiso saber Kim, que estaba de parte de Lucy.

—Cuando te hagas mayor, descubrirás que las cosas siempre tienen dos versiones. Lucy se casó con Randall presionada por su familia, gente de apellido ilustre pero que se habían quedado a dos velas. Randall sustentó a sus suegros hasta que estos murieron y aún sigue pagando las deudas de los dos hermanos de Lucy, que son un par de caraduras.

Kim clavó la mirada en la mesa un instante.

—¿Por qué mantuvo a Travis tan aislado de todo?

—Randall padeció una infancia dura. Era pobre y sufría de una leve dislexia. Se burlaban de él en el colegio.

—¿Por eso quiso ofrecerle a su hijo privacidad contratando a los tutores?

—Exacto —respondió Penny.

Kim guardó silencio mientras esperaba a que Penny continuara. Su renuencia a seguir hablando era obvia... o tal vez no fuera así. Porque al fin y al cabo, había sido ella la instigadora del encuentro, de modo que tal vez quisiera que Kim allanara el camino entre Travis y Russell.

—Randall creyó que lo estaba haciendo bien con su hijo al proporcionarle la educación en casa —siguió Penny, con la vista clavada en sus manos—. Sé que eres amiga de Lucy, pero...

—Soy capaz de digerir la verdad, sea cual sea.

—Creo que al principio Randall se creyó enamorado de Lucy, pero lo cierto es que estaba enamorado de la idea de tener una familia. Soñaba con conquistar el mundo juntos. Él se encargaría de amasar una fortuna, le compraría a Lucy una mansión impresionante y ella sería una anfitriona famosa por sus cenas y celebraciones. Algo parecido a lo que se ve en las revistas.

—Por lo que conozco de Lucy y de su vida actual, creo que eso no iba mucho con ella. Le gusta coser y mantener un reducido círculo de amistades.

—Exacto —reconoció Penny—. Y a Randall le encanta trabajar. Además, detesta las cenas y las celebraciones. Estaba enamorado de la idea de la familia, pero se aburría como una ostra siempre que se encontraba en casa.

Kim comenzaba a entender el problema. Dos personas del todo incompatibles casadas la una con la otra. Lucy obligada por su familia, prácticamente vendida a un hombre con un grave complejo de inferioridad y algo que demostrarle al mundo.

Travis parecía la víctima inocente atrapada en el centro.

—¿Y tú? ¿Cómo encajas en todo esto? —preguntó Kim.

—Yo... —Penny titubeó—. Me parezco más a Randall que a Lucy. También crecí en el seno de una familia pobre y estaba desesperada por librarme de esa etapa de mi vida. Conocí a Randall en una fiesta. Me gustó porque solo hablaba de negocios en vez de tirarles los tejos a todas. Me pasé la noche cerca de él, escuchando todas sus conversaciones sin disimulo alguno. Estaba tan decidido a cerrar el negocio que quería hacer que pensé que ni siquiera se había fijado en mí. Sin embargo, cuando los otros jóvenes se aburrieron de hablar con él, Randall se volvió hacia mí y me dijo: «¿lo has pillado?» Yo le contesté que casi todo y repetí las cifras. Él me miró un momento y después me pidió el teléfono y yo se lo di.

—Supongo que te llamó.

—Sí —reconoció Penny, sonriendo—, pero solo le interesaba el trabajo. Entre nosotros el trabajo siempre ha sido lo fundamental.

—Salvo aquella vez.

La sonrisa de Penny se ensanchó.

—Y aquella vez me dio a Russell.

—¿El señor Maxwell estaba casado cuando lo conociste?

—No —respondió Penny—. Ni siquiera conocía a Lucy por aquel entonces, pero sabía lo que quería y fue directo a conseguirlo.

—Si os parecéis tanto, ¿por qué no...?

—¿Por qué no me vio como a una posible pareja? —Penny rio—. Tendrías que haber visto a Randall entonces. La ambición lo devoraba. Lo consumía por completo. Tenía que ponerse a la cabeza de todos los demás o, de lo contrario, moriría.

—Y Lucy formaba parte de todo eso —aventuró Kim.

—Desde luego.

—Pero una noche... —señaló Kim.

Penny se encogió de hombros.

—Cada vez que reflexiono al respecto, llego a la conclusión de que era inevitable. Randall y yo siempre estábamos juntos. Travis solo tenía un año y debo admitir que me sentía muy celosa de Lucy. Yo no tenía tiempo para llevar una vida social y no había encontrado a un hombre capaz de soportar mi ritmo de trabajo. En cualquier caso, Randall y yo trabajamos ese día hasta bien tarde, mantuvimos relaciones sexuales y me quedé embarazada.

—¿Qué dijo el señor Maxwell cuando se lo comunicaste?

Penny meneó la cabeza mientras recordaba.

—Se puso contentísimo. Lucy había tenido un embarazo complicado y no podía tener más hijos, así que Randall estaba muy contento por la posibilidad de volver a ser padre. Quería que los niños se criaran juntos.

—Estás de broma, ¿verdad?

—En absoluto. Randall no se rige por las reglas convencionales. Pero al final lo convencí de que mantuviera la boca cerrada, aunque Lucy siempre supo que había algo entre nosotros. Siempre me ha mirado por encima del hombro y yo jamás se lo he recriminado, porque me lo merecía.

—¿Y cómo siguió la cosa entre el señor Maxwell y tú?

—No hemos vuelto a mantener relaciones después de aquella vez, si eso es lo que quieres saber. Y tampoco las mantenía con Lucy. Hizo lo que se esperaba de él, y se encargó de que a su familia no le faltara de nada. Mi vida siempre ha sido sencilla, pero le he dado a mi hijo la mejor educación que se puede encontrar.

—Y Russell sabe quién es su padre —afirmó Kim.

—Siempre lo ha sabido. Jamás se lo he ocultado.

—¿Han pasado mucho tiempo juntos?

—Randall ha pasado con mi hijo tanto tiempo como pasó con el de Lucy. No es el padre ideal que por las noches arropa a sus hijos y les da un beso en la frente.

—Y seguiste trabajando para él. ¿Tiene algún hijo más escondido?

—No. Ninguno. Ha tenido sus escarceos amorosos, pero jamás se ha tomado en serio a las mujeres, y siempre ha sido discreto.

Kim se detuvo a pensar un instante.

—Tenía a Lucy en casa. A ti, en el trabajo. Y dos hijos preciosos. Entiendo que no quisiera enredar más las cosas.

Penny sonrió.

—Creo que empiezas a entender a Randall Maxwell.

—¿Por qué chantajeó a Travis para que trabajara con él?

La expresión de Penny se tornó seria.

—Bueno, esa es la cruz en la vida de Randall. Siempre pensó que cuando sus hijos crecieran, trabajarían con él, pero ninguno de ellos quiere hacerlo. Travis estaba muy enfadado con su padre y Randall no entendía el motivo. Según él, ha protegido a Travis durante toda su vida.

—Y Travis lo ve como si lo hubiera mantenido encerrado en una cárcel de oro.

—Exacto. A Randall se le dan mucho mejor los negocios que la vida familiar. Le dije que no lo hiciera, pero de todos modos amenazó a Travis y así consiguió que trabajara para él. Randall pensó que si su hijo lo veía todos los días en la oficina, le contagiaría el virus de la ambición y de esa forma acabaría entendiéndolo.

—Pero no lo hizo —señaló Kim.

—No. Travis abrió los ojos gracias a una niña que le enseñó a divertirse.

Kim sonrió.

—Ese fue un punto de inflexión para los dos —reconoció, al tiempo que levantaba la cabeza—. Y ahora, ¿qué? ¿Cómo le decimos a Travis que Russell es su hermano?

—No estoy segura de que no lo sepa.

—No he visto indicio alguno de lo contrario.

—Ambos llevan sangre Maxwell en las venas y no permiten que los demás adivinen sus pensamientos.

—Ni siquiera en mi caso —replicó Kim en voz baja.

—Tú tampoco corriste a exponerle los hechos después de averiguar la verdad, ¿no? Por lo que veo, Travis y tú sois tal para cual.

Kim meditó al respecto un momento.

—Y ahora, ¿qué? ¿Travis tendrá que pasarse años enfrentado a su padre para ayudar a Lucy a obtener el divorcio?

—No sé qué está tramando Randall ahora mismo. De un tiempo a esta parte, está muy misterioso. De hecho, es la primera vez en treinta años que ni siquiera sé dónde se encuentra.

Hubo algo en la voz de Penny que logró que a Kim se le pusiera el vello de punta.

—No tendrás por ahí una foto del señor Maxwell, ¿verdad?

—Puedo enseñarte una que tengo en el móvil —contestó mientras sacaba el teléfono del bolso—. Randall prefiere la discreción.

—A diferencia de Travis —comentó Kim, al recordar las fotos que le había enviado Reede—. Por cierto, ¿qué tal está Leslie?

—Sobornada y bien lejos —contestó Penny al tiempo que le pasaba el teléfono.

Kim no se sorprendió al ver una foto del hombre al que conocía como Red, pero decidió guardarse la información de que el señor Maxwell se encontraba en Janes Creek.

—Ni Travis ni Russell se parecen mucho a él —comentó, tras lo cual le devolvió el teléfono a Penny.

—Se parecen al abuelo de Randall, que era un hombre guapísimo. ¿Has...?

Kim se puso en pie de forma tan brusca que Penny dejó la pregunta en el aire.

—Travis va a pensar que lo he abandonado. Hemos quedado en un restaurante y llego un cuarto de hora tarde. Ha sido una conversación muy... reveladora. Gracias por ayudarme a entender mejor a Travis. —Recogió sus cosas y corrió hacia el interior de la tienda de antigüedades. No había querido responder a la pregunta de Penny sobre si conocía o no a Randall Maxwell. Sí lo conocía. Había hablado con él en dos ocasiones.

Se detuvo al salir de la tienda y trató de recordar todo lo que le había dicho el tal Red. Lo primero que recordó fue que había ido a pescar a Edilean. Parecía estar al tanto del lugar donde vivía Lucy. Y si sabía el paradero de su mujer, también debía de estar al corriente de la existencia de Joe Layton. De ser así, y teniendo en cuenta que no se lo había tomado a mal, tal vez Travis no necesitara pasar años peleando por el divorcio de su madre.

—A lo mejor podemos tener una vida —musitó.

En el presente. No en un futuro lejano, sino en el presente. Cruzó la calle en dirección al restaurante, pero lo hizo a paso tranquilo. Tenía mucha información en la cabeza y la verdad era que no sabía qué hacer con ella. ¿Cuánto debía contarle a Travis? ¿Cuánto debía callarse?

¿Cuál sería su reacción cuando escuchara lo que tenía que decirle? ¿Se pondría furioso? Procedía de una familia rica y poderosa, de modo que podía meterse en un avión privado y largarse a... ¿A hacer lo que los multimillonarios hacían para librarse del estrés?

De repente, recordó la foto de Travis con el esmoquin, acompañado de una modelo rubia. ¿Sería esa su vida real? ¿Se habría adaptado a la vida glamurosa de Nueva York mejor de lo que su padre pensaba?

Kim sabía que debía mantener la cabeza fría pasara lo que pasase. No podía ir corriendo a decirles a los dos hijos de Randall Maxwell lo que acababan de contarle. ¿Se limitarían a mirarla con una sonrisa de superioridad y a decirle que ya lo sabían? ¿Que hacía mucho tiempo que lo habían descubierto todo? Kim no se creía capaz de superar semejante humillación.

Se detuvo en la puerta del restaurante y respiró hondo. Necesitaba mantener una expresión normal y hacer lo que tan bien se les daba a los Maxwell: guardar los secretos.

En el restaurante no había muchos comensales, de modo que Travis y Russell destacaban entre la escasa clientela. Estaban sentados a una mesita redonda emplazada cerca de una pared, de espaldas a ella. Entre ambos había un enorme cuenco lleno de palomitas. Estaban bebiendo cerveza y viendo absortos el partido de fútbol que retransmitían por la televisión.

Kim volvió a sorprenderse por el parecido físico que

existía entre ambos. Si se cambiaran la ropa y los viera de espaldas, posiblemente no pudiera diferenciarlos.

Travis se volvió y la vio. Por un instante, la miró tan serio que Kim temió que supiera dónde había estado. Pero después se relajó, sonrió y apartó una silla para que se sentara.

—¿No te has comprado nada? —le preguntó él.

—¿Que si me he comprado...? —Recordó en el último momento que había ido a una tienda—. No he visto nada que me gustase.

Russell la estaba observando.

—Parece que te haya pasado algo.

—No, es que estaba deseando disfrutar de la compañía de dos hombres tan guapos —se apresuró a replicar. Era un desastre para guardar secretos, pensó—. Bueno, ¿qué se puede comer aquí que esté bueno? —preguntó.

—Te hemos esperado —respondió Travis. Todavía la miraba como si quisiera leerle el pensamiento—. Aquí el amigo Russell tiene algo para enseñarnos, pero quería esperar a que tú llegaras.

Kim se negó a mirar a Travis a los ojos. No quería que adivinara más de lo que ella estaba dispuesta a dejarle ver.

—Eso suena interesante. ¿De qué se trata?

Russell se levantó y se acercó a la pared para recoger un paquete que descansaba en el suelo. Estaba envuelto con papel marrón y era bastante voluminoso. Comenzó a desembalarlo de espaldas a ellos para evitar que vieran el contenido. Cuando se volvió, sostenía un retrato y a juzgar por la parte trasera del lienzo, era muy antiguo. Puesto que estaba vuelto hacia él, ni Travis ni Kim veían la pintura.

—Siempre haciéndose el interesante... —le comentó Travis.

—Mira quién fue a hablar... —replicó Russell, con la vista clavada en Kim—. Me picaba la curiosidad sobre los Tristan, así que hice una búsqueda en Internet y encontré unas cuantas fotos. Tu primo es un hombre muy distinguido.

Kim no pudo evitar sonreír al escuchar esa descripción de la extraordinaria apostura de su primo.

Sin dejar de mirarla, Russell volvió el cuadro y ella jadeó. El hombre del retrato era idéntico a su primo Tristan Aldredge.

—¿Es él? ¿El médico que murió en la mina? —preguntó.

Russell dejó el cuadro apoyado en la pared, frente a ellos, y se sentó otra vez.

—Ese es James Hanleigh, nacido en 1880 y muerto en 1982.

—Pero... —dijo Kim—. Es igualito que mi primo Tristan.

Travis los miró.

—¿Algún bastardo?

—Eso creo —respondió Russell. Estaba a punto de seguir hablando, pero en ese momento llegó la camarera para anotar la comanda.

Kim pidió un sándwich Club y Travis pidió empanada de cangrejo con triple ración de ensalada de col y una cerveza. A Kim no le sorprendió que Russell pidiera exactamente lo mismo. Intentó no mirarlo, pero no pudo evitarlo. Tal como esperaba, Russell tenía un brillo risueño en los ojos. Le dieron ganas de darle una patada por debajo de la mesa.

Mientras comían, la conversación giró sobre el hallazgo del retrato. Al parecer, lo había encontrado Bernie, el tío de Russell.

—Necesitaba ordenarle que hiciera algo para bajar todo lo que traga —comentó Russell—. Me dijo que anoche encontró en Internet algunas fotos del actual doctor Tristan Aldredge, que se las enseñó a su familia materna y que les dijo que hablaran con la gente del pueblo para ver si a alguien le resultaba conocido. En ocasiones, los parecidos son sorprendentes —añadió, mirando de nuevo a Kim con una sonrisa.

—¿Y ha descubierto ese retrato en una de las tiendas? —preguntó Travis.

—No. Eso habría sido muy fácil. Se encontró con un hombre mayor, que le dijo que a lo mejor había visto una foto del doctor Aldredge, pero que no recordaba dónde. El tío Bernie envió a la familia para investigar y hacer preguntas y...

—¿Todo esto pasó mientras estábamos en el viejo molino? —quiso saber Travis.

—Todo. Creo que mi familia ha caído sobre Janes Creek como una plaga de langostas.

—¿Y dónde encontraron el retrato? —preguntó Kim.

—En casa de una ancianita que lo compró hace treinta años por cincuenta pavos en un mercadillo.

—¿Cuánto? —quiso saber Travis.

—Cincuenta...

—No, me refiero a que cuánto me ha costado a mí.

—Doce de los grandes.

—¿¡Qué!? —exclamó Kim.

—Esa mujer es dura de roer —comentó Russell, que se lo estaba pasando pipa—. Además, necesita reparar el tejado.

—Te pagaré... —dijo Kim, pero se interrumpió al ver la mirada que le echaba Travis.

—A ver, ¿qué parentesco tiene ese hombre con los Aldredge, qué lugar ocupa en el árbol genealógico? —quiso saber Travis.

—Todavía no lo he averiguado. Buscaré información esta tarde y os lo contaré todo durante la cena.

—¿Así que no sabes si hay más miembros de la familia Hanleigh en el pueblo? —preguntó Travis con un deje desafiante.

—Aún no —respondió Russell con tranquilidad y un leve deje socarrón.

Kim clavó la vista en la comida. Estaba tan ocupada pensando en lo que le había contado Penny que no tenía tiempo para reflexionar sobre la búsqueda del descendiente de un hombre que podía ser su pariente o no.

Cuando acabaron de comer, Travis le preguntó si estaba preparada para ir a la joyería.

En un primer momento, no supo de qué le estaba hablando y se limitó a mirarlo sin decir nada.

Travis le sonrió y la miró con un brillo alegre en los ojos.

—Estoy de acuerdo contigo —dijo él con una nota seductora en la voz antes de mirar a Russell—. Kim y yo vamos a...

—Echar una siestecita —concluyó Russell.

—Buena forma de decirlo, sí —comentó Travis mientras retiraba su silla y extendía un brazo hacia Kim—. Gracias por el almuerzo. Nos veremos durante la cena.

Travis la acompañó hasta el coche. Hicieron el recorrido hasta el bed & breakfast en silencio.

Kim sabía lo que Travis quería. ¿Por qué no iba a quererlo? Se encontraban en un pueblecito muy romántico, en un establecimiento precioso, eran jóvenes y estaban enamorados. Así que deberían pasarse todo el día en la cama. ¿No le dijo a su hermano que era eso lo que quería? ¿Qué fue lo que dijo exactamente?

«... mientras esté aquí quiero darme un atracón de sexo. Días enteros. O semanas. Si fueran meses, por mí genial.»

Bueno, pues lo había conseguido y lo único que quería en ese momento era llamar a su amiga Jecca para pasarse cuatro horas hablando por teléfono con ella. En ese momento, lo que más necesitaba era el alivio que le reportaría la conversación.

«Quizá debería buscar a Red y pedirle consejo», pensó. ¿Quería preguntarle cómo solucionar los problemas al hombre que los había ocasionado? Soltó una carcajada.

—¿De qué te ríes? —quiso saber Travis mientras aparcaba el coche.

—De nada —contestó antes de salir.

Travis la cogió de la mano para subir la escalera de camino a sus habitaciones. Una vez dentro, se inclinó para besarla, pero ella lo apartó.

—Lo siento —se disculpó—. Es que... me duele la cabeza y creo que debería echarme un rato.

Travis se apartó de ella.

—¿Te traigo algo?

—No, gracias —contestó—. Solo necesito estar sola un rato.

—Claro, por supuesto —dijo Travis, que caminó hasta la puerta que comunicaba sus habitaciones, la abrió, salió y la cerró.

Kim miró la cama. Tal vez se sentiría mejor si se acostaba un rato, pero sabía que no podría dormir. No dejaba de recordar las palabras de Penny. ¿Hasta dónde debía contarle a Travis? ¿Qué debía ocultarle? ¿Cuánto...?

—¡Ni hablar! —exclamó Travis, que acababa de abrir la puerta—. Esto no está bien. Nada bien. Hoy te ha pasado algo y quiero saber lo que es.

—No puedo...

—Pues a ver qué hacemos, porque como digas que no puedes contármelo, voy a...

—¿Qué vas a hacer? —lo interrumpió Kim, alzando la voz—. ¿Vas a marcharte? ¿Te irás cuando las cosas se pongan demasiado serias para ti? ¿Desaparecerás como la otra vez? ¿Me dejarás sola sin darme una explicación? ¿Me pasaré años buscándote mientras tú me vigilas a escondidas y visitas mis exposiciones? ¿Eso es lo que vas a hacer?

—No —contestó Travis en voz baja—. No volveré a hacer eso jamás. Pero ahora mismo voy a quedarme en esta habitación hasta que me digas qué es lo que te tiene tan alterada.

—Es que... —La ira la abandonó. Se sentó en la cama y se cubrió la cara con las manos.

Travis se sentó a su lado y le pasó un brazo por los hombros, instándola a que apoyara la cabeza en él.

—¿Tiene algo que ver con el hecho de que Russell sea mi hermanastro?

Kim titubeó solo un segundo.

—¿Cómo lo...?

—No tengo mucha experiencia con los parientes, pero soy un buen observador. ¿Quién más podría mirarme con el odio que me miraba Russ el día que lo conocí? Era como verme en un espejo, pero con la diferencia de que mi imagen quería matarme.

Aliviada, Kim suspiró. Al ver que la tensión abandonaba su cuerpo, Travis la instó a girarse para que pudieran tumbarse en la cama.

—¿Qué ha pasado mientras yo hablaba con Penny por teléfono? Estabas bien mientras visitábamos las tiendas, pero entraste en el restaurante tan blanca como si un vampiro te hubiera dejado sin sangre.

—Pues es una descripción muy apropiada —replicó Kim, que hizo una mueca.

Travis la besó en la frente.

—Quiero escucharlo todo. Ni se te ocurra dejarte algo atrás.

—Pero...

Travis se inclinó sobre ella y la miró a los ojos.

—No hay peros que valgan. Olvida las excusas. Y, sobre todo, olvida el miedo. No tienes por qué asustarte, y menos de mí. ¿Has matado a algún ser querido mío?

Kim sabía que Travis solo intentaba aligerar el momento, pero para ella ese asunto era muy serio.

—No —respondió—. Pero estoy sopesando la idea de atropellar a tu padre con un cortacésped.

La cara de Travis perdió todo rastro de humor y, de repente, Kim vio al hombre que trabajaba en los tribunales. Se dejó caer de nuevo sobre el colchón y la estrechó con tanta fuerza que ella apenas podía respirar. De haber podido, se habría pegado todavía más a él.

¿Por dónde empezaba?

—¿Recuerdas que anoche antes de cenar te estuve esperando mientras hablabas por teléfono?

—¿Con el idiota de Forester? Sí. ¿Qué pasó?

—Que conocí a tu padre.

Travis le aferró el hombro con más fuerza, pero guardó silencio. En cuanto empezó a contarle la historia, se mantuvo callado y muy atento. Le relató sus dos encuentros con el hombre que se hacía llamar Red y le repitió palabra por palabra lo que recordaba de las conversaciones, incluyendo el pequeño sermón que le soltó sobre los niños que comían pintura pero que solo recordaban que les prohibían hacer lo que les gustaba.

—Típico de mi padre. Se cree capaz de justificar todas las asquerosidades que hace.

Era evidente para Kim que Travis no se había sorprendido al enterarse de que su padre estaba en Janes Creek. Sin embargo, sí se sorprendió al descubrir que había ido a pescar a Edilean.

—Nunca le he preguntado a mi madre dónde escuchó hablar de Edilean por primera vez. Jamás lo he pensado, pero es posible que mi padre le hablara del pueblo. Tiene sentido. Sigue, por favor.

Kim le describió el momento en el que descubrió que Russell era su hermano.

—Me miraron suplicándome que no te lo dijera.

—Penny sí lo hizo. Russ se lo estaba pasando genial.

—¿Te diste cuenta?

—Una de las cosas que he aprendido siendo abogado es a observar en la misma medida que a escuchar. No fuisteis muy sutiles.

—¿Crees que Russell sabe que tú lo sabes?

—Claro. El chaval está disfrutando mucho.

—Solo es año y medio más pequeño que tú, así que no es un chaval.

—¿Tu hermano te ve como a una adulta?

—Pues no —respondió Kim.

—Bueno, ¿qué ha pasado hoy mientras te esperaba en el restaurante?

—He tenido una conversación con tu secretaria.

Travis guardó silencio un instante.

—Ahora sí que me has sorprendido. ¿Qué te ha dicho Penny?

—No sabe que tu padre está aquí. Dice que...

—No, espera. Cuéntamelo todo desde el principio. Cómo se puso en contacto contigo y lo que te dijo, exactamente al pie de la letra.

Kim le relató despacio lo que había sucedido. Comenzó con las sillas y le dijo que había cambiado la posición de la suya.

Travis se rio por lo bajo mientras la abrazaba y le daba un beso fugaz.

—¡Bien hecho! Estoy orgulloso de ti.

A Kim le gustó tanto el beso que se lo devolvió, pero lo que querían (y necesitaban) era hablar sobre lo que Penny le había contado.

Empezó con la información más fácil de digerir, con lo que supuso que sería más inofensivo para Travis. Le contó cómo fue concebido Russell. Al ver que Travis no replicaba, comentó:

—No pareces sorprendido.

—Pues lo estoy, pero no como tú esperas. Las malas lenguas en la oficina dicen que mi padre y Penny fueron amantes durante años. La sorpresa es que solo estuvieran juntos una vez.

—Y de esa vez nació un niño.

—Un niño feo y espantoso, por cierto —añadió Travis, pero Kim se percató de la nota afectuosa de su voz—. ¿Qué más? ¿Y qué es lo que no me estás contando?

—¿Vas a dejarme que te lo cuente a mi ritmo o qué?

—De momento es lo que estoy haciendo, ¿no? —replicó él en voz baja.

Kim se volvió para mirarlo con expresión interrogante.

—No me he hecho con el control de la situación —señaló Travis.

—¿Te refieres a como hiciste con el asunto de Dave? —le preguntó ella.

—Me... —Titubeó como si lo que estaba a punto de decir fuera difícil para él—. Me da miedo parecerme a mi padre más de lo que me gustaría. Cuando compré Catering Borman, lo hice con una actitud dominante, ya que, tal como me dijiste, no te creía capaz de manejar una situación semejante sin ayuda. Lo siento. No lo haré más. No voy a hacerme con el control de tu vida, pero creo que si queremos que esto funcione, necesitamos hacer las cosas juntos. En equipo, en pareja. Estoy aquí para escucharte. Si me dices qué es lo que te preocupa, a lo mejor los dos juntos podemos solucionarlo. —Sonrió—. Dicho lo cual, confieso que en la vida me han echado una bronca como la tuya. Me pitaban los oídos y todo.

—No fue para tanto.

—Sí que lo fue y me lo merecía.

Kim se arrebujó entre sus brazos.

—Así que esta vez...

—Esta vez, me he quedado sentadito para que tú manejes las cosas a tu antojo. Pero no ha sido fácil. No te imaginas las ganas que tenía de decirle a Russell que dejara de reírse de ti.

—Es tu hermano.

—Sí —replicó Travis con una nota emocionada en la voz—. Es raro pensarlo, la verdad. Bueno, sigue contándome.

Kim respiró hondo.

—Esta parte no te va a gustar.

—Eso significa que vas a hablarme de mi padre.

—Pues sí —reconoció Kim, que comenzó a explicarle cómo veía Randall Maxwell la infancia de su hijo.

Travis guardó silencio durante el relato y cuando Kim acabó, lo miró.

—Me lo imaginaba en parte —le aseguró él—. Aunque mi padre jamás admitiría que se sintió intimidado por alguien. Supongo que hasta cierto punto se lo ganó con sus comentarios. Tiene la costumbre de ir dando órdenes por la vida, y seguro que de pequeño era igual.

—¿No te molesta enterarte de todo esto?

—Pues... —Travis sonrió—. No, la verdad es que no. Es difícil admitirlo, pero creo que comencé a trabajar para él porque quería saber si era capaz de triunfar a su lado. No es fácil ser el hijo de Randall Maxwell. A veces, cuando trabajaba en Hollywood, los chicos me preguntaban por qué arriesgaba el pescuezo todos los días. Les encantaba decirme que si estuvieran en mi pellejo, se pasarían el día viajando por el mundo en un avión privado, bebiendo champán.

—Pero a ti no te gustaba —señaló Kim—. Por lo menos en aquella época. Creo que después aprendiste a valorar ese tipo de cosas.

—Sí. Bebí mucho champán. Y disfruté de... bueno, de muchas otras cosas.

—Debe de haber sido agradable —replicó ella en voz baja.

—No mucho. ¿Sabes una cosa? He recibido más afecto de Joe Layton que de... En fin, que de la gente que me rodeaba. ¿Puedo contarte un secreto?

—Sí, por favor —respondió Kim, que estaba sonriendo por el comentario que había hecho sobre Joe, el hombre que pronto se convertiría en su padrastro. Joe vivía en

Edilean, así que a lo mejor Travis quería mudarse también al pueblo.

—Quiero abrir un campamento.

—¿Qué tipo de campamento?

—Uno gratuito —contestó Travis—. Llevo años pensándolo, y se me ocurrió que podía intentarlo en California, pero desde que vi los terrenos que rodean Edilean, he cambiado de opinión. Joe podría encargarse de la construcción, Penny podría gestionarlo y...

—Pero quiere jubilarse.

—Después de haber pasado años trabajando con mi padre, esto le parecerá una jubilación.

—Tu madre podría encargarse de la decoración.

Travis la instó a levantar la cabeza para mirarla a los ojos.

—¿Qué tal se te daría enseñarles a los niños a hacer collares con macarrones?

—Si a ti te enseñé a hacer una casa de muñecas, creo que puedo enseñar cualquier cosa.

—¿Cómo que me enseñaste? ¡Ja! No parabas de darme órdenes. —Estaba desabrochándose la camisa.

—Por favor, dime que no vas a pedirme que cierre mi negocio y que trabaje para ti.

—Ni se me ha pasado por la cabeza —le aseguró Travis mientras la besaba en el cuello—. Pero sí te digo que mi plan secreto es llevarte la contabilidad.

—¿De verdad vas a hacerlo? —le preguntó Kim mientras él le besaba un pecho.

—¿Crees que podré convencerte de que me recomiendes al bufete de abogados de Edilean?

Kim, que estaba besándolo en una oreja, se apartó para preguntarle a su vez:

—¿Te refieres a McDowell, Aldredge y Welsch? Hay que llevar alguno de esos tres apellidos para formar parte del bufete.

—¿No vale casarse con un miembro de la familia? —le preguntó Travis, que la besó en la boca de inmediato.

Una hora antes, Kim no estaba interesada ni por asomo en el sexo, pero en ese momento no podía pensar en otra cosa.

—Creo que tenemos futuro —susurró.

Travis se apartó de ella.

—¿Qué?

—Que creo que tenemos futuro —repitió.

—¿Es que...? —Travis guardó silencio un instante—. ¿Creías que iba a dejarte?

—Sí. Bueno, no. Es que no me imaginaba siquiera dónde íbamos a vivir.

—En tu casa, si consigo que saques todos esos chismes del garaje. Joe me dijo que...

Kim lo silenció con un beso.

—¿Y qué pasa con el divorcio?

—Joe se encargará de todo. De hecho, me asusta un poco lo que pueda pasarle a mi padre cuando se enfrente a él. ¿Quieres seguir hablando? —preguntó, exasperado.

—¡Sí! —exclamó Kim—. ¡Sí, sí y sí! Quiero hablar sin parar sobre nosotros, sobre nuestro futuro, sobre... ¡Oh! —exclamó, al sentir los labios de Travis en el abdomen.

—Vale, sigue hablando —le dijo él mientras descendía por su cuerpo.

—Quizá luego —claudicó al tiempo que cerraba los ojos y se olvidaba de todas las preocupaciones.

15

Cuando Kim despertó, se percató de que era de noche. Aunque lo primero que notó fue que Travis no estaba en la cama. Habían hecho el amor toda la tarde, y estaba segurísima de que jamás había disfrutado tanto en la vida. No se había dado cuenta, pero desde el principio tenía tantas preguntas que había sido incapaz de relajarse por completo. Todos los años durante los que lo había buscado, durante los que no supo qué le pasó, se interponían entre ellos.

Tampoco lo había perdonado del todo, ni comprendía del todo su razonamiento masculino, pero desde que lo vio por primera vez, desde que vio a ese desconocido a la luz de la luna, atisbaba la posibilidad de superar ese problema.

Alguien llamó a la puerta de la habitación y Kim empezó a buscar su ropa. Estaba pulcramente doblada en una silla, no en el suelo, donde ella la había arrojado unas horas antes.

—Un momento —gritó, pero en ese instante Travis apareció por la puerta que conectaba sus habitaciones. Se había duchado y afeitado, y llevaba unos vaqueros y una camiseta.

Se le pasó por la cabeza no salir de la cama.

—¿Tienes hambre? —le preguntó Travis, tras lo cual abrió la puerta y habló con alguien. Cerró la puerta y se volvió hacia ella—. Van a servirnos la cena en mi habitación. ¿O prefieres bajar al comedor y enterarte de lo que los Pendergast han averiguado acerca de tus parientes?

Hizo que la segunda opción sonara tan espantosa, que Kim soltó una carcajada.

—Russell te echará de menos.

—Él te echará de menos a ti —repuso Travis—. ¿Crees que el chaval tiene novia en alguna parte?

—Yo también empiezo a preguntármelo. Supongo que si fuera un abogado neoyorquino, tú lo sabrías muy bien.

—Seguramente. —Travis se sentó en la cama a su lado y la miró con expresión seria—. No me había dado cuenta de que no había expresado con claridad lo que espero del futuro.

Sabía que se estaba refiriendo al ataque de pánico que había sufrido al pensar que volvería a dejarla.

—No pasa nada —le aseguró Kim—. Tenemos... —Titubeó—. Tenemos tiempo para pensar en lo que queremos hacer.

El sonido de una botella de champán al ser descorchada les llegó desde la otra habitación.

—Creo que nos llaman —dijo Travis y tiró de su mano para sacarla de la cama.

Sin embargo, Kim se arropó con la sábana y se negó a salir.

—Nos veremos en la mesa en cuanto me haya duchado —dijo con firmeza.

Travis sonrió y le besó la mano antes de salir de la habitación.

Kim tardó media hora en ducharse y en vestirse. Se puso un vestido de seda azul que había metido en la bolsa en el último momento. Cuando lo hizo, creía que todo había acabado entre Travis y ella, que jamás volvería a verlo. Sonrió al recordar que había pensado que él se daría por vencido. Le había dicho que la dejara tranquila y él se había marchado. Sin embargo, comenzaba a darse cuenta de que los tres Maxwell no se rendían jamás.

Cuando terminó de vestirse, inspiró hondo, se alisó el vestido y abrió la puerta que conectaba ambas habitaciones. Todo estaba tan bonito que se demoró un momento para absorber la escena. Un mantel de color crema, platos azul verdoso con conchas dibujadas y cubertería de plata que relucía a la luz de las velas. Sin embargo, para ella lo más hermoso de la estancia era Travis. Se había puesto un esmoquin, por lo que agradeció mucho llevar su vestido de seda.

—¿Me permites? —preguntó Travis al tiempo que le tendía un brazo.

La condujo hasta una preciosa silla tapizada con satén azul con rayas blancas.

—Es precioso —dijo, mirando el otro extremo de la mesa. Sin embargo, cuando se volvió hacia él, se lo encontró con una rodilla hincada en el suelo.

Verlo así hizo que se le subiera el corazón en la garganta, amenazando con salírsele por la boca.

—¿Quieres casarte conmigo? —le preguntó él en voz baja—. ¿Quieres ser mi esposa y vivir conmigo para siempre?

Kim no titubeó en lo más mínimo.

—Sí —contestó.

Con una sonrisa, Travis se inclinó hacia ella y la besó; a continuación, le tomó las manos y le besó primero el dorso y después las palmas.

Sin cambiar de postura, sujetándole la mano izquierda, introdujo la mano debajo del mantel y sacó un estuche alargado de terciopelo azul. Kim sabía lo que era, ya que había empleado ese mismo tipo de estuche en su trabajo. Travis abrió la tapa y en el interior vio doce anillos, todos distintos. Kim no necesitó la lupa de joyero para saber que estaba contemplando piedras de primerísima calidad. Zafiros, diamantes, esmeraldas, rubíes... estaban todas. Cada engaste era único, y supo al punto que cada anillo era obra de un joyero diferente. Jamás vería un anillo de esos en otra persona.

Con los ojos como platos, miró a Travis con expresión interrogante.

—¿Te importa si...? —Travis bajó la vista a su rodilla.

—Claro —dijo antes de coger la caja para examinar los anillos—. No sé qué decir. Son preciosos. ¿Cómo has...? Ah, Penny.

—No —la corrigió Travis mientras llenaba sus copas de champán—. Mientras Russ me traía hasta aquí, llamé a unos cuantos sitios y encargué que me enviaran los anillos. Están realizados por diferentes artistas.

—Eso me ha parecido. —No era fácil escoger entre esos anillos.

—No se pueden devolver —añadió él.

Al escucharlo, frunció el ceño.

—No irás a enterrarme en una montaña de regalos, ¿verdad?

—Dado que tú vas a poner la casa donde vamos a vivir

y los muebles, creo que tengo derecho a añadir unas cuantas cosillas.

Kim sacó del estuche un anillo con una esmeralda de corte cuadrado. Su ojo experto le indicó que era de excelente calidad. Lo acercó a la luz de la vela para admirar las oclusiones, las diminutas imperfecciones que indicaban que había sido extraído de la tierra y no hecho por el hombre.

Le dio el anillo a Travis y extendió la mano izquierda. Él le puso el anillo en el dedo, le besó el dorso de la mano y se la sostuvo mientras la miraba a los ojos.

—Kim, te quiero —susurró—. Te he querido desde que era un niño. Y no quiero que volvamos a separarnos. Quiero vivir donde tú vivas, contigo.

Kim, siempre práctica, lo miró con una sonrisa.

—Me encantaría discutir sobre el dónde, el cuándo y el cómo. Parece que tienes muchos planes y quiero que los compartas conmigo.

—¡Genial! —exclamó él al tiempo que le quitaba la tapadera a una bandeja de plata para dejar al descubierto dos *filet mignon*—. Me gustan las mujeres que saben lo que quieren.

Charlaron, comieron y discutieron. Travis le contó a Kim sus ideas para el futuro: quería vivir en Edilean y abrir un campamento de verano. En invierno se dedicaría a ejercer la abogacía.

—Me gusta más de lo que creí que me gustaría, así que lo que mi padre le dijo a Penny es verdad, tengo algo de Maxwell.

—¿Crees que un pueblecito como Edilean será suficiente para ti?

—Sí —contestó él—, y te prometo que no haré nada

que no hayamos acordado antes. —Se inclinó sobre la mesa para acercarse a ella—. Pero creo que tú tienes algo de tu hermano y que tu ambición sobrepasa un poco tu pueblecito.

—¡Me has pillado! —exclamó, y comenzaron a hablar de su futuro tal como ella lo veía. Las ideas de expansión de Dave no habían sido solo suyas.

Hablaron del inminente divorcio, y Travis le contó que había decidido que Joe y sus padres se las podían apañar solos en la contienda.

—Le buscaré a mi madre un buen abogado.

—¿Forester? —preguntó Kim, y se echaron a reír.

Mientras compartían una buena porción de tarta de chocolate, alguien deslizó una invitación por debajo de la puerta. Cuando terminaron el postre, Travis y Kim solo tenían ojos el uno para el otro, de modo que no vieron el grueso sobre de papel vitela.

Fue por la mañana cuando Kim lo recogió y se lo enseñó a Travis. Iba dirigido a nombre de los dos.

—Ábrelo —le dijo Kim—. Seguro que es de Penny para decirte que Russell es tu hermanastro.

—Demasiado tarde —repuso Travis—. Ya te has ido de la lengua.

—Yo no lo veo así. Creo que tú... —Se interrumpió al ver la cara de Travis. Seguía tumbado en la cama, apenas cubierto de cintura para abajo por la sábana—. ¿Qué pasa?

—Es una invitación a un almuerzo campestre, hoy, a la una. Hay un mapa con instrucciones para llegar al sitio.

Travis le pasó la nota y le tocó a Kim quedarse de piedra.

—Es de tu padre. —Se sentó en el borde del colchón—.

Dice que tiene un regalo para todos nosotros. —Miró a Travis—. ¿Crees que es un tesoro pirata? Me vendrían bien unas perlas. Y un poco de tanzanita. Por supuesto, siempre ando corta de oro.

Travis recuperó la invitación.

—No vas a conseguir eso de mi padre.

—¿El qué?

—Oro.

—Pues espero que no sea otra advertencia para que no comas pintura con plomo. Creo que le preguntaré por su política de escarceos amorosos en la oficina.

—Hazlo —replicó Travis al tiempo que apartaba la sábana—. Me gustaría verlo.

Kim se apoyó en los codos para ver a Travis atravesar la estancia desnudo.

—Bueno, ¿qué crees que quiere darte?

—Darnos. A los dos. —Travis se puso unos vaqueros desgastados—. Ojalá que sea la libertad. Que acceda a concederle el divorcio a mi madre sin trabas.

—Te preocupa que Joe y tu madre tengan que pasar por un juzgado, ¿verdad? ¿Tu padre se rodeará de media docena de abogados?

—Yo diría que de unos veinte, y cada uno será de una etnia distinta. Será un arcoíris global.

Kim soltó una carcajada.

—Yo apuesto por el señor Layton. Creo que es capaz de enfrentarse a cualquiera, y teniendo en cuenta cómo bailaron en la boda de Jecca... —Se interrumpió al ver la cara de Travis—. Vale. Nada de padres y sexo en la misma frase.

—Vamos a desayunar y luego comprobaremos quién más está invitado a esta fiesta.

En el comedor de la planta baja, la gente parecía haber dispuesto dónde se tenía que sentar cada quién, de modo que había dos asientos vacíos en la mesa de Russell y Penny.

—¡Ay, qué bonito! —exclamó esta con la vista clavada en el anillo de Kim.

Russell sonreía, porque, acto seguido, su madre miraba a Travis con expresión anonadada.

—No lo creías capaz de hacer algo así él solito, ¿verdad? Pero lo ha hecho —comentó Russell—. Incluso pulsó los botones del móvil sin ayuda de nadie. Me quedé de piedra.

—Creo que los hermanos pequeños deberían cuidar sus modales —soltó Travis, una frase que silenció a los comensales.

Kim miró a Penny y se encogió de hombros.

—Lo adivinó solo.

Penny le preguntaba a Travis con la mirada qué sentía acerca de todo eso. Travis colocó una mano sobre las suyas.

—Mi padre debería haberse divorciado de mi madre, dejarnos libres y haberse casado contigo —dijo en voz baja—. El que no lo hiciera demuestra que carece de sentido común.

Durante un segundo, los ojos de Penny relucieron por las lágrimas de agradecimiento, pero después apartó la mano.

—Ya está bien de tonterías. ¿Qué crees que trama Randall con este regalito suyo?

—Yo espero que aparezca con una hermana —comentó Russell, y todos se echaron a reír.

A lo largo del desayuno, Kim se percató de que Russell y Travis se miraban a hurtadillas. ¡Qué cantidad de relaciones se estaban formando! Estaban las habituales; ella tendría que conocer a sus padres y él, a los de ella. Sin embargo, Travis se iba a llevar la peor parte. Tenía un hermanastro que le había demostrado mucha hostilidad, y un futuro cuñado que no quería que se casara con su hermana.

Travis pareció darse cuenta de lo que estaba pensando, porque la miró desde el otro lado de la mesa y le guiñó un ojo, como para decirle que podía enfrentarse a cualquier cosa que le pusieran por delante.

Kim sonrió, indicándole que, sucediera lo que sucediese, ella estaría a su lado.

—¡Dejadlo ya! —exclamó Russell—. Estáis empañando los vasos.

Kim apartó la vista, avergonzada, pero Travis se limitó a soltar una carcajada y a darle una fuerte palmada a Russell en la espalda.

—Algún día podría pasarte a ti —dijo Travis.

Como Russ no replicó, Kim añadió:

—Por lo que sabemos, Russell lo mismo tiene mujer y tres hijos.

Russell la miró, pero siguió sin replicar, de modo que Kim se dirigió a Penny.

Esta levantó las manos en señal de rendición.

—Me han obligado a jurar que guardaré el secreto.

—Más bien que me dejarás conservar mi intimidad —repuso Russell y, por primera vez desde que lo conocía, Kim no vio la habitual expresión burlona en su rostro. El hecho de que su buen humor siempre hubiera sido a expensas de Travis no evitó que ella se echara a reír.

De repente, Russell dijo:

—Si me perdonáis... —Y se fue.

—Pero si no ha comido —protestó Kim e hizo ademán de ir tras él, pero Penny la cogió del brazo.

—Mi hijo tiene que luchar contra sus propios demonios —dijo— y es mejor dejarlo solo.

Kim volvió a sentarse, pero miró a Travis. Sus ojos le dijeron que pensaba lo mismo que ella. Sin mirar a Penny, salió en pos de Russell, pero regresó a los pocos minutos.

—Russ se ha llevado el Jeep. No sé adónde ha ido. ¿Deberíamos preocuparnos? —le preguntó a Penny.

—Yo sí, pero vosotros no —contestó ella—. ¿Quién quiere probar las tortitas de melocotón?

16

Russell sabía que se estaba comportando como un crío al levantarse de la mesa sin comer, pero había llegado a su límite. Además, su invitación al almuerzo campestre incluía una nota pidiéndole que se reuniera con su padre en el viejo molino justo después del desayuno. No especificaba la hora, solo decía que fuera y esperase. Entre la sensación de ser un intruso en un grupo de amigos y la curiosidad por saber qué quería su padre, Russ se fue.

Mientras conducía, fue incapaz de abstraerse del hecho de que Travis ya sabía que eran hermanos. En su caso, él siempre había sabido de la existencia de Travis Maxwell. Sabía que un niño que era su hermanastro vivía en una mansión, que tenía la oportunidad de ver a su madre todos los días y de recibir todo lo que deseaba. Cuando era pequeño y su madre le contó que tenía un «medio hermano», Russ se echó a llorar. Su madre no entendió el motivo hasta que Russell le preguntó entre lágrimas qué parte le faltaba al niño.

Después de que su madre le explicara que tenían el mismo padre pero madres distintas, Russell se interesó mucho por su hermano y solía hacer preguntas sobre él. Era un vínculo que compartía con su madre.

Claro que tampoco compartían muchas cosas. Apenas se vieron mientras crecía. Ella se ausentaba durante semanas, viajando por todo el mundo, siempre pegada a Randall Maxwell.

Russell se quedaba en casa con niñeras, que cambiaban con bastante frecuencia, y más tarde fueron sustituidas por tutores. No se sorprendió al descubrir que eran los mismos que habían educado a su hermano.

Cuando tuvo edad de ir al instituto, ya se había hartado de vivir bajo la sombra de Travis Maxwell y le enseñó a su madre el panfleto de un internado. Su madre no podía negarse.

Russell no tenía claro en qué momento la curiosidad se transformó en rabia. Y tampoco sabía por qué dirigía esa animadversión a su hermanastro y no a su padre.

Solo vio a Randall unas cuantas veces mientras crecía. Cuando tenía cinco años, una lluviosa mañana de domingo, estaba sentado en la sala adyacente al despacho de su madre, dibujando, cuando entró un hombre. No era demasiado alto ni tampoco le pareció amenazador.

El hombre se detuvo al pasar junto a la puerta y no dijo nada, pero después se volvió.

—¿Eres Russell?

Asintió con la cabeza.

El hombre se colocó junto a él y miró lo que estaba dibujando: los edificios que se veían por las ventanas.

—¿Te gusta el arte?

Volvió a asentir con la cabeza.

—Me alegra saberlo.

El hombre se marchó y Russell no se habría acordado

de él de no ser porque más tarde su madre le dijo que era su padre. El siguiente domingo que Russell fue al trabajo de su madre, se encontró con una caja llena de material de dibujo esperándolo.

Su madre le dijo:

—Tu padre es un hombre muy generoso.

Durante los años siguientes, Russell solo pensó cosas buenas de su padre. Hasta que no cumplió los nueve años no reparó en cómo eran los padres de los demás y en lo que estos hacían por sus hijos.

No podía permitirse enfadarse con su madre, ya que era todo cuanto tenía. Y su madre le decía que se lo debían «todo» a su padre, de modo que no se atrevía a dirigir su animadversión hacia él. En cambio, Russell concentró toda su rabia en su hermano, en el niño al que nunca había visto, en el niño que lo tenía todo, incluyendo una madre que se quedaba en casa siempre. Y nunca olvidó que su padre vivía con ellos.

Russell se matriculó en la misma universidad que su hermano, pero por aquel entonces ya había decidido otro camino. No estudió Derecho. Una vez acabados sus estudios, regresó a Estados Unidos y siguió estudiando, pero jamás fue capaz de quedarse en el mismo sitio mucho tiempo. Tal vez los demonios que rugían en su interior hacían que sentar cabeza le fuera imposible.

Cuando su madre lo llamó unos días antes para pedirle que ayudara a Travis, se negó. Incluso se echó a reír. ¿Ayudar a un hermano que nunca se había puesto en contacto con él? En su cabeza, le correspondía al hermano mayor hacer el primer movimiento.

Fue entonces cuando su madre le contó que Travis desconocía la existencia de un hermano. Fue tal la sorpresa, que Russell accedió a engatusar a una chica para sonsacarle información.

Pero cuando por fin pudo conocer a Travis, toda la rabia que sintió de niño lo asaltó. Esperaba encontrarse a un capullo sabelotodo y mimado, pero se encontró con un hombre que le preparó una tortilla.

Desde aquel primer día, habían sido casi inseparables. Pero pese a la buena relación que habían entablado, Russell seguía enrabietado. Le encantó ganarle la mano a Travis al negociar el contrato con el avaricioso novio de Kim. Incluso le gustó estar con su hermano. Y cuando presenció el momento en el que Kim le daba la patada a Travis, llegó a la conclusión de que no se lo había pasado mejor en toda la vida.

Sin embargo... Lo más difícil de todo fue ver a Kim y a Travis juntos, lo mucho que se querían. Si bien era cierto que discutían, también era evidente que se pertenecían el uno al otro pese a todo.

Cuando se desplazaron de Virginia a Maryland, Travis, nervioso e inquieto, le contó cómo conoció a Kim de niño y cómo ella le cambió la vida. Por primera vez, Russell escuchó de primera mano que la vida de Travis no había sido la gloriosa aventura que él siempre había imaginado.

Esa mañana, verlos durante el desayuno había sido la gota que había colmado el vaso de su paciencia. Kim y Travis eran la viva imagen de la «felicidad conyugal». Y esa tarde Randall Maxwell había organizado una comida campestre, sin duda alguna en honor a su hijo mayor, al predilecto.

Russell estaba tan ensimismado que cuando el coche que llevaba delante frenó de repente, tuvo que pisar a fondo el freno. Al hacerlo, el estuche de terciopelo azul que Travis le había dado el día anterior se deslizó por el suelo.

—Kim no los quiere —le dijo Travis, cuando lo mandó llamar a su habitación—. Deshazte de ellos.

Russell se mordió la lengua para no decir lo caros que eran los anillos. Tampoco le soltó que no era su criado. Sabía que hablaba desde el despotismo fraternal, que no tenía nada que ver con los negocios, de modo que metió el estuche con los anillos debajo del asiento del Jeep con la intención de dárselos a su madre para que ella se encargase del asunto.

Enfiló la carretera que llevaba al viejo molino. Había descubierto... En fin, los parientes de su madre habían descubierto que un descendiente de James Hanleigh, el primer hijo ilegítimo del doctor Tristan Janes, seguía viviendo en Janes Creek.

—Es una viuda —le dijeron, y se imaginó a una anciana de pelo canoso recogido en un moño a la altura de la nuca. Con razón no podía permitirse restaurar el viejo molino de piedra.

Russell necesitaba un lugar donde pensar y también necesitaba un poco de tiempo. Sabía que había llegado el momento de encauzar su vida y, para hacerlo, debía tomar unas cuantas decisiones difíciles.

Aparcó el Jeep delante de la fachada principal y pasó junto al jardín medicinal (un jardín Tristan, pensó) para llegar a la parte trasera. Apenas había dado unos pasos cuando escuchó un ruido atronador, como si se hubiera derrumbado algo, y un chillido ahogado, como si alguien hubiera resultado herido.

Corrió hacia el lugar del que procedía el estruendo,

atravesó una puerta y entró en una estancia a la que le faltaba parte del techo. Sin embargo, no vio a nadie, ni vio nada salvo un rayo de sol que dejaba al descubierto las motas de polvo.

—¿Me ayudas? —susurró una voz por encima de su cabeza.

Cuando levantó la vista, vio a una mujer colgando de los dedos, aferrada muy precariamente a una viga de madera podrida que había sobre la pared.

—Madre del amor hermoso —masculló Russell y corrió para colocarse debajo de ella—. ¿Tienes una escalera?

—Al otro lado —susurró ella.

Russell corrió hacia la habitación contigua, pero escuchó el crujido de la madera podrida y supo que la mujer iba a caerse. Solo tenía tiempo para una cosa: colocarse justo debajo de ella. Su cuerpo amortiguaría la caída.

Saltó los últimos pasos con los brazos extendidos y la atrapó justo cuando la madera se rompía. Aunque no le pareció demasiado grande al verla colgada de la pared, cuando su cuerpo lo golpeó, se tambaleó hacia atrás. Tropezó con unos tablones sueltos y cayó de espaldas. El peso y la inercia hicieron que se deslizara por el suelo. Sintió que se desollaba la espalda al pasar por encima de los escombros. Lo asaltó el dolor y gruñó... pero no soltó a la mujer. La abrazaba con tanta fuerza que era un milagro que no la partiera en dos.

Cuando dejó de moverse, descubrió que estaban envueltos en una nube de polvo. Se encontraba de espaldas, con la mujer encima. Para protegerla del polvo y de los cascotes que pudieran caer, le cubrió la cabeza con las manos y le escondió la cara contra su pecho; a su vez, él enterró la cara en sus rizos rubios. Mientras el polvo los engullía, inhaló el olor de su pelo. Y cuando la nube de polvo se asentó, se quedó quieto, abrazándola.

—Creo que ya ha pasado todo —dijo ella, y su voz quedó amortiguada contra su pecho.

—Sí, vale —repuso él, sin apartar la cara de su pelo.

—Esto... —le dijo ella—. Creo que ya puedo levantarme.

Russell empezó a recuperar el sentido común, lo bastante como para levantar la cabeza y echar un vistazo a su alrededor, pero no la soltó. Era una mujer menuda y le resultaba maravilloso sentir su cuerpo contra el suyo.

Cuando ella se removió para liberarse, la soltó a regañadientes, tras lo cual la mujer se sentó en el suelo a su lado. Russell se quedó tendido de espaldas, mirándola. Incluso con la mancha que tenía en la cara, era guapísima. Tenía una melenita rubia oscura, rizada, y uno de los tirabuzones le tapaba el ojo izquierdo. Unos ojos de un azul intenso, una naricilla respingona y una boca que esbozaba una sonrisa completaban la imagen.

La vio restregarse la mancha de la cara, pero solo consiguió extenderla todavía más.

Russell le señaló la sien derecha. Ella se cubrió la mano con la manga de la camiseta y se restregó la cara.

—¿Me la he quitado?

—No del todo —contestó al tiempo que extendía un brazo. Seguía tumbado donde había caído, pero levantó una mano hacia ella—. ¿Puedo?

—¿Por qué no? No va a ser nuestro primer contacto.

Sonrió al escucharla, le tomó la barbilla con una mano (algo que no era necesario) y usó el pulgar para quitarle la mancha. Cuando acabó, no la soltó y se miraron a los ojos un buen rato.

De hecho, podrían haberse quedado así de no ser porque un trozo de madera cayó al suelo a su espalda. Russell rodó al instante hasta quedar de costado, interponiendo su cuerpo entre la madera caída y ella. La mujer lo abrazó con fuerza y se quedaron así hasta después de que el polvo se asentara.

—Creo que será mejor que salgamos de aquí —sugirió ella y, una vez más, tuvo que apartarlo a la fuerza.

Russell se sentó, sin dejar de mirarla y con una sonrisa en los labios.

—¿Estás...? —se interrumpió al oírla jadear. La vio levantando las manos manchadas de sangre.

En un abrir y cerrar de ojos, la mujer pasó de sonreír con dulzura a mostrar una actitud diligente. Le colocó una mano en el hombro y se inclinó para mirarle la espalda.

—Te sangra la espalda.

Cuando Russell se limitó a sonreírle, ella hizo una mueca.

—Vale, héroe, a levantarse. Tenemos que limpiarte las heridas.

Ella se puso en pie y Russell comprobó que tenía una figura muy agradable, aunque quedaba oculta por unos vaqueros anchos y una camisa enorme que cubría una camiseta con el letrero de «Myrtle Beach» en el bolsillo. No era una mujer exuberante, pero sí esbelta y bien formada.

Le tendió la mano para ayudarlo a levantarse, pero cuando Russell se movió, el dolor de la espalda lo devolvió a la realidad. Sin embargo, con esos ojazos azules clavados en él, fue incapaz de soltar el gemido que quería.

Cuando ella lo vio hacer una mueca, le pasó un brazo por la cintura y lo ayudó a sortear los escombros que había desparramados por el suelo hasta salir al patio y a la luz del sol. Lo guio hasta que lo tuvo sentado en el murete de piedra.

—Quédate aquí sentado y no te muevas, ¿vale?

—Pero... —comenzó él.

—Vuelvo enseguida. Tengo que coger mi maletín médico.

Russell se animó.

—Eres una Hanleigh.

Tras titubear un momento, ella sonrió.

—Sí. Al menos, ese era mi apellido de soltera.

A Russell se le borró la sonrisa, pero después la recuperó.

—Eres la viuda.

En esa ocasión, ella se echó a reír.

—Soy Clarissa Hanleigh Wells, la dueña de este montón de piedras y sí, soy viuda. ¿Necesitas saber algo más antes de que vaya por mi maletín?

—Eres una Tristan —dijo él.

Ella meneó la cabeza.

—No tengo ni idea de lo que quiere decir eso. Tú quédate aquí quietecito que yo vuelvo enseguida. —Desapareció detrás de una pared.

Russell se sacó el móvil del bolsillo. Se dio cuenta de que tenía seis correos electrónicos y tres mensajes de voz, pero pasó de ellos. Estuvo a punto de mandarle un mensaje a Travis diciéndole que había encontrado a Clarissa Hanleigh, pero se lo pensó mejor, apagó el móvil y lo devolvió a su bolsillo. Los vería a todos en el almuerzo, así que las noticias podían esperar hasta entonces.

Miró a Clarissa mientras esta volvía a toda prisa. Regresó con un maletín de cuero rojo que parecía bastante pesado, pero saltó con agilidad unas piedras caídas y unos maderos podridos.

Russell siguió sentado con una sonrisa, aunque sabía que parecía un tonto.

Ella se plantó delante de él, lo miró un momento y dijo:

—Quítatela.

—¿Cómo dices?

—¡Vaya! —exclamó ella—. ¿Dónde estudiaste?

—En Stanford.

—Era de esperar... Quítate la camisa para que pueda ver el alcance de la herida.

Mientras él se desabrochaba la camisa, Clarissa lo rodeó para verle la espalda y Russell la escuchó inspirar hondo.

—Da igual. Tengo que cortarla, y como sea demasiado fea, te llevo al hospital.

—No —rehusó—. Prefiero que la cures tú. —Escuchó cómo se ponía los guantes y, acto seguido, sintió su mano en el hombro. Se obligó a mantenerse quieto cuando ella empezó a separar la tela de los arañazos de su espalda.

—Creo que deberías...

—No —la interrumpió con brusquedad—. Eres médico, ¿no?

Ella titubeó mientras cortaba.

—Es lo que quería ser.

—¿Has querido serlo toda tu vida? ¿Parecías haber nacido para ser médico? ¿Esa clase de cosas?

—Sí, exacto —convino ella—. ¿Es lo que tú llamas un Tristan? ¿Por mi antepasado?

—Es como lo llaman en Edilean.

—Nunca he oído hablar de ese sitio.

—Está en Virginia, y tienes parientes allí.

Ella se detuvo, con las manos sobre su espalda.

—Jamie y yo no tenemos parientes.

—¿Jamie?

—Mi hijo —contestó ella.

Russell contuvo el aliento mientras ella usaba unas pinzas para sacar un trozo de tela de un corte.

—Ah. Un hijo. ¿Cuántos años tiene?

—Cinco.

—Supongo que es el motivo de que no... —Tuvo que concentrarse en la respiración porque lo que ella estaba haciendo dolía mucho.

—Es el motivo de mi existencia, si te refieres a eso. Pero sí... —Se detuvo para empapar una gasa con agua a fin de limpiar la sangre—. Jamie es el motivo por el que no fui a la facultad de Medicina. En fin, eso no es justo. Un jugador de fútbol guapo, unos cuantos chupitos de tequila y el asiento trasero de un Chevy son los culpables de eso.

—¿Y te casaste con el futbolista?

—Sí —contestó ella en voz baja—, pero se emborrachó y se salió de la carretera por un puente antes de que su hijo naciera. Jamie y yo siempre hemos estado solos.

—Eso se acabó. —Se volvió para mirarla justo cuando ella limpiaba un corte y jadeó de dolor.

—No pensaré menos de ti si gritas. O si lloras.

—¿Y perder mi estatus de héroe? —preguntó.

Ella dejó lo que estaba haciendo, le colocó las manos en los hombros y acercó la cara a la suya.

—Jamás perderás tu estatus de héroe ante mis ojos. Me has salvado la vida —dijo en voz baja al tiempo que lo besaba en la mejilla.

Russell inclinó la cabeza y le besó el dorso de la mano.

Ella apartó las manos.

—Salvarme la vida no te da derecho a nada más. Por cierto, ¿quién eres, por qué estás aquí y qué es eso de que tengo parientes?

A medida que Russell se lo contaba todo, se percató de que lo que decía era ligeramente incoherente, pero le costaba pensar con claridad. Entre el dolor de la espalda y la presencia de esa mujer, no tenía la cabeza en su sitio. Empezó contándole el objetivo de su viaje, cómo había ido con su hermanastro, Travis, para ayudar a la prometida de este, Kim, a localizar a un antepasado con la esperanza de encontrar a sus descendientes.

—Todos los habitantes de Edilean están emparentados —dijo—, así que no sé para qué necesitan más familiares.

—Pareces celoso.

—Yo... —empezó. Iba a decir que tenía parientes, pero las personas a las que su madre había hospedado en Janes Creek solo llamaban cada vez que se les ocurría un plan que querían que su rico jefe financiara. Salvo por eso, su madre y él estaban solos.

—Sigue —lo instó Clarissa—. ¿Cómo es que de repente tengo una familia?

—Por la aventura entre el doctor Tristan Janes y la señorita Clarissa Aldredge, de Edilean, Virginia, allá por 1890. Tuvieron un hijo al que ella llamó Tristan, y el nombre se ha ido transmitiendo por el primogénito de cada generación.

—¿Y todos son médicos?

—Eso creo. Tendrás que preguntarle a Kim los detalles.

—¿Y ella se va a casar con tu medio hermano?

—Sí —contestó, y no pudo evitar contarle lo que pensó al escuchar esa expresión de pequeño.

Clarissa soltó una carcajada, y el sonido le gustó.

—Eso es algo que diría mi Jamie. —Le estaba vendando la espalda.

—¿Qué hacías cuando te he rescatado?

Ella soltó un gemido frustrado.

—Intentando restaurar este sitio, pero soy una negada.

—En eso tengo que darte la razón. —Tenía las manos sobre su piel, alisando el vendaje, y por un instante Russell cerró los ojos.

—Ea, ya estás listo. —Lo rodeó. Él seguía llevando la parte delantera de la camisa, ya que no se la había cortado entera, y sonrió al ver su aspecto tan gracioso.

Russell hizo ademán de quitarse los restos de la camisa, pero Clarissa emitió un sonido que lo llevó a levantar la cabeza. Tenía lágrimas en los ojos. Para él, fue lo más natural del mundo estrecharla entre sus brazos, enterrarle las manos en el pelo y apoyarle la cabeza en su hombro.

—Estaba muy asustada —susurró ella mientras daba rienda suelta a las lágrimas—. Solo pensaba en que mi niño se quedaría sin madre. En que jamás lo superaría. En que mi estupidez le arruinaría la vida. Y he sido una imbécil por venir sola todos los domingos por la mañana.

—Pues sí, es una estupidez —convino Russell mientras la abrazaba con fuerza... y de repente recordó que su padre lo había enviado a ese lugar un domingo por la mañana—. Prométeme que no volverás a hacerlo.

—Pero es todo lo que tengo —protestó ella al tiempo que se apartaba—. Este montón de piedras medio derruido es todo lo que poseo. Mi trabajo apenas da para cubrir gastos...

—Te ayudaré.

—¿Cómo dices? —Se apartó todavía más para secarse los ojos y mirarlo.

—Me quedaré en Janes Creek y te ayudaré.

—No puedes hacer eso. No te conozco. Ni siquiera sé cómo te llamas.

—Ah, perdón. Soy Russell Pendergast. Tengo veintiocho años y mi padre es Randall Maxwell.

—¿No es...?

—Eso mismo. Uno de los hombres más ricos del mundo. Pero creo que tal vez... —Russell decidió que sería mejor posponer el momento de contarle que cabía la posibilidad de que su padre lo hubiera enviado para conocerla—. Mi madre trabaja para él. Y mi hermano también, de momento, pero está a punto de mudarse a Edilean y mi madre también quiere vivir allí. ¿Dónde está tu hijo?

—En catequesis. Una de las mujeres con las que trabajo se lo lleva los domingos por la mañana para que yo pueda pasar un par de horas aquí. —Miró las ruinas—. Creo que necesita más de un par de horas a la semana, ¿no crees?

—Este sitio necesita meses de trabajo, un montón de maquinaria y de materiales, y al menos una docena de hombres.

—O de mujeres —repuso ella, y Russell tuvo que sonreír.

—Cierto. ¿Dónde trabajas?

—Adivina.

—¿Trabajas en la consulta de un médico? ¿En un hospital? En algo relacionado con la medicina.

—Parece que eres más que una cara bonita —dijo, y se puso colorada—. No quería decir que...

Russell la miró con una sonrisa.

—¿Puedo conseguir una camisa en alguna parte? No

quiero volver al hotel. Y también algo de comer. Me temo que salí sin comer y me muero de hambre.

—Esto... —Clarissa titubeó—. En el ático tengo una caja con la ropa de mi padre. Era casi tan grande como tú. Podría lavar unas cuantas prendas mientras te preparo unos huevos con beicon.

—¿Cuándo vuelve tu hijo a casa?

—Sobre las once.

—Me gustaría conocerlo —dijo Russell en voz baja.

—Y a mí me gustaría que te conociera.

Por un instante, se miraron y fue como si ambos dieran por sentado que eso podría ser el principio de algo real, de algo serio.

Russell fue quien rompió el silencio.

—¿Os gustaría a Jamie y a ti venir hoy a un almuerzo al aire libre? Es a la una. Seguro que hay comida de sobra y creo que conseguiré que Jamie se lo pase bien. —Le dijo con la mirada lo mucho que deseaba que fuera con él.

—Creo que a los dos nos encantaría.

—¡Genial! —exclamó Russell al tiempo que se ponía en pie, pero el movimiento le tensó la espalda e hizo una mueca de dolor.

Una vez más, Clarissa le rodeó la cintura con el brazo para ayudarlo.

—Podría quedarme herido para siempre —comentó él al tiempo que le echaba el brazo por encima de los hombros—. ¿Qué le gusta a Jamie? ¿Los globos? ¿Los animales? ¿Los acróbatas?

—Los camiones de bomberos —contestó ella—. Cuanto más grandes y rojos, mejor.

—Pues que sean camiones de bomberos —replicó Russell.

—Voy a traer mi coche —dijo Clarissa—. Quédate aquí y no muevas la espalda.

—A sus órdenes —soltó Russell mientras la veía alejarse a toda prisa.

En cuanto la perdió de vista, le mandó un mensaje a su madre.

«Llevo a un niño de 5 años al almuerzo. Le encantan los camiones de bomberos. Voy a casarme con su madre. R.»

17

Travis llegó al claro del bosque donde se había dispuesto que se celebrara el almuerzo campestre y esperó encontrar el Jeep de Russell, pero no lo vio. En cambio, había un flamante camión de bomberos de color rojo y lo que parecía ser todo el cuerpo de bomberos, con el uniforme de gala. Los bomberos reían y charlaban mientras disfrutaban del espléndido banquete que les habían servido.

—¿De qué va todo esto? —preguntó Kim.

—Ni idea, pero a lo mejor mi padre ha planeado encender una hoguera.

Kim contempló el idílico lugar y soltó el aire. La escena no era la que tanto había temido, comprendió de repente. Porque pensaba que se encontraría camareros ataviados con guantes blancos que servirían champán en copas de cristal, y que tal vez habría cientos de invitados.

En cambio, solo vio un mantel de cuadros rojos y blancos extendido en el suelo debajo de un enorme castaño, y unas seis neveras portátiles a un lado. No había ni un solo camarero a la vista.

Lo extraño era la presencia de los bomberos.

—No es lo que esperaba —reconoció Kim.

—Lo mismo digo —replicó Travis.

Mientras hablaba, llegó Penny en su coche de alquiler del que se bajó a toda prisa para correr hasta ellos.

—¿Ha llegado Russell? —le preguntó a Travis a través de su ventanilla.

—No lo he visto. ¿Qué...? —Dejó la pregunta en el aire porque Penny se fue corriendo hacia el camión de bomberos.

—¿Habrá pasado algo? —preguntó Kim.

Travis observaba por el retrovisor cómo Penny hablaba con todos los bomberos.

—Nunca la he visto perder la compostura —comentó, asombrado—. En una ocasión tuvimos la presencia de dos enemigos jurados en la oficina al mismo tiempo. Mi padre y yo temíamos que sacaran las pistolas, pero Penny se las arregló para moverlos por el edificio de tal manera que ni siquiera llegaron a verse. Gracias a ella conseguimos un contrato multimillonario.

Kim estaba observando la escena a través de la luna trasera.

—No sé lo que ha pasado, pero está muy nerviosa. Parece histérica.

—Eso es interesante —comentó Travis al tiempo que se volvía y le sonreía—. ¿Estás preparada para esto? Estoy seguro de que mi padre... ¡La leche!

Kim alzó la vista y vio que llegaba otro coche al claro.

—Es...

—Sí. Joe Layton y mi madre —dijo Travis en voz baja—. Hablando de enemigos jurados...

—Tu madre y Penny —suplió Kim, mientras se dejaba caer en el asiento—. Tengo una idea. Es una tontería, pero me gustaría que la consideraras. ¿Y si nos vamos ahora mismo y volvemos a Edilean? Que Penny nos mande la ropa. O compramos ropa nueva allí. ¿Qué te parece?

—Me gusta tu forma de resolver ciertas situaciones —contestó él al tiempo que ponía en marcha el coche.

Sin embargo, Joe Layton se plantó delante del vehículo.

—¿Y si pones en práctica alguna técnica de conducción especial? —sugirió Kim—. Podrías rodearlo y eso.

—Es demasiado grande. Abollaría el coche. Mejor salimos por tu lado y corremos hacia el bosque. A lo mejor conseguimos escapar.

Joe demostró ser demasiado rápido para ellos. En un abrir y cerrar de ojos, se colocó junto a la puerta de Travis, metió la mano por la ventanilla y quitó las llaves del contacto.

—Vamos, cobardes. Salid y uníos a la fiesta. —Abrió la puerta del coche.

Travis le dio un apretón a Kim en la mano y puso los ojos en blanco.

—Señor, dame fuerzas.

Kim salió por su puerta y retrocedió un poco para observar a Lucy, una mujer menuda que en ese momento se encontraba detrás de Joe, que era tan grande que la tapaba por completo.

Kim sentía curiosidad por una mujer que había logrado mantenerse cuatro años escondida de ella. En cuanto Lucy rodeó a Joe para ponerse de puntillas y abrazar a su hijo, Kim comprendió por qué lo había hecho. Llevaba tan grabadas en la mente las semanas que había pasado con Travis cuando eran pequeños que no había olvidado el rostro de Lucy. De haberla visto en Edilean, habría hecho justo lo que Lucy temía y le habría contado a todo el mundo que la conocía. Lucy era el vínculo con Travis, el eslabón que podría llevarla hasta él, y ella no habría pensado en otra cosa. No habría analizado las consecuencias.

Lucy enfrentó la mirada de Kim. En los ojos de ambas brillaba una disculpa.

—Kim —dijo Lucy en cuanto estuvo a su lado—, no pretendía...

—No pasa nada —la interrumpió ella—. Seguro que mi madre te dijo que se lo contaría a todo el mundo, y llevaba razón. Deseaba tanto encontrar a Travis que habría vendido a mi propia madre a un tratante de blancas para conseguir información.

—Según tengo entendido, se las habría apañado estupendamente —replicó Lucy, y ambas se echaron a reír.

»¿Por fin va todo bien entre Travis y tú? —le preguntó Lucy en voz baja. Travis y Joe estaban un poco apartados.

—Muy, muy bien. ¿Qué tal os va a Joe y a ti?

Lucy suspiró de forma sentida.

—Es bonito que te quieran, ¿verdad?

—Sí, maravilloso —reconoció Kim—. ¿Sería una grosería si te pregunto cómo va lo de tu divorcio?

Lucy miró de reojo a Joe y a Travis, tras lo cual se inclinó hacia delante, cogió a Kim de la mano y susurró:

—Randall ha accedido a darme el divorcio de forma pacífica. Nada de enfrentamientos. Un acuerdo justo. Le he dicho que no quiero que Travis ponga un pie en los tribunales. Quiero que paséis juntos todo el tiempo que os merecéis.

Kim no pudo evitar que se le llenaran los ojos de lágrimas de felicidad.

—Gracias —murmuró.

Lucy sonrió y ambas siguieron cogidas de la mano.

—¡Eh, vosotras dos! —gritó Travis—. Tengo hambre. Vamos a ver qué nos ha mandado mi padre para comer.

Penny seguía hablando con los bomberos, por lo que pese al hambre que tenía, Travis se acercó a ella. Saludó a los bomberos y les dijo que estaba a su disposición para lo que necesitaran. Todos quisieron estrecharle la mano al hijo del hombre que acababa de regalarles un camión nuevo. Travis tardó un rato en poder hablar con Penny.

—¿Qué está tramando mi padre ahora? —le preguntó a su secretaria—. Me alegra que colabore con el cuerpo de bomberos de Janes Creek, pero ¿qué gana con esto?

—Fui yo —confesó Penny, con los ojos clavados en la carretera, no en Travis.

—¿Has comprado un camión de bomberos?

—Me limité a encargarlo. Tu padre lo ha pagado —precisó, tras lo cual guardó silencio, como si esa fuera toda la información que podía darle.

—¿Penny? —insistió Travis.

En ese momento, se escuchó un coche que se acercaba por la carretera y su secretaria pareció dejar de respirar. El coche pasó de largo y Penny soltó el aire.

—¿Qué está pasando? —exigió saber Travis.

Penny, que seguía con la vista clavada en la carretera, le entregó su móvil.

—Lee el mensaje de texto que me ha enviado Russell.

—¡Ah! —exclamó Travis al leerlo—. ¿Le ha pedido a su novia que se case con él? Creo que esto debe de ser contagioso. Espero que haya usado uno de los anillos que le ofrecí a Kim. Seguro...

—Russell no tiene novia.

—Pero dice que va a casarse con la madre de un niño a quien le encantan los coches de bomberos. ¿Quién es esa mujer?

Penny se volvió y lo miró en silencio.

Travis tardó un instante en comprender lo que significaba eso.

—¿Acaba de conocerla?

—Eso creo —respondió Penny, que comenzó a frotarse las manos, nerviosa—. ¡Ay, Russell! —susurró—. ¿Qué has hecho?

Por primera vez en la vida, Travis le pasó a Penny un brazo por los hombros. Ella siempre había sido quien se mantenía firme en cualquier circunstancia. Cada vez que Travis y su padre se enzarzaban en una discusión, ella usaba la sensatez. Su negativa a permitir que una crisis la alterara era lo que tranquilizaba a los demás.

Sin embargo, en ese momento era ella quien necesitaba una presencia tranquilizadora.

—Tu madre me odiará aún más —dijo, dejando entrever que en el fondo seguía siendo la misma, aunque después apoyó la cabeza en el torso de Travis.

Él miró hacia el lugar donde estaba su madre, sentada con Joe y con Kim en el mantel de cuadros. Habían abierto una nevera y habían sacado limonada, vasos, una gran variedad de quesos y de galletas saladas. Aunque no había camareros, la comida parecía muy pija.

—Mi madre solo tiene ojos para Joe, y Russell le gustará nada más verlo.

Penny se apartó de él.

—Eso espero. Aunque, claro, se parece mucho a ti. Y tu madre te adora por encima de todo.

Travis sonrió.

—Joe me ha dicho que mi padre va a darle el divorcio sin luchar en los tribunales. ¿Crees que es cierto?

—Sé que está muy impresionado con Kim.

Travis no pudo evitar hacer una mueca.

—¡Qué cabrón! Mira que aparecer a hurtadillas... Sabía perfectamente dónde estaba mi madre durante todos estos años. Cada vez que me acuerdo de lo que me costó esconderme de él para poder... —Miró a Penny—. ¿Por qué sabes que le gusta Kim?

—He hablado con él. Le enseñé a Kim una foto de tu padre y se quedó blanca. Así que me imaginé que lo había visto en algún lado.

Travis asintió con la cabeza.

—Llegó al restaurante con muy mala cara, como si hubiera visto un fantasma.

—¿Te ha dicho que fingió ser un jardinero?

—Me ha costado un poco que me lo contara.

—Bien —replicó Penny—. No tengáis secretos el uno con el otro. Tu padre y yo nunca... quiero decir que...

—Te entiendo. Su vida siempre ha girado más en torno a ti que en torno a mi madre.

Penny se volvió para mirar a Lucy y a Joe, que estaban sentados muy juntos sobre el mantel.

—Siempre me ha caído mal tu madre. Y no por que hiciera algo en concreto, sino por lo que suponía de ella. El hecho de que tuviera un apellido tan ilustre me hizo pensar que vivía en un mundo lleno de fiestas al aire libre y tés a media tarde. Y pensaba que le gustaban los caballeros que llevaban pañuelos de encaje.

Joe Layton no se parecía en absoluto al típico «caballero».

—Estoy seguro de que Russ llegará pronto, así que es

un buen momento para llevar a cabo un cara a cara con mi madre.

—¿Sabes si ha venido armada? —le preguntó Penny.

—Creo que solo tiene un par de machetes —bromeó él, pero al ver que su secretaria retrocedía, se echó a reír—. Vamos, Kim y yo te protegeremos.

Travis se mantuvo cerca de Penny mientras caminaban hacia el lugar donde los demás estaban sentados y le suplicaba a su madre con la mirada que no atacara. Sin embargo, comprendió que eso no era justo. Al fin y al cabo, Penny había tenido un hijo con su marido. Claro que tampoco podía decirse que hubiera roto un matrimonio feliz. La verdad era que Travis estaba tan contento de tener un hermano que lo demás le importaba bien poco.

Mientras se sentaba entre su madre y Kim, miró a Joe en busca de apoyo moral. Joe cogió a su madre de una mano y le dijo con la mirada que todo saldría bien.

—¿Hay cerveza? —preguntó Travis con los ojos clavados en su madre, que se negaba a mirar a Penny—. Mamá —insistió mientras Kim le pasaba una cerveza—, Kim me ha dicho que tienes dos hermanos. ¿Es cierto?

—Howard y Arthur —respondió ella—. No los he visto desde... bueno, desde que me casé. Nos dijimos algunas cosas muy desagradables.

Todo el mundo guardó silencio, a la espera de que Lucy añadiera algo más, pero no lo hizo.

—¿Cómo son? —le preguntó Travis, dispuesto a hablar de cualquier cosa con tal de ponerle fin al incómodo silencio—. Me gustaría conocerl...

—¡Aquí están! —exclamó Penny, aliviada y contenta. Se levantó y echó a correr.

—¿De quién está hablando? —quiso saber Kim.

—Parece que desde que mi hermano pequeño —dijo, mirando directamente a su madre, que se negó a enfrentar su mirada— nos dejó a la hora del desayuno, ha conocido a una mujer de la que se ha enamorado y a la que le ha propuesto matrimonio.

Todos se quedaron paralizados, con la comida en las manos, a medio camino de los labios.

—¿Quién es ella? —preguntó Kim.

—Ni idea. Todo lo concerniente a mi hermano es un misterio absoluto. ¿Vamos a conocerla? Parece que tiene un hijo de cinco años que está loco por los camiones de bomberos.

Todos se pusieron en pie y se acercaron al camión. En ese momento, se escuchó un chillido de alegría procedente de un niño precioso que corría hacia ellos.

—¡Tristan! —exclamó Kim, que también echó a correr—. ¡Se parece a mi primo Tristan! —gritó, mirando hacia atrás—. ¡Russell ha encontrado a mi familia!

Su entusiasmo resultó contagioso, de modo que Travis, Joe y Lucy apretaron el paso.

El niño ya estaba subiéndose al camión, ayudado por los bomberos. La felicidad que irradiaba era tal, que todos sonreían.

Tras el niño llegó Russell, con una expresión pletórica y cogido de la mano de una mujer muy guapa.

—Me gusta el anillo —le dijo Kim a Travis, que la miró sin saber a qué se refería—. Lleva el diamante rosa de cuatro quilates que estaba entre los que me enseñaste. Era mi segunda opción. La chica tiene buen gusto.

Travis sonrió y asintió con la cabeza. Tal como esperaba, Russell había usado uno de los anillos que él le había ofrecido a Kim como anillo de compromiso.

Russell se detuvo al llegar frente a ellos.

—Mi padre me citó en el viejo molino esta mañana —dijo—. Parece que Clarissa acostumbra a trabajar en él los domingos por la mañana.

—Si Russell no hubiera aparecido, ahora mismo estaría muerta o con los huesos rotos —añadió Clarissa, que se hizo con la atención de todos los presentes.

—Tenéis que contárnoslo todo —dijo Kim—. Creo que somos primas.

—Primas lejanas —precisó Travis.

—Tengo que echarle un ojo a mi hijo —se disculpó Clarissa—. Jamie es...

—Ahora tiene una abuela —la interrumpió Russell en voz baja, y todos se volvieron para mirar.

Penny estaba aún en el suelo, con los brazos extendidos sobre la cabeza para que dos fornidos bomberos la alzaran hasta la parte superior del camión, donde se sentó al lado de Jamie. El niño la miró con una sonrisa, y cuando el camión se puso en marcha, ella le pasó un brazo por los hombros.

—Creo que tiene quien lo cuide —añadió Russell, que miró muy sonriente a Clarissa—. ¿Nos sentamos?

—Y comemos —dijo Clarissa—. Estoy segura de que tendrás hambre otra vez.

Como los dos tortolitos que eran, el comentario les hizo mucha gracia, lo que dejó en evidencia que se trataba de una broma íntima.

No obstante, pasaron tres horas hasta que todos estuvieron saciados de comer y de beber y por fin pudieron hablar. El camión de bomberos había vuelto para entonces, y todos escucharon el entusiasmado relato de Jamie, que les contó lo que había visto y lo que había hecho. Le habían regalado un casco y una chaqueta amarilla, prendas que todavía llevaba puestas.

Después de comer, se sentó en el regazo de su madre porque estaba muerto de cansancio. Una vez que se durmió, Russell lo cogió y le colocó la cabeza en su regazo y los pies en el de Penny.

Todos habían escuchado con atención el relato que Russell y Clarissa se turnaron para contarles sobre su primer encuentro. Travis miró a Penny, ya que no necesitaban de palabras para comunicarse tras tantos años trabajando juntos. Randall Maxwell había encontrado a los descendientes de la familia Aldredge y había orquestado las cosas para que su hijo Russell conociera a Clarissa.

Cuando Clarissa les relató el encontronazo con la muerte que había sufrido por su empeño en renovar el viejo molino, Travis miró de nuevo a Penny, que asintió con la cabeza. Randall Maxwell le regalaría a su hijo la remodelación completa del edificio como regalo de boda.

Sin embargo, lo que todos escucharon con mayor atención fue el relato de su encuentro. Ambos se mostraron tímidos y reticentes a entrar en detalles sobre esa parte de la historia, si bien sus expresiones fueron más que elocuentes.

Travis miró varias veces a su madre, cuya cara dejaba bien claro que estaba tan fascinada como los demás por lo que estaba escuchando. Travis la pilló dos veces mirando maravillada a Russell, que era un calco de su hijo.

Sobre las cuatro, el cansancio de un día tan emocionante comenzaba a hacer mella en ellos. Travis y Kim se miraban como si desearan estar a solas, de la misma forma que lo hacían Joe y Lucy, y también Russell y Clarissa. De modo que quien sostenía la vela era Penny.

—Creo que deberíamos volver al hotel —dijo Kim—. Podríamos quedar luego para... —Se interrumpió porque en ese momento llegó una limusina negra, que aparcó junto al resto de los coches.

Una de las puertas traseras se abrió, pero no bajó nadie. El motor seguía en marcha. En el interior parecía haber una persona, si bien se tomó su tiempo para salir.

—Es Randall —dijo Lucy, cuya voz pareció indicar que la fiesta había terminado. Sin embargo, de repente su expresión se tornó radiante y miró a Penny sin disimulos. No con las miradas de soslayo que habían estado dirigiéndose toda la tarde, sino directamente a los ojos—. ¡Ha venido por ti!

Penny se encogió de hombros.

—Seguro que quiere que le recoja la ropa de la tintorería.

Los demás siguieron mirándola sin pestañear.

—Madre —dijo Russell—, llevas casi treinta años enamorada de ese hombre, ¿no va siendo hora de que demuestres tus sentimientos?

Penny miró a Lucy, como si le estuviera pidiendo permiso. A modo de respuesta, Lucy se acercó más a Joe.

—Esto es todo lo que necesito.

Penny apenas tardó dos segundos en tomar una decisión. Se levantó con cara de estar a punto de hacer por fin lo que más deseaba en la vida, se alisó la falda y besó a Russell, a Jamie y a Clarissa en la frente. Después se dio media vuelta y echó a andar despacio hacia la limusina. No obstante, en un momento dado echó a correr. La vieron sonreír al acercarse. Ni siquiera titubeó cuando llegó junto al vehículo, cuya puerta cerró nada más entrar. La limusina se marchó.

El silencio reinante hizo quc Jamic se removiera, inquieto. Al abrir los ojos y ver a Russell, le sonrió.

—Me has regalado un camión de bomberos —dijo, tras lo cual lo abrazó.

—Creo que debemos irnos —terció Russell, dirigiéndose a Clarissa, que se puso en pie al ver que él hacía lo mismo.

Los demás siguieron sentados sin quitarles la vista de encima. Russell llevaba en un brazo a Jamie, que lo abrazaba con fuerza, y con el otro ayudaba a Clarissa a recoger unas bolsas. Era increíble que se hubieran conocido esa misma mañana. Sin embargo, esas tres personas conformaban una familia.

—Bueno, ¿qué planes tenéis? —preguntó Travis.

Clarissa miró a Russell. Mientras doblaba una manta, el anillo que llevaba en el dedo brilló.

—Todavía es un poco pronto para hablar de eso.

Russell añadió:

—Supongo que todo depende del lugar en el que encuentre trabajo.

—Muy bien, hermanito —replicó Travis—, nos tienes a todos en ascuas. ¿Cuál es tu vocación?

Russell sonrió como si no pensara contestar.

Clarissa pareció extrañada al ver que los hermanos ignoraban algo tan básico.

—Russell es un pastor de la iglesia baptista.

El anuncio los dejó a todos sin palabras.

Russell se encogió dc hombros.

—Tengo la formación, que no la práctica. Me dijeron quc tenía ciertos problemas... esto... para controlar mi temperamento y me sugirieron sin mucha sutileza que antes tenía que solucionarlos.

Travis parecía estar a punto de soltar una carcajada, pero Kim lo miró muy seria, advirtiéndole de que no lo hiciera. Después dijo:

—En fin, la mitad de Edilean no ha perdonado a nuestro antiguo pastor por haberle robado la novia a mi hermano. Además, lleva años en el puesto y... —Dejó el resto de la información en el aire.

—Lo que mi futura esposa intenta decir es que tal vez haya una plaza libre en Edilean para un pastor baptista. —Travis miraba a su hermano con los ojos abiertos de par en par, aunque había logrado recuperarse un poco de la sorpresa—. Creo que deberíamos hablar sobre el campamento que tengo la intención de abrir. Hay una vacante para ti.

—Con mucho gusto —replicó Russell—, pero antes Clarissa tendrá que ir a la universidad para estudiar Medicina. Quiere ser médico.

—Es una verdadera Tristan —comentó Kim, haciendo que todos rieran. Tras mirar las sonrientes caras de todos los presentes, clavó la vista en Travis. Por fin había conseguido lo que quería desde que era una niña de ocho años.

—¿Estás lista para marcharte? —le preguntó Travis en voz baja.

—Sí —respondió ella—. Contigo, siempre.

Epílogo

Era bastante tarde cuando vibró el móvil de Kim. Travis y ella se encontraban en París de luna de miel, y se le pasó por la cabeza la idea de no mirar el correo electrónico. Pero Travis lo había escuchado.

—Vamos, ve a ver quién es. Ojalá que sean mi madre y Joe.

Kim abrió el móvil y leyó el mensaje sin dar crédito.

—Es de Sophie.

—¿De quién?

—De mi otra compañera de habitación en la universidad, además de Jecca.

—Ah, sí, la rubia explosiva.

Mientras Kim seguía leyendo, se dejó caer en la cama.

—¿Malas noticias?

—Sí y no —susurró—. Sophie dice que necesita un lugar donde esconderse y un trabajo.

—¿Esconderse? ¿De qué?

—No lo dice —contestó Kim.

Travis se sentó en la cama junto a ella y le echó un brazo por encima de los hombros.

—Si quieres volver a casa, podemos hacerlo.

—No —repuso Kim—. Sophie me dice que no lo haga. Yo... —Levantó la cabeza—. Voy a llamar a Betsy.

—¿Quién es Betsy?

—La gerente de la consulta de mi hermano. Reede no lo sabe, pero está a punto de conseguir otra empleada. —Se llevó el teléfono a la oreja.

Travis se puso de pie.

—A mí me parece que estás haciendo de casamentera.

—¡Por Dios, no! ¿Reede y Sophie? No funcionaría en la vida. Ella es demasiado lista y demasiado agradable para mi hermano. Pero creo que voy a mandarle un mensaje de correo electrónico a mi primo Roan para pedirle que le eche un ojo a mi amiga.

Travis meneó la cabeza y se sentó en un mullido sillón para abrir un periódico. Al parecer, su mujer iba a tardar un rato mientras organizaba la vida de su amiga.

Oculto por el periódico, sonrió. Estaba convencido de que era el hombre más feliz sobre la faz de la tierra.

—Tómate el tiempo que quieras —le dijo—. Tenemos toda la vida por delante.